KU-344-220

LES AMANTS DU PARADIS

DU MÊME AUTEUR

Aux éditions Albin Michel

LES CHIENS IVRES.
LA BALADE DU DINOSAURE.
L'AMOUR LUMIÈRE.
OVER LOVE.
LÉA OU L'OPÉRA SAUVAGE. Prix des Quatre Jurys

RAOUL MILLE

LES AMANTS DU PARADIS

BERNARD GRASSET

PARIS

Un après-midi, elle est entrée dans l'établissement à l'heure où le soleil vient cogner furtivement contre les rouges et les mauves des lumières chamarrées. Même avant la guerre, Robert n'en avait vu une de plus, comment dire, non pas belle ce serait insignifiant, de plus existante, oui, voilà c'est ça, existante. Il remarqua sa bouche tout d'abord, épaisse et fragile, si fragile comme si chez elle les yeux ne suffisaient pas aux pleurs. Il leva son regard sur le sien. Et immédiatement il comprit le danger. Je les plains, se dit-il en pensant à personne en particulier.

– Je peux chanter?

Mi-timide, mi-provocante, une voix matinale, désaltérante. S'il l'écoutait, il était foutu.

– Allez-y. Mais je ne promets...

– D'accord.

Elle s'est dirigée vers le piano, le soleil gainait ses jambes de reflets tendres. Elle avait une petite jupe moussante et légère. Un chemisier trop déboutonné. Et rien dessous. Robert n'en aurait pas juré mais il en avait bien l'impression.

Elle s'est lancée doucement, sans préparation, « Vous qui passez sans me voir... », elle le chantait et c'était tout, sans effet, un fil tendu. Un fil mince, mince... Le piano rajeunissait, les notes jaillissaient sous la caresse.

– Merde, elle chante comme un ange!

C'était stupide de penser ça mais Robert ne trouvait rien d'autre. Quand ce fut fini, et ce fut trop vite fini, il crut qu'il n'avait plus de jambes. Elle était restée assise sur l'extrémité du tabouret, se contentant de passer une main d'enfant dans ses cheveux ébouriffés.

– Comment vous appelez-vous? souffla Robert.

– Gloria...

– Ce n'est pas votre vrai nom?

– Non; c'est important?

Pour la première fois, elle sourit, un sourire hésitant de jeune fille timide. Dieu qu'elle est jeune! Robert, gêné, demanda :

– Vous avez vos papiers bien sûr?

– Je les ai.

Elle paraissait tranquille, détachée, un peu lointaine.

– Bon, je vous engage.

Gloria fit un signe de tête, rabattit le couvercle du piano et se redressa. Pas d'étonnement ni de remerciement. Elle était déjà près de la sortie, Robert l'avait à peine vue traverser la salle. Une fée transparente.

– Je vais revenir...

Robert crut déceler de la gaieté dans sa voix. « Elle va les rendre fous... »

Le soleil avait disparu. Le Perroquet retrouvait son naturel de pénombre.

La nuit finissait à vingt-trois heures, au couvre-feu. Les heures d'après duraient deux fois plus. Les amoureux de Gloria, et tous l'étaient, Italiens, Français, apatrides, quittaient le Perroquet, les mains moites et un rêve de folie dans la tête. Edoardo, le premier soir, pensa qu'il n'avait jamais croisé un regard aussi solitaire. Cette fille-là a dû vivre des choses terribles, se dit-il. Dès qu'elle commençait à faire glisser ses doigts sur le clavier, les conversations s'éteignaient honteuses. Les serveurs passaient les commandes en chuchotant. Toute l'attention, la fébrilité de l'assistance convergeait vers ce point pâle de lumière aux lèvres de sable rose. Soudain, les lèvres s'entrouvraient, ondulaient, agitées d'un souffle intérieur. Edoardo suivait leurs vibrations et quand elles se rejoignaient dans un baiser pour moduler certains mots plus lourds, plus pleins que les autres, il frissonnait comme un enfant surpris par les ténèbres. Gloria chantait en italien et en français, des mélodies nostalgiques de préférence. On osait rarement lui demander une chanson, pourtant quand cela arrivait, si elle connaissait l'air, elle acquiesçait et quelques instants plus tard annonçait le titre en précisant : « Une commande spéciale... » Et on ne savait jamais si elle marquait ainsi une distance ou rendait hommage au demandeur. Edoardo avait été surpris de voir un soir le général Mazzoli se lever, redresser son col, rabattre sa vareuse et se diriger vers Gloria, s'incliner devant elle et, avec cette politesse glacée qui le façonnait entièrement, lui demander un vieil air de Toscane.

– Je ne connais pas, avait-elle répondu avec indifférence.

Le général encore plus digne qu'à l'aller avait retraversé toute la salle imperturbable. Petit, sec et ressemblant si peu à un Italien, il dirigeait les services du contre-espionnage. Un homme important. Humain disaient certains, dangereux répondait la rumeur, mais Mazzoli n'intéressait pas Edoardo. Il se demandait quand il aurait le courage d'adresser la parole à Gloria. Il se posait la question chaque soir. Ce n'était pas de la timidité ni de la crainte mais une sorte d'appréhension diffuse qui le retenait. Il ressentait la même sensation que lorsqu'il avait quitté Ferrare pour Rome. Un sentiment de définitif. Le basculement dans une autre existence, une autre histoire. Sa mère l'avait accompagné à la gare comme s'il partait à la guerre, mouchoir trempé, yeux rougis. Par chance, il ne s'en allait qu'à la conquête de son avenir. La guerre qu'il ne faisait pas et cette peur devant une simple aventure d'amour! Incompréhensible, inconvenant, ridicule. Edoardo possédait trop de sens moral pour s'aveugler lui-même. Déjà ses amis de Ferrare lui reprochaient cette lucidité qui l'empêchait de se livrer entièrement aux émotions. Mais que savaient-ils de lui? Dans ce décor de tentures fatiguées, idéales pour un film frelaté, Edoardo se reconnaissait différent. Pas suffisamment cependant pour s'engloutir dans une passion.

Ce soir! Gloria porte une robe bleue remontée haut sur ses jambes. Lorsqu'elle se penche sur le clavier, à tel point qu'on croirait qu'elle va dévorer les touches, ses cheveux voilent complètement son visage. On n'aperçoit alors que cette tignasse liquide autour de laquelle s'émiettent des fragances de couleurs. A l'approche du piano, la lumière rend aveugle. Gloria est si petite... Une enfant! C'est une enfant. Ses pieds chaussés de sandales jonglent avec les pédales. Edoardo va se réveiller, sortir de la boîte à jouets, tout rentrera dans l'ordre. Il ira au front, au froid, comme les autres. Il ira mourir lui aussi pour le Duce ou contre lui.

– Excusez-moi, c'est l'air d'un film... *L'Atalante,* un film de Jean Vigo, vous connaissez?

Elle le regarde, sidérée :

– Non, pas du tout.

– Ah bon! Vigo ou le film?

– Ni l'un ni l'autre.

Voilà, il va retraverser la salle, terminé avant même de commencer, c'est bête, trop bête! Pourquoi a-t-elle un regard si déchirant?

Gloria pianote négligemment. Elle ne le chasse pas. Au contraire. Rien à voir avec Mazzoli!

– Chantez-moi la mélodie.

– Je ne sais pas, je chante faux.

– Sifflez alors!

Edoardo n'a jamais sifflé de sa vie et encore moins devant la femme qu'il aime. Car il aime, cela ne fait plus aucun doute. Lorsque enfin un son perce la barrière de ses lèvres desséchées, il sent le gouffre s'ouvrir. Il se voit tournoyer si loin et si longtemps qu'il en a le vertige.

– *Le chaland qui passe,* bien sûr! C'est très beau.

Et pour la première fois, tous, oui tous, trafiquants, miliciens, grossistes du marché noir, agents plus ou moins secrets, toute la prestigieuse clientèle du Perroquet entr'aperçoit quelque chose qui ressemble à un sourire sur le visage de Gloria. Et ceux qui avaient résisté tombent, elle les embarque au fil de la romance à quatre sous, de l'amour, du toujours. Ils en ont tant besoin qu'ils sont prêts à pleurer de vraies larmes. Les voilà poètes, douloureux à leurs propres misères. Une mansuétude infinie les enveloppe. Finies l'horreur, la délation, la haine cuite, recuite... Tous enfants soudain. Enfants nostalgiques, d'une innocence duveteuse, une innocence où se rafraîchir, se ressourcer et glorieusement renaître beau, pur, angélique. Elle les promène Gloria dans un coin du ciel où ils ne sont jamais allés, où ils n'iront plus jamais. Une poignée de secondes, elle leur fait oublier le grotesque et l'infâme qui les habillent et les hantent.

Edoardo vacille, s'accroche au piano, des larmes gigotent sous ses paupières. Il fredonne, debout, idiot. Ah! il ne se savait pas si sentimental, c'est donc vrai, on peut avoir envie de mourir, envie de retenir le temps, de le happer, l'emprisonner, le tuer et soi avec. Il croyait aimer Vigo, Michel Simon, des joies saines. Faux! il s'en moque et même de Dita Parlo dont il s'imaginait amoureux, seule la chanson le transporte, le cogne plein cœur, le bouleverse. Gloria, yeux fermés, fait durer le refrain, elle chantonne à voix basse, en balançant sa tête doucement de côté. Le piano s'envole, la musique de Jaubert prend des ailes, improvise des dentelles sonores. Des sources jaillissent de la boîte noire, les lumières sont baissées et ce n'est ni pour une alerte ni pour le couvre-feu. Mais par magie.

– Ça vous a plu?

– Je voudrais vous embrasser.

Il n'a trouvé que cela à répondre.

– Allez-y!

D'un geste soudain elle lui tend ses doigts blancs et fins comme des allumettes de neige.

La Promenade des Anglais déserte coule sous les étoiles chaudes du mois d'août. Devant le Ruhl, deux carabiniers un peu soûls rient bruyamment. La nuit porte les parfums de l'été, des odeurs de galets surchauffés, de plantes gonflées de sucs, d'humus aux émanations sauvages. La vie explose à chaque pas en brassées voluptueuses. Nulle envie de se cloîtrer ni de dormir. L'air appelle l'amour, la musique, les bals, les corps brûlants, les lèvres qui s'entrouvrent, les salives chaudes les unes aux autres mélangées, les soupirs de fauves dociles au fond des gorges. A quelques centaines de kilomètres plus au sud, sous le même ciel, dans la même atmosphère enivrée, des hommes jetés tout armés par la Méditerranée sur le rivage de la Sicile se battent. Et ni la caresse, ni la sensualité féminine de la nuit d'été ne les empêcheront de souffrir, de hurler et de mourir, gueules contre rocaille, loin si loin du ciel sillonné d'étoiles fulgurantes. Comment vivre l'amour, se demande Edoardo, comment et pourquoi vivre autrement que pour et dans la guerre. Ces hommes là-bas viennent délivrer l'Italie du fascisme. Eux qui, quelques semaines plus tôt, auraient été incapables de désigner sur la mappemonde l'endroit où se cachait cette terre sont en train d'y goûter, mètre par mètre avec la mort pour guide. Des Italiens, Edoardo le sait, sont à leurs côtés, dans l'ombre, d'autres en face, lui seul est nulle part. Demain comme chaque matin depuis une quinzaine de jours, il montera aux studios de la Victorine accomplir son travail ingrat d'assistant considéré par tous comme un espion. L'espion italien. Le diable en somme.

Pourquoi mentir, se mentir, Edoardo n'existe que pour le cinéma et l'amour et, depuis ce soir, l'amour et le cinéma. Peut-être même que l'amour suffirait. L'amour de Gloria. L'amour avec Gloria. A Ferrare, il avait connu des secrétaires, des vendeuses, à Bologne des filles de famille, des étudiantes, à Rome des intellectuelles, des artistes. Mais ce n'est qu'ici, à Nice occupé par une armée dérisoire, refuge incertain des traqués de partout, ville de toutes les complicités, de tous les arrangements, des plus insondables faiblesses, Babylone sans Dieu ni temple autre que des casinos au ventre doré, que se révèle la femme rêvée, soupirée, absolue, la femme engendrant l'amour encore plus implacablement que les canons la destruction. Personne ne sait qui est Gloria, ni d'où elle vient, ni ce qu'elle cherche, désire ou veut. Une femme au regard tellement attendrissant et dur à la fois. Cet amour, Edoardo l'attend depuis les premiers émois sensuels où la chair exulte tandis que l'âme devient étrangement absente.

Au Négresco, Edoardo couchait au dernier étage, l'ex-étage des bonnes et des chauffeurs. L'hôtel n'avait jamais été aussi bondé avec dans les chambres de grand luxe des familles, des juifs riches en attente d'un départ pour l'Amérique, l'Espagne, le Portugal. Avec dans les chambres de luxe moyen des juifs un peu moins riches en expectative d'un visa quelconque leur permettant d'aller n'importe où; avec dans les chambres de simple luxe des juifs aisés vivant avec l'espoir répété chaque jour d'un acte de baptême, d'une carte d'identité, de n'importe quel bout de papier tamponné faisant d'eux des bons et loyaux Français natifs de France depuis la nuit des temps. Avec dans les chambres sans luxe des juifs sans fortune bouclant leur tour de France, ultime étape, derniers sous.

Par hasard, Edoardo ne partageait sa chambre qu'avec un seul compagnon. Bruno, faux Argentin, faisait danser tous les après-midi au thé du Ruhl les derniers couples acharnés à refuser l'irrémédiable. Une complicité légère liait les deux hommes sans les contraindre. Edoardo s'amusait de la fausse moustache épaisse et brune qui donnait au musicien cette profondeur argentine qui ravissait les dames. Tandis que Bruno, lui, se plaisait à inventorier le cœur en éventail de son compagnon. Le rire oblitérait la faim, les nuits où l'absence d'électricité allongeait les heures.

Dépourvu de ses attributs sud-américains, Edoardo trouvait que Bruno aurait pu avantageusement figurer auprès de Jean Gabin dans un film du Front populaire.

– Tu sais, j'ai décidé de me naturaliser brésilien. Argentin, ça suffit... Brésilien, ça les étonne, elles s'imaginent des Indiens, la jungle, des beautés perverses et sulfureuses. Comment va Gloria?

– Bien, ce soir nous nous sommes parlé. Elle m'a chanté *Le chaland qui passe.*

– Méfie-toi des musiciens, ce sont des êtres à part.

– Ils n'ont pas de cœur?

– Ils en ont trop.

– Tu ne rêves jamais toi?

– Oh si! je rêve de New York, de Rio de Janeiro. Je rêve de filles caramel... Je rêve de foutre le camp, Edoardo.

Les deux lits craquèrent, par la fenêtre pénétra la première brise matinale. Bruno baissa la voix.

– Tu sais, à l'étage au-dessous, il y a une famille de juifs, ils veulent m'emmener en Amérique. La nurse est folle de moi. Madeleine, elle s'appelle. Ils espèrent passer par Lisbonne.

– Pourquoi ils te prendraient avec eux, t'es pas juif?

– Et pourquoi pas? Tout le monde est juif!

– Tu seras bien le seul aryen au monde à te faire passer pour juif!

– J'ai jamais rien fait comme les autres.

Les deux amis s'endormirent sur un rire étouffé. A la brise succéda une lueur opalescente. C'était déjà le matin.

– « Ici Jéricho dit la Trompette, dit l'Abreuvoir... à cause de la boisson, dit la Misère à cause des ennuis! On m'appelle aussi Tisonnier, dit Fouille la Braise, dit l'Accordeur, dit Pigeonnier... » Dis donc Marcel, c'est quoi tous ces surnoms à la con. Je me les rappellerai jamais moi.

La voix de Le Vigan a beau porter clair et loin elle a du mal à couvrir le tumulte des coups de marteau, les jurons des machinistes, les vociférations d'une centaine de personnes traversant le plateau, affairées et dégoulinantes de transpiration. Petit Marcel n'entend pas. Il n'entend plus rien depuis des jours. S'il devait répondre à toutes les questions, interpellations, récriminations, interrogations, il serait déjà terrassé, abattu, cadavre desséché dans un coin de décor. Et des coins, il n'en manque pas, une ville avec ses boulevards, ses rues, ses places, ses boutiques, ses hôtels particuliers et surtout, fleuron des fleurons, ses théâtres. Et au ciel de ces théâtres, le paradis avec ses enfants. L'idée folle de la bande à Petit Marcel, faire revivre le Boulevard du crime, son grouillement, ses assassins, ses mimes, ses cabotins, ses divas et leurs amours, plein d'amours. Faire tout avec rien... On manque de bois, de plâtre, de tissus, de strass... Rien, pas même de quoi nourrir l'armada des figurants. Rien, sinon ce temple d'amour fou sur une minuscule colline de Nice, une ridicule petite colline dans l'Europe en guerre. Petit

Marcel sait que ce qu'il fait là est grand. Il ne veut pas trop y penser voilà tout. A certains moments, la terreur le paralyse, il s'arrête pile au milieu d'une phrase. Tous les regards le fixent... Ils attendent. Attendent la suite. Pendant ces secondes où ses ordres demeurent suspendus, soudain parfaitement vains, Marcel entend la voix mauvaise, celle qui lui susurre qu'il est trop petit, trop rond dans ses pantalons flottants, misérable de prétention. « Tu n'y arriveras pas, chantonne la voix, tu n'y arriveras pas. » Puis elle s'en va comme elle est venue. Alors Marcel retrouve le ciel bleu, le Boulevard qu'une fausse perspective fait courir à l'infini, il contemple ce grouillement insensé d'hommes et de femmes suspendus à ses lèvres, il lève la tête doucement et rencontre, majestueux, hiératique, ténébreux, l'œil noir de la caméra qui attend lui aussi. Et Marcel retrouve les mots, les attitudes qui donnent un sens aux ordres, un grand ouf de soulagement traverse le studio. Une fois de plus, une fois encore, on l'a échappé belle.

Le Vigan se contente d'avoir chaud, d'avoir soif, d'avoir peur. Cela fait des semaines qu'il a peur. Cela fait des semaines qu'il parle. Parle à l'habilleuse, à la maquilleuse, aux machinos, à Edoardo qu'il contraint à s'asseoir en face de lui dans la loge sans aération où le soleil infernal de l'après-midi ne laisse aucune chance à la moindre velléité de fraîcheur.

– Vous êtes italien?

Sans attendre la réponse, le comédien enchaîne de son débit précipité, halluciné.

– C'est bien... Vous croyez qu'ils vont tenir vos compatriotes, ce Badoglio je ne lui fais pas confiance. Pas du tout même! A l'autre non plus d'ailleurs, le gros, Mussolini, ça fait rien, c'était pas une raison pour s'en débarrasser comme ça, hein! Je vous le dis, tant pis, ne vous fâchez pas, mais j'ai jamais pu souffrir les Italiens, plus fort que moi. Remarquez, ici c'est pas mieux! J'en ai jamais tant vu à la fois... Jamais! Des juifs! C'est pas possible, ils se sont donné le mot? Ils savaient que je venais ou quoi? Non mais franchement, dites-moi la vérité, vous êtes d'accord, ils pullulent. Moi qui n'aime ni la chaleur ni les youpins, je suis servi. Vous ne dites rien, vous z-êtes muet ou quoi?

Le Vigan allume un petit cigare très mince. La fumée stationne, immobile autour du visage décharné de l'acteur. Ses yeux se fendillent de stries rouges. Le larmoiement ne l'empêche pas de fixer son interlocuteur avec une intensité fiévreuse, presque sauvage. Le diable, c'est le diable, pense Edoardo qui ne sait comment se tenir sur cette chaise de fer bancale, arrachée au rebut du magasin de décor.

– Vous êtes plutôt grand et mince, non, pour un Italien, beau garçon, si, si...

Le comédien éclate d'un rire sec, une sorte de ricanement.

– Je suis du Nord, articule péniblement Edoardo.

– Ah! du Nord, du Nord, voyez-vous ça. Ils ont donc un Nord en Italie, quel Nord? Hein, expliquez-moi ça, quel Nord?

Le ton s'est fait péremptoire, accusateur.

– De Bologne, enfin des environs, Ferrare.

Le Vigan n'écoute plus, brusquement il se penche à quelques centimètres d'Edoardo qui est obligé de reculer devant le foyer incandescent du cigarillo.

– Mon petit, vous permettez que je vous appelle mon petit? Je ne suis pas tranquille ici, vous comprenez! Ils approchent. Vous les sentez venir vous aussi, n'est-ce pas? Je ne connais pas vos opinions. Ça ne fait rien. Mais moi, s'ils arrivent, je suis foutu. Foutu. A Paris, ce n'est pas la même chose, je me sens protégé, il y a les Allemands. Je vous choque. Non? Je ne sais pas de quel côté vous êtes? Je ne sais jamais. C'est ça qui est tragique, ennemi, ami, les gens à qui vous parlez, de quel bord sont-ils? Comment deviner? C'est pas écrit sur leur front. Vous ne pouvez pas imaginer ce que ça peut m'angoisser. Je ne devrais peut-être pas vous raconter toutes ces histoires. Je ne dors plus la nuit, jeune homme. Je ne dors plus depuis des années d'ailleurs. Même avant. Oui, même avant.

L'entrée fracassante de Petit Marcel évite à Edoardo d'avoir à répondre.

– Encore en train de déconner La Vigue! Apprends ton rôle, bordel. Apprends ton rôle!

– Oui Marcel...

Est-ce à cause de sa grande taille, de ses cheveux bouclés, Petit Marcel n'aime guère Edoardo. L'espion italien de la Scalera, la maison de production. Le jugement de Marcel dès le premier jour. Humilité, discrétion, efficacité, rien n'y fait, l'étiquette est collée une fois pour toutes sur le dos du jeune homme. Et Marcel a horreur de changer d'avis, ça lui prendrait trop de temps.

Vers les six heures du soir, le metteur en scène fait l'appel de ses troupes. Muni d'un porte-voix, il arpente nerveusement une petite estrade. Dur moment pour les assistants, quelles vont être les modifications au plan de tournage du lendemain, les idées de dernière minute du maître? Les caprices, disent les malintentionnés. Les folies, pensent les jaloux.

– Pour les « funambules » je veux plus de laides, démerdez-vous. Est-ce que vous m'avez trouvé les nains? J'ai pas vu les nains? Où sont-ils?

– Ils seront là lundi matin à la première heure, monsieur, répond le premier assistant.

– Pas trop grands j'espère, je veux de vrais petits!

– Ils sont petits, monsieur, c'est une maison de débiles qui nous les fournit.

– Comment ça une maison de débiles, ils comprendront rien alors?

– Mais eux ne le sont pas, ils comprennent très bien, je vous assure, monsieur.

– D'accord... Et les nymphes, vous les avez trouvées?

Henri, qui pousse la ressemblance avec Petit Marcel jusqu'à être chauve, prend le relais :

– Des filles superbes, de vraies poupées, elles dansent

dans un groupe folklorique. Depuis trois jours, je les fais bouffer pour qu'elles tiennent le coup. Elles sont adorables.

– Je m'en fous qu'elles soient adorables. Je veux qu'elles bougent leurs culs. Elles l'ont pas gros au moins!

– Oh non, monsieur...

– Oui, oui, je me méfie, ça meurt de faim ces bestioles et ça se démerde pour avoir des fesses comme des montagnes... Je les veux diaphanes, transparentes, vous avez compris, tansparentes, fluides, l'impression qu'on peut passer le doigt à travers.

– C'est exactement ça, monsieur.

– On verra... A propos de nourriture, faites très attention, aujourd'hui dans la scène de la taverne les morfales ont tout bouffé durant les répétitions, mettez la nourriture au dernier moment.

– Oui, monsieur, mais le directeur de la photo nous a demandé de placer les assiettes remplies dès le début pour ses réglages.

– Mais c'est incroyable ça! Foutez du factice, ils boufferont pas les poulets en carton quand même.

– Du factice, on n'en a pas.

– Et alors, du vrai on en a encore moins, faites-en fabriquer par l'atelier. Le carton, les Boches, ils l'ont pas entièrement réquisitionné j'espère!

Marcel tourne en rond, se caresse nerveusement la calvitie.

– Il va bien finir par trouver le coup fumant et tu vas voir que ça va tomber sur bibi, grommelle un titi parisien qui tente de se cacher derrière Edoardo.

– Ah oui, s'exclame Marcel, soudain rassuré sur sa mémoire, les vieilles, j'ai pas assez de vieilles, les enfants. Il me faut des décrépites.

– On a celles de l'hospice, intervient le premier assistant.

– Non, non, elles sont que vieilles celles-là, moi j'en veux avec des gueules de marâtre, genre sorcières lippues, vous voyez ce que je veux dire? Où est-ce qu'on peut en trouver des comme ça?

– Y en a sur les marchés, grogne une voix anonyme.

– C'est une idée! Edoardo, vous m'en dénicherez quelques-unes demain.

– Demain, c'est dimanche, monsieur.

– Et alors, monsieur Edoardo, on ne travaille pas dans le cinéma en Italie le dimanche?

– Si monsieur, je parlais pour les vieilles.

– Les vieilles ça ne se sauve pas, là où elles sont, elles restent.

– Bien monsieur.

– Bon, c'est tout les enfants, à lundi, et que ça saute, hein!... Enfin pas trop quand même!

L'éclat de rire du maître et de ses assistants va se perdre sous la voûte immense du plateau désert.

– Des monstres, tu en trouveras dans la vieille ville tant que tu voudras, glisse Henri à Edoardo avant la dispersion générale.

A cinq heures, les cloches se mirent à sonner. Un frisson parcourut la foule. L'évêque apparut. La lumière écrasait les ocres et les rouges fanés des maisons. Une buée s'élevait des ruelles. Sur l'estrade, adossée au contrefort de la colline du Château, l'évêque et le préfet s'agitaient, ombres tremblées comme par les flammes d'un bûcher. Le bras de l'évêque s'éleva, la foule se courba, s'agenouilla. La poussière, quelques secondes, voilà le soleil. De toutes les poitrines s'éleva un long soupir rauque. Les cloches s'arrêtèrent l'une après l'autre pour bientôt n'en laisser qu'une au timbre plus grave. Edoardo avait bien du mal à dérober un peu d'air torride. Le dur pointu des pavés lui rappelait les processions de la Fête-Dieu dans son enfance quand les muscles des cuisses tiraient jusque dans le ventre. Il n'eut pas le temps de souffrir, les bénédictions étaient plus courtes que de l'autre côté des Alpes. L'évêque s'avança sur le devant de l'estrade. Le sermon commençait. L'évêque expédia rapidement la foi indispensable, le Christ rédempteur, pour vite en arriver à l'ange gardien de la nation, l'envoyé de la Providence, l'archange tutélaire : le Maréchal. Notre sauveur. Tant qu'il veillerait sur le peuple de France, que sa noble poitrine servirait de bouclier, la France resterait la France. La confiance devait permettre au pays de surmonter les pires épreuves. Et Dieu le savait, oui il le savait, les épreuves étaient là, menaçantes comme de noirs nuages et d'autres encore après celles-ci jusqu'au moment béni où la bonne volonté de tous et surtout la constante foi dans les paroles du Maréchal arracheront la nation à la peine, au malheur et à l'affliction qui aujourd'hui l'étreignaient.

Un hourra de vivas emporta les dernières paroles de l'évêque. Le préfet s'avança à son tour et la main droite sur le cœur entonna : « Catholiques et Français, toujours... »

La foule reprit, gorges déployées, les enfants étaient grimpés sur les épaules des pères, les femmes avaient des larmes dans les yeux. Ce fut le moment que le soleil choisit pour venir frapper la mitre et la crosse de l'évêque. L'éclat fut si brillant, si radieux que des applaudissements crépitèrent. L'évêque et le préfet s'enfoncèrent dans la marée humaine de la rue du Malonat. Des lampes s'allumèrent malgré le grand jour. Aux fenêtres, ceux qui n'avaient pas de drapeau avaient accroché des couvre-lits et des tapis bariolés. L'évêque et sa suite créèrent un mouvement à contre-courant. Les acharnés qui étaient là depuis des heures voulaient le voir, le toucher... La vieille ville craquait sous la pression des bras, des jambes, des corps entassés, juxtaposés. Des lézardes centenaires gagnaient en quelques secondes des années de laborieux grignotements. On se battait pour approcher l'anneau, l'effleurer du bout de l'ongle et pour les plus chanceux, les plus téméraires, le baiser. L'évêque était soulevé, porté. Les officiels, noyés, chaloupés, recouverts de poussière grisâtre poussaient des cris de détresse. Le préfet cherchait avec angoisse ses agents en tenue et en civil, perdus dans la débandade. Un chef milicien, perché sur un baril d'huile, hurlait avec désespoir le nom de ses hommes. Congestionné, il déboutonna le col de sa vareuse et frappa de sa botte le flanc du tonneau. A cet instant, plus personne n'était capable d'avancer ou de reculer. On reposa délicatement l'évêque qui, un peu pâle, bénissait sans conviction la mêlée.

Edoardo s'était réfugié dans une impasse étroite mangée par un lavoir désaffecté où seuls les moustiques et les rats venaient se désaltérer. Au fond, un escalier de fer courait le long d'un mur aveugle. Edoardo qui n'avait rencontré dans toute cette foule aucune vieille suffisamment vermoulue pour satisfaire Petit Marcel escalada les marches branlantes jusqu'au niveau d'un premier étage. De l'autre côté de l'impasse, la procession avec l'évêque et le préfet s'était remise en route. Un haut-parleur nasillard diffusait des chants latins tellement triturés et hachés qu'ils évoquaient l'Arabie. En s'adossant plus franchement à la muraille Edoardo sentit une protubérance, la poignée d'une porte fondue dans la grisaille et la saleté. Une légère poussée, la porte céda. La pièce, basse de plafond, était si vaste qu'il n'en put découvrir le fond. Au centre, une lucarne déversait la lumière tranchante de la fin d'après-midi, une lumière qui aveuglait plus qu'elle n'éclairait. Des ventres de commodes, des charpentes d'armoires, d'innombrables fauteuils dépareillés venaient se heurter, papillons éblouis, à un immense cône de poussière translucide. Edoardo s'avança sur la pointe des pieds, l'atmosphère lui rappelait la visite d'un grenier de musée à Florence certainement avec sa mère. C'était toujours avec sa mère. Le silence! Il l'entendit soudain, un silence qui avalait les rumeurs du dehors ne laissant échapper que quelques cris étrangement solitaires. Leur résonance sèche évoquait l'hiver, le sol gelé et la neige en suspens. Edoardo s'approcha du cône là où des constellations de taches de couleur s'entre-dévoraient, là où la lumière extrême n'existait plus.

– Il y a quelqu'un? demanda une voix.

– Oui, moi.

Edoardo fit un pas, un autre, ébloui il cligna des yeux. Elle surgit des confins invisibles de la pièce, elle portait une robe bon marché avec deux énormes poches par-devant. Ses cheveux d'ambre encadraient un visage aigu et pâle où, seul éclat de couleur, la bouche s'épanouissait en une moue voluptueuse.

– Gloria!

La jeune fille ne marqua aucune surprise.

– Ah, c'est vous! Comment vous appelez-vous?

– Edoardo.

– Ne restons pas là, suivez-moi, et, sans s'occuper de savoir s'il lui obéissait ou non, elle tourna les talons.

Ils se retrouvèrent dans une pièce obscure qui devait être une cuisine. Edoardo se souvenait à peine de l'escalier retors qu'ils avaient dévalé. Il n'avait vu, il ne voyait qu'elle. Elle fit réchauffer un peu de café. Dans les tasses, elle jeta du sucre, du vrai sucre! Puis elle croisa ses jambes et alluma une cigarette à bout doré. Elle le fixait avec curiosité. Il sut immédiatement que ce regard ne lui était pas particulièrement destiné mais qu'en réalité c'était sa façon d'être et de regarder, intensément, goulûment, dévorante et glaciale à la fois.

– C'est immense, dit-il. Vous vivez là?

Elle esquissa un sourire.

– Si vous voulez, disons que j'habite ici. Il y a trois étages, c'est une vieille bâtisse avec plein de recoins, je ne connais même pas toutes les pièces. Tout à l'heure vous avez fait du bruit, c'est pour ça que je suis montée voir.

– Et vous n'avez pas peur?

– Peur? Peur de quoi... Des fantômes! Les vivants sont plus dangereux, vous ne trouvez pas?

– Si, bien sûr.

Edoardo s'en voulait d'être si gauche, de passer avec une telle ostentation à côté de l'essentiel, de le savoir et de ne pouvoir se résoudre à agir différemment. Il constatait une fois de plus que sa réserve naturelle placée sous l'impérieuse nécessité de l'action se métamorphosait en maladresse. Si Gloria au moins l'avait quitté des yeux ne serait-ce qu'un instant. Mais non, elle touillait son café inlassablement, le regard braqué sur lui. Comment le voyait-elle? Bon Dieu! elle observait quoi au juste, ses mains, sa bouche, ses cheveux?... Il allait lui poser la question. Mais il en posa une autre.

– Avec tout ce monde qui cherche à se loger, vous avez de la veine, une maison entière pour vous toute seule.

– Une amie me l'a prêtée, j'ai beaucoup d'amis, c'est utile.

– Utile!

Edoardo trouva le terme incongru.

– Vous êtes venu pour la procession, demanda-t-elle.

Enfin elle se décidait à le questionner.

– Pas du tout, je cherchais des vieilles, des vieilles avec de vraies têtes de vieilles. On m'a dit que j'en trouverais dans le coin mais je suis mal tombé, trop de monde, les vieilles sont restées chez elles ou alors je les ai ratées.

Cette fois-ci, elle sourit franchement et immédiatement il retrouva l'enfant, l'enfant grave qui l'avait bouleversé au Perroquet. Il remarqua alors seulement l'état d'abandon des lieux, l'ampoule triste et flasque pendue au plafond, le réchaud crasseux où Gloria avait fait réchauffer le café, la cuisinière plus noire que le dernier morceau de charbon qu'on lui avait enfourné dans la gueule il y avait des siècles. Pas un plat, une assiette, un couvert, le plus mince signe de vie familière. Si Gloria dormait dans cette baraque, elle n'y mangeait certainement pas. Au mur, un calendrier des Postes daté de 1936 représentait deux lavandières, un ballot de linge en équilibre sur leur coiffe.

– Vous vous intéressez au calendrier et aux vieilles femmes?

– Non, sursauta Edoardo, enfin si, les vieilles c'est pour le cinéma, je suis assistant sur un film qui se tourne à la Victorine, le metteur en scène veut des gueules, comme il dit.

– Assistant c'est quoi? demanda Gloria en allumant une de ces cigarettes au parfum oriental.

– Tout et rien, on cherche des vieilles, des objets introuvables, on s'occupe du ravitaillement, on court à gauche, à droite pour rien ou pas grand-chose. En principe, c'est pour apprendre à devenir cinéaste mais en vérité je passe mon temps à remplir des tâches subalternes dans la plus complète indifférence. Je suis loin de mon rêve, bien loin.

La pénombre avait gagné la totalité de la pièce, Gloria se leva, la semelle de bois de ses sandales résonna sur les grosses dalles mal taillées.

– Il faut que je me prépare maintenant.

Ils traversèrent une série de pièces vides et sinistres. La jeune femme pénétra dans un réduit où brillait une lampe jaune.

– Ma chambre.

Un lit défait qu'Edoardo évita de regarder, deux chaises surchargées de vêtements et une assez belle table basse surmontée d'une glace piquetée de taches brunes devant laquelle la chanteuse s'installa.

– Amenez-moi la lampe s'il vous plaît, là, plus près.

Sa main tremblait en posant la lampe sur la plaque de marbre encombrée de tubes, de boîtes, de flacons.

– Non, vous ne me gênez pas...

Elle lisait dans ses pensées ou quoi! s'inquiéta-t-il en cherchant un endroit libre pour s'asseoir.

– Jetez les affaires, prenez la chaise, approchez-vous.

Elle donnait des ordres. Il obéissait. Radieux. Avec un peu d'ouate imbibée d'un liquide incolore, elle se lissa le visage plusieurs fois.

– C'était quoi votre rêve?

Edoardo fixa intensément la lampe jaune.

– Réaliser des films comme Griffith, Dreyer, Stroheim, devenir metteur en scène, c'est prodigieux vous savez, créer un univers, un univers entier dans l'espace et le temps à partir d'une idée, déployer des tonnes de matériel, faire bouger des hommes, des femmes, décider du jour et de la nuit, donner la vie, la mort, inventer des destins, les briser ou les glorifier. Et tout ça avec de la lumière et une matière plus fragile que la plus délicate des étoffes, la pellicule. Être le maître de son invention, la voir se réaliser devant ses yeux, c'est le plaisir suprême. Le plaisir de Dieu lui-même. Mais je vous embête.

– Pas du tout, continuez.

Gloria s'enduisit les mains de crème puis lentement les passa sur ses joues, son front, son cou, le mouvement s'accéléra, les ongles luisaient sous le reflet de la lampe. Quand ce fut fini, Gloria ressemblait à une madone énigmatique et lunaire.

– Vous ne dites plus rien? dit-elle d'une voix tendre de fillette espiègle.

Edoardo aurait aimé que mille et mille fois elle lui reposât la question : « Vous ne dites plus rien?... »

– Je vous regarde.

– Il ne faut pas.

– Vous regarder?

– Me regarder de cette façon.

– Excusez-moi.

– Trop d'hommes me regardent comme ça. Parlez-moi plutôt encore de cinéma, j'aime le cinéma mais je n'y vais jamais.

– Pourquoi?

– Vous savez, il y a un tas de choses que j'aime et que je ne fais pas.

Il n'osa pas demander si le contraire était également vrai. Par-dessus le blanc, Gloria ajoutait le noir avec un mince pinceau qu'elle promenait sur ses paupières, une promenade cil à cil, de la racine à l'extrême pointe. Edoardo avait déjà vu des femmes se maquiller et pendant des années sa mère lorsqu'elle se préparait pour l'Opéra le vendredi soir, jamais il n'avait assisté à une telle sûreté de gestes, à une telle délicatesse dans la précision. Elle lui faisait peur, il devait fuir, oui il le devait. Il ferma les yeux mais une fois dans le noir son cœur battit si fort qu'il lui sembla le sentir tressaillir dans sa gorge. Alors il pensa qu'il dormait et qu'il rêvait, cette idée le fit sourire.

– Je ne vous fais rire, lança Gloria.

– Pas du tout, oh non! je pensais, vous ne m'avez pas demandé ce que je faisais là-haut...

Gloria haussa les épaules, elle avait fini avec l'œil gauche, elle passa au droit.

– Je ne pose jamais de questions surtout celles où les réponses ne m'intéressent pas.

– Je ne vous intéresse pas?

Elle se tourna légèrement vers lui.

– J'ai dit cela? Ne commencez pas à jouer, j'ai horreur du jeu.

Il y avait plus que de la froideur dans la façon dont elle laissa tomber sa phrase : du dédain.

– Je peux, moi, vous poser une question?

Elle avait presque terminé avec l'œil droit.

– Allez-y mais je ne promets rien.

– Vous êtes si mystérieuse, si secrète, on dirait que vous venez de nulle part, un peu comme si vous étiez en visite. Je me trompe?

– Oui il y a de ça, en visite, les hommes veulent toujours savoir d'où je viens, quelle importance! Je suis là, voilà tout.

Elle se saisit d'un tube de rouge et dessina sa bouche, la

lèvre du haut, celle du bas, puis elle les fit glisser l'une sur l'autre pour aviver la couleur d'un vermillon flamboyant. Elle fignola les commissures avant de revenir sur la courbe des deux lèvres pour une retouche imperceptible.

Edoardo se saisit d'un tube qui traînait et le pressa entre ses doigts.

– Je ne suis pas curieux Gloria, je suis fasciné, j'aimerais en savoir davantage, j'avoue.

Gloria éclata de rire, c'était la première fois qu'il l'entendait rire ainsi. Il remarqua le rose des pommettes, ce n'était ni de la fraîcheur ni de la gaieté, mais du fond de teint qu'elle raclait au fond d'une minuscule boîte.

– Bientôt ce sera fini ça aussi, constata-t-elle d'un ton sans amertume.

– J'aime votre rire, il ressemble à la façon dont vous chantez.

– Mais je ne sais pas chanter.

– Vous voulez dire que vous n'avez pas appris, les oiseaux non plus, ils chantent c'est tout.

– Oh, mais si j'ai appris, ma mère voulait faire de moi une chanteuse à voix mais je n'avais pas assez de coffre, je ne retenais pas l'air dans mes poumons, le professeur disait : « La petite a la voix mais pas la poitrine. » L'imbécile me faisait étouffer avec ses exercices, ce que j'ai pu le détester. Il était gros et chauve, beurk...

– C'était où!

– Où?... A Paris. Il habitait Montmartre, vous connaissez Montmartre? Un appartement parfumé aux choux. C'était affreux, heureusement il y avait Lara.

– Lara, c'est un nom de théâtre.

– Non, c'est son véritable nom, une juive, c'est avec elle que j'ai pour la première fois chanté, pour le plaisir. On chantait tous les succès du moment, elle les jouait au piano et moi je les chantais. Il y avait un piano chez elle, ses parents étaient plus riches que les miens, beaucoup plus riches. Vous savez que je suis juive moi aussi?

– Pourquoi me dites-vous ça?

Une odeur vanillée de poudre de riz envahit la pièce, Edoardo déposa le tube qu'il triturait machinalement.

– Pourquoi? Mais parce que je vous fais confiance, vous êtes italien après tout, un ennemi.

La houppette voltigeait, le nuage s'épaississait. Edoardo toussa.

– Les Italiens ne sont pas ennemis des juifs.

– Des Français quand même...

– Moi je suis l'ennemi de personne.

– Tiens, moi non plus!

Il observa l'image dans la glace. Dure, trop dure, le rouge vif écrasait la bouche.

– Je ressemble à une pute, n'est-ce pas?

– Non, à un petite fille jouant à la marquise.

Gloria se leva, déboutonna sa robe et d'un geste preste la fit tomber sur le sol. La pointe sombre de ses seins tranchait sur le sable roux et doux du reste du corps. La vision ne dura que quelques secondes, d'un mouvement aussi véloce que le premier, Gloria enfila par la tête un chemisier blanc brodé.

– Passez-moi la jupe noire, là, sur le couvre-lit.

Edoardo s'empara de la jupe et la lui tendit. Il rougissait, il en était certain. Ridicule... Il était ridicule.

Le derrière devant, elle remonta la fermeture Eclair, ajusta la taille, remit la jupe à l'endroit.

– Voilà, je suis prête.

Ils quittèrent la pièce sans éteindre la lampe. La jeune fille de l'après-midi, un peu gauche dans sa robe campagnarde, avait laissé la place, toute la place, à Gloria, la chanteuse du Perroquet. Ils sortirent de la vieille ville par le quai des Ponchettes, la mer émiettait le soleil couchant en fines lames de fruits trop mûrs. Un camion militaire stationnait au bord de la plage, des soldats italiens fumaient en regardant le tournis fou des mouettes. Parfois le cri perçant de l'une d'elles rompait le clapotis des vagues. Unique musique égrenant le silence qui pesait sur la ville, silence étrange semblable à la respiration d'une bête aux abois. Gloria se saisit de la main d'Edoardo :

– Je n'aime pas cette heure, on dirait que le monde va finir, vous ne trouvez pas?

Edoardo serra la main, la serra de toutes ses forces, de toute son énergie, de tous ses espoirs. Non, il ne croyait pas que le monde allait finir, ça non! Du coup, il ne trouva rien à dire.

– Comment s'appelle votre film? demanda Gloria.

– *Les Enfants du paradis*, répondit Edoardo.

– C'est joli, *les Enfants du paradis*, et ça raconte quoi?

– Une histoire d'amour.

Cette nuit-là le Perroquet décida d'effectuer la grande traversée, à partir de minuit plus personne n'entra ni ne sortit. Le colonel Boda menait la fête. Ses amis les capitaines Salvi et Tosti faisaient sauter des bouchons de champagne. Mazzoli buvait et fumait en silence, verdâtre et taciturne. Robert s'occupait du phono, Tino Rossi, De Sica, avec de temps à autre quelques vieux airs viennois. La salle était aux Italiens, le comptoir aux Français. Accoudés à la rambarde, trois dignitaires du marché noir, leurs poules, un journaliste soûl depuis le début de la soirée et un inspecteur de la mondaine. Seul à une table recouverte d'une grande nappe tachée, Edoardo avait pris place sur l'étroite bande frontalière entre les deux communautés. Gloria, il l'avait vue rire avec les trafiquants, se pencher à l'oreille de l'inspecteur. Tosti l'avait prise dans ses bras. Enfin, contre la poitrine de Boda elle s'était blottie. Très mince, très sombre, visage long et cireux, Boda cultivait l'allure romantique. Cette apparence du tourment lui suffisait largement pour évoquer Stendhal dont il n'avait jamais lu une ligne et accessoirement Verdi qu'il confondait avec Puccini. Edoardo avait vu les gestes, les sourires, les familiarités et à chaque fois c'était comme un coup d'épée glacé qui lui pénétrait dans la moelle. Il avait tout vu et aussi qu'elle n'avait aucunement fait attention à lui depuis leur entrée au Perroquet, main dans la main. Main dans la main, quelle belle affaire! Sa main, Gloria la donnait à qui voulait, mieux elle la proposait, l'offrait. La main, les lèvres, la tête entière comme maintenant, boule chatoyante, lovée oreille à cœur avec ce colonel de figuration. L'injustice broyait si fort Edoardo qu'il ne pensait plus à souffrir. Ce fut à la fin d'une complainte napolitaine que pour la première fois on entendit la voix de Mazzoli, une voix monocorde, lente et sinistre comme une sirène.

– Profitez-en, bientôt ce sera fini et nous autres Italiens serons les plus vaincus des vaincus. Rien de plus affreux que le sort des faux vainqueurs. On pardonne la défaite, jamais une victoire factice.

– Tais-toi Mazzoli, rugit Boda, ce soir on boit, on s'amuse, on oublie, fous-nous la paix avec tes prédictions.

Mazzoli fit jaillir de sa bouche étroite un éclat de rire métallique.

– L'Italie entière va payer. S'être débarrassé du Duce ne suffira pas. Bientôt nous n'aurons plus de patrie, plus de chefs, plus d'identité, soldats d'une armée désarmée, soldats d'une armée haïe par la nation...

– Musique, hurla Boda.

Les Français figés dans une indifférence feinte n'avaient rien perdu de cette Italie se déchirant. Mazzoli ne les laissa pas longtemps hors jeu.

– Nous sommes tous responsables. (Du doigt il désigna les ombres accoudées au comptoir.) N'est-ce pas Donadi?

Interpellé par son nom, l'inspecteur tourna comme une toupie avant de faire face, avec un sourire crispé sur ses dents jaunies.

– Moi, commandant, je ne sais pas...

– Tu ne sais pas, ricana Mazzoli... Tu vas changer de maître, vous allez tous changer de maître, finis les gentils Macaronis, les Boches, comme vous dites, arrivent. Je les entends déjà, écoutez! Ecoute Donadi, tu entends les camions, ils sont en route, les choses sérieuses vont commencer.

– Là vous exagérez, commandant...

L'inspecteur esquissa un pas en direction du territoire italien mais préféra sagement se tourner vers les barons du marché noir pour les prendre à témoin. En vain. Les barons regardaient au loin. Très loin, bien au-delà de Donadi. Exactement comme si toute cette scène n'avait jamais eu lieu.

– Allons messieurs, intervint Robert, Boda c'est pour vous... *la Traviata.*

Un raclement, puis un orchestre et enfin une voix étouffée, brumeuse. Très vite, il n'y eut plus que ce chant issu de la nuit et, au-delà de la nuit, du souvenir. Pour chacun le cri d'amour habitait un visage, une silhouette de femme derrière les volets d'une chambre close, la vague blanche de la mer roulant dans son écume des enfants au milieu de l'après-midi, une aube trop vite venue, un drap froissé, les larmes du départ, une gare grise et celle qui reste sur le quai. Edoardo n'avait pas de souvenir. Sinon le souvenir du présent. Déjà il sentait poindre le regret comme une vaste étendue blême et vide. Et cette étendue, c'était la vie sans Gloria, une vie où il ne serait rien pour elle. Dans les tressaillements, les déchirures de la voix, il lisait la morsure de l'indifférence plus abominable que la solitude. Mais lorsque le chant aérien vint clamer aux portes du paradis l'amour retrouvé, Edoardo n'eut plus assez de minutes et de secondes pour apaiser son espoir. Le chant lui pressait des larmes sous les paupières, des larmes investies par la joie malgré tout, contre tout. Oserait-il la regarder? Il suffisait de détourner la tête légèrement.

Robert avait éteint les appliques lumineuses ainsi que les lampes aux abat-jour rouges. Il ne restait qu'une source de lumière pâle derrière le comptoir et sur les tables quelques bougies de mauvaise qualité à la fumée lourde et âcre. Il osa. Elle souriait. Et dès lors, il ne sut plus si c'était la musique qui l'inventait si belle ou si c'était elle qui peuplait la musique de sa grâce. Elle leva les yeux, son sourire s'épanouit. Elle le regardait. Et il accomplit l'incroyable, il se leva lui faisant signe. Elle le suivit. Il n'était pas sûr de ne pas rêver. Il s'arrêta au vestiaire, les capotes militaires répandaient une odeur étrange de chien mouillé. Dans le noir complet, il leur était impossible de se voir, juste se deviner. Il lui saisit les bras, serra contre lui ce corps si mince, si doux, si tiède. Il la sentit bouger lentement, une ondulation frissonnante, à peine une caresse. Il laissa couler ses larmes silencieusement. Bientôt les joues furent trempées, puis le menton. Il ne cherchait pas à les dissimuler ni même à les essuyer. Ce furent ses doigts à elle qui vinrent les recueillir.

– Pourquoi pleures-tu? chuchota-t-elle.

– Je ne sais pas.

Les sanglots étranglaient sa gorge.

– La musique?

– La musique, mais pas seulement. Gloria...

– Oui?

Il voulut l'embrasser, les lèvres de la chanteuse se dérobèrent, il n'effleura que des joues où se mêlaient le goût du tabac et le parfum sucré de la poudre de riz.

– Pourquoi?

– C'est comme ça...

Il s'empara de ses mains, elle les lui abandonna, il les embrassa goulûment. Elles demeuraient inertes.

– C'est Boda?

– Quoi Boda?

– Tu l'aimes?

– J'aime personne.

– Boda c'est quoi alors.

– Boda c'est rien.

– Moi non plus je ne suis rien?

– Ne pose pas de questions.

Ils parlaient tout bas, si proches qu'ils pouvaient sentir sur leurs visages le souffle chaud s'échappant de la bouche de l'autre.

Il s'en voulait, trop de mots. Toujours les mots. La prison des mots qui l'empêchait de vivre sentiments et émotions, l'empêchait de vivre tout court. Il faudrait les tuer bien sûr. Mais il savait que les mots n'existaient pas en eux-mêmes, qu'ils n'étaient que désarroi, lieu d'ancrage pour stopper la fuite des êtres et des choses.

Il la pressa fort, très fort.

– Je parle trop, n'est-ce pas?

– Oui.

– Je ne parle pas pour savoir, Gloria, je parle pour aimer, on ne peut pas aimer sans les mots.

Elle lui prit le visage, ses doigts frôlèrent sa nuque puis remontèrent dans les cheveux bouclés.

– Tu as des cheveux magnifiques.

Il devina son sourire. Il eut une envie folle de lui dire, de lui crier qu'il l'aimait, qu'il n'avait jamais aimé autant, jamais de cette façon. Les doigts maintenant couraient dans son cou. Une bouffée de chaleur le traversa. Ne rien dire, ne rien faire, avoir enfin le pouvoir d'oublier, de s'oublier.

Ce fut d'abord un miaulement puis le cri d'un enfant, un cri strident sans faille ni baisse d'intensité. A la première sirène vinrent se joindre une seconde puis une troisième, tout un orchestre vibrant sur une seule note.

– A la cave, hurla Robert.

Le journaliste soûl sortit de sa torpeur.

– Les voilà, les voilà... Bravo! Vive l'Amérique!

Dressé, bras levés, il haranguait le plafond en titubant. Les barons du marché noir disparurent en coup de vent, suivis par Donadi. Les Italiens ne bougèrent pas.

– Ils ne font que passer comme d'habitude, grogna Boda.

– On s'en fout, qu'on en finisse, jeta Salvi!

Tosti vida une coupe de champagne tiède. Mazzoli hiératique alluma tranquillement une cigarette.

– On ne bouge pas de toute façon, rugit Boda.

– Nous non plus, murmura Edoardo.

Il enveloppa Gloria dans ses bras. Le parfum de la chanteuse l'envahit, pas seulement celui de la poudre de riz mais celui plus profond, plus troublant de la peau. Une odeur où se conjuguaient des effluves de poivre et de violette. Il ne résista pas, il s'empara des bras de Gloria et les lécha, puis, précautionneusement, les souleva et fondit ses lèvres à la moiteur des aisselles. Un espace lisse, humide, vaporeux, cœur secret d'un fruit gorgé de soleil ouvert à la tombée de la nuit.

– Prends-moi! ordonna Gloria.

D'un geste, elle fut nue, Edoardo perçut le crissement du tissu. Le grondement gonfla, s'amplifia, couvrit les sirènes.

– Ils arrivent! cria Boda.

A tâtons, il jeta ses mains en avant mais déjà elle suspendait sa jambe à ses hanches.

– Comme ça? bredouilla-t-il.

– Oui! comme ça.

La première vague roula sur la ville, les bouteilles vacillèrent puis ce fut les murs, le sol, un tressaillement convulsif. Le rugissement explosa dans un fracas de volcan, cette fois-ci, c'était bien là, sur leurs têtes. Il se coula en elle, une seconde il eut le souffle coupé. Du feu! Un feu liquide qui l'inondait, le noyait. Il s'immobilisa. Alors elle commença à onduler, il voulut la saisir, elle le repoussa, il planta ses ongles dans les lourds rideaux poussiéreux. Maintenant seulement ils étaient là... Ils glissaient en émettant un souffle rauque, sourd, bestial, lenteur terrifiante, traçant un sillon implacable dans le désert du ciel.

– Bouge pas... Bouge pas...

A peine un souffle à son oreille. Elle le fit pivoter, dos au mur; quand il fut adossé, elle se plaqua à lui. La chaleur de sa bouche dans son cou. Il avait tout son corps arrimé au sien. Elle resta ainsi quelques instants puis le mouvement du ventre reprit, régulier, enveloppante, envoûtante. Absorbé, tété, avalé, il flottait, léger si léger. Il se mordit les lèvres pour retenir le gémissement de plaisir qu'il sentait impatient de jaillir de sa poitrine.

Une seconde vague succéda à la première. Les fondations flanchèrent, du plâtre se détacha du plafond, des étagères entières sombrèrent emportant verres et bouteilles. Une poussière grumeleuse voltigeait dans l'obscurité. Combien étaient-ils? Dix, vingt à frôler la mer, égratigner les collines. Dix, vingt tonnerres assourdissants... Dix, vingt à s'enfoncer au-dessus de la cité.

– Ils vont lâcher... Je vous dis qu'ils vont lâcher...

Boda hurlait, chancelant sur ses jambes.

Plus de résistance, une gigantesque envie de fondre, de s'anéantir. Il crispait ses muscles, ceux des jambes, des bras, de la poitrine. Pourquoi n'émettait-elle aucun soupir, aucun cri, aucun halètement? Seul le ventre cascadait, se soulevait, vibrait, cratère houleux. Incapable de se retenir plus longtemps, ses lèvres s'entrouvrirent, exhalèrent un long feulement. Elle posa une main sur sa bouche.

– Tais-toi...

– Pourquoi? Ils ne peuvent pas entendre.

– Moi, si.

Dans la nuit blanche de plâtre, des pans entiers de vieux crépis dégringolèrent, les chaises, les tables à leur tour s'envolèrent. Les trois Italiens étouffaient dans une purée de ténèbres solidifiée.

– Couchez-vous, jeta à tout hasard Boda.

Ils étaient au-dessus du Perroquet, dix, vingt, cent...

Jouir. Il n'était plus que cela, un bloc de jouissance. Le flot cognait en lui comme enfant après un chagrin les larmes contre ses paupières. Impossible de les ravaler. Elles finissaient par fuser, indépendantes de sa volonté, elles coulaient déjà qu'il s'inventait toujours un moyen de les retenir. Mais il ne voulait plus être un enfant. Il était un homme. Il cria de nouveau mais cette fois-ci pour s'empêcher, se retenir, se durcir, une, deux minutes de plus...

Il en arrivait encore, monstres de granite, géants déferlant au fond d'un torrent. Il n'y avait plus de ciel, plus de nuit, uniquement cette houle d'acier vociférante.

– Ils vont nous les foutre sur la gueule, s'étrangla Boda.

– Je veux prier, fit Salvi terrorisé.

– Ce serait grotesque de finir écrabouillé dans un bordel, remarqua Mazzoli.

Les premières rafales de la DCA ressemblèrent à des moustiques crissants. Le crépitement s'amplifia, se transforma en chandelles de pluie tonitruante. Elle va croire que j'ai peur, pensa Edoardo. Ce fut sa dernière lueur de conscience avant la projection énorme qui le poussa hors de lui-même. Ses jambes vacillèrent, sa poitrine douloureuse se crispa à la recherche avide d'une bouffée d'oxygène. Au-dessus les forteresses jonglaient avec les pépites de feu. Deux orchestres fous cognant leurs partitions l'une contre l'autre. Parfois un coup de cymbales plus monstrueux que les autres s'emparait de la ville en cisaille et la secouait comme du linge trop sec. Gloria s'était détachée de lui. Le souffle court, elle renfilait ses vêtements. Edoardo ne bougeait pas. Il goûtait le froissement du tissu, le chuchotis agaçant des doigts réajustant le chemisier.

– Éclaire-moi...

Il chercha son briquet et fit jaillir une minuscule flamme bleue. Les ombres tremblaient sur ses joues pâles. Elle sortit une petite glace de la poche de son chemisier, la porta à hauteur du visage et fit mousser ses cheveux. Elle ne cherchait pas à le voir. Il attendait un geste, un regard, la flamme du briquet lui brûlait la main. Elle remit en ordre les plis de sa jupe et lança :

– Ça barde, hein !...

Il lâcha le briquet incandescent. L'obscurité le protégeait, invisible il trouva le courage de répondre d'une voix neutre :

– C'est fini maintenant, ils sont passés...

– Vous croyez ?

Savait-elle seulement qu'ils venaient de faire l'amour ? Il réfléchirait plus tard. Là, dans l'immédiat, l'essentiel était ne pas hurler, ne pas la frapper, ne pas se jeter à ses pieds, enfin ne rien faire, accepter l'indifférence. Accepter le territoire glacé où elle le rangeait, l'oubliait peut-être déjà ?

Ils partaient. La DCA tirait aux nuages pour prouver son invincibilité à ceux d'en bas. Ils s'éloignaient, laissant derrière eux un ronflement funèbre comme une fanfare solennelle après le défilé. Les trois Italiens se retrouvèrent debout, les jambes en papier mâché. Ils n'osaient détacher leurs regards du plafond dans la crainte qu'un relâchement de leur attention ne provoque de la part du ciel une catastrophe définitive. Robert, prudemment, ralluma quelques appliques, une lumière abasourdie fit apparaître l'étendue des dégâts. Rien n'avait tenu à la verticale, ni bouteilles, ni fauteuils, ni tables, on pataugeait dans le Cinzano, le velours détrempé et le plâtras en bouillie. Gloria s'avança sur la pointe des pieds au milieu du désastre. Elle souriait. Ingénue, inconsciente... Edoardo, automate, la suivait.

– Alors, ma poulette, où étais-tu passée?

Donadi prit Gloria dans ses bras et interpella les Italiens.

– Vous n'êtes pas venus à la cave... Bravo messieurs, pourtant c'était du peu... Ça se dit amis de la France, ces fumiers! Pourquoi venir chez nous, qu'à cent kilomètres à la ronde il n'y a pas seulement une usine! Je vous demande un peu. C'est peut-être pour vous qu'ils viennent? Sait-on jamais?

Boda s'avança.

– Taisez-vous Donadi, vous crevez de trouille, vous ne savez plus ce que vous dites, n'oubliez pas que vous vous adressez à un colonel de l'armée italienne.

– Une armée vainqueur, ricana Donadi.

– Oui, une armée vainqueur! La preuve, j'ai encore les moyens de vous faire arrêter et de vous faire pendre pour marché noir.

Et s'adressant à Gloria :

– Toi, ne reste pas trop près de ce type, il pue!

Donadi sursauta, puis s'esclaffa :

– J'adore les Italiens, leur sens du comique, un peu vulgaire mais efficace.

– Tais-toi, racaille!

– Ne nous énervons pas, messieurs, fit Mazzoli, nous sommes tous là bien vivants, que demander de plus. Beaucoup d'autres sont plus mal placés que nous...

– Je m'en vais...

Gloria avait parlé sur le ton de la conversation.

– Tu es folle, et le couvre-feu! s'insurgea Donadi.

– Le couvre-feu, je m'en moque, jeta Gloria en se levant.

– Je t'accompagne, dit Boda.

– Non, lui m'accompagne.

Et Gloria désigna, derrière elle, Edoardo.

– Qui c'est celui-là? s'inquiéta sidéré Donadi.

– Personne, laissa tomber Boda dans une grimace.

Ils levèrent les yeux au ciel, ni la lune ni les étoiles n'avaient fait ouf. Une clarté opalescente annonçait le jour. Rien. Il ne s'était rien passé. Edoardo hésitait à lui prendre la main. Au bout de quelques pas, ce fut Gloria qui s'empara de la sienne.

– Je ne vous comprends pas, dit Edoardo. L'émotion faisait vibrer sa voix dans le silence.

– Ah non, tiens, et pourquoi donc? Je vous comprends, moi.

– C'est peut-être plus facile, Gloria, je vous aime. Je vous aime comme je n'ai jamais aimé...

– Personne! C'est cela?

– Vous vous moquez...

– Pas du tout, mais ça signifie quoi aimer, un peu, beaucoup, aimer un être plus qu'un autre...

– Pourquoi, vous ne faites pas de différence entre les êtres?

– Pas toujours, non...

Pour la première fois depuis longtemps, trop longtemps pensa Edoardo, Gloria leva son visage vers lui. Il vit ses yeux immenses et gris. Il crut y déceler le reflet inlassable d'un malheur accepté une fois pour toutes, assimilé par l'être entier.

– Ce serait trop facile d'aimer les gens pour leurs qualités, fit-elle d'une voix résolue, ou de les détester pour leurs défauts. Il meurt tous les jours des milliers d'individus parfaitement bien, d'autres parfaitement dégueulasses. Mais une fois morts, vous croyez qu'il faut faire la différence?

– Il y a ceux qui tuent et ceux qui sont tués.

– Comment faire la guerre autrement?

– Mais enfin, il y a la vérité – Edoardo criait presque – la justice. Il vaut mieux mourir en défendant la démocratie, les valeurs humaines...

– Va te battre alors si tu y crois tellement!

Edoardo lâcha la main de Gloria et s'immobilisa dans le caniveau qui séparait la ruelle en deux. Un mince filet d'eau se faufilait sous ses chaussures.

– J'irai Gloria, mon pays va certainement entrer en guerre avec les Alliés, alors oui, j'irai.

– C'est bien, très bien, approuva Gloria en continuant d'avancer.

Il dut courir pour la rejoindre. Essoufflé, il voulut lui reprendre la main, elle la retira aussitôt :

– Je vous déplais avec mes discours, n'est-ce pas?

– Ni vous me plaisez ni vous me déplaisez, Edoardo, mettez-vous bien ça dans la tête... Voilà, je suis arrivée.

Affolé, il tourna sur lui-même comme s'il doutait des lieux.

– Mais on ne peut pas se quitter comme ça Gloria. J'ai un tas de choses à vous dire.

– Un autre jour Edoardo.

– Mais pourquoi m'avez-vous demandé de vous raccompagner?

– Pour que vous me raccompagniez, tiens! Ça ne vous a pas fait plaisir? Moi, j'ai trouvé la route très agréable.

– Gloria, c'est impossible, vous ne pouvez pas agir de la sorte.

Il se jeta sur elle, la plaqua contre le mur de grosses pierres.

– Lâchez-moi! Vous me faites mal.

– Non, je ne te lâche pas... je te lâche...

Les mots titubaient sur ses lèvres, il avait du mal à les trouver en français. Il résista aux pulsions contradictoires qui le bouleversaient : la contraindre à l'écouter, la violenter, tomber à ses pieds, l'adorer comme la Sainte Vierge? Elle se déroba, glissa sous ses bras et introduisit une énorme clé dans la serrure d'une porte majestueuse en bois sombre.

Il la supplia.

– Gloria, une seconde, j'ai eu tort de m'énerver, vous me pardonnez?

Elle se retourna. Elle souriait.

– Oui, laissez-moi je suis fatiguée. Il fait presque jour.

– On se reverra?

– Mais bien sûr.

La porte grinça, elle se faufila à l'intérieur. Edoardo eut la vision de toutes ces pièces vides, du réduit à la lampe jaune, de Gloria si petite perdue là-dedans. Elle avait raison, le jour se levait, une lueur rose pâle caressait la mer mais plus haut, dans le ciel, on devinait une clarté grise, presque blanche. Edoardo ne savait plus s'il était fou de joie ou complètement désespéré. Une fatigue molle l'envahissait de bien-être. A la croisée du quai des Ponchettes il aperçut Boda qui s'enfonçait dans la vieille ville. Ce n'était pas le chemin de l'état-major. Le soleil perça brusquement, dévorant d'une seule bouchée le voile rose tendre.

Elles n'ont plus d'âge, fardées pour une dernière orgie où elles vendraient leur chair molle et cartonnée contre une pièce dérisoire. Appartenant à la mort, elles s'accrochent à la vie, affalées devant un bock. Petit Marcel les a disséminées dans la salle de bal par tablées de deux ou trois. Autour, louvoyant, tournoyant, les lames de couteau, les gueules de raie, les blêmes voyous. Placé dans une loggia suspendue au-dessus de la foule des danseurs, l'orchestre enchaîne les airs canailles au plus grand émoi des faux mondains et des vrais demi-sel à la petite semaine. Des gandins sulfureux attrapent au vol des bécasses émoustillées qui éclatent de rire tandis qu'ils baisent leurs joues roses et leurs cous tendres. Petit Marcel veut toujours plus de cris, de vacarme, que les femmes chatouillées glapissent plus haut, que les malfrats ricanent gorge déployée. Il s'égosille dans son haut-parleur.

– Vous êtes là pour oublier l'horreur de votre vie, la saloperie de la société, pour oublier la maladie, la mort. Vous les voyous, vous buvez peut-être votre dernier bock, votre dernier verre d'absinthe, si vous êtes pris, c'est la tête tranchée, pensez-y, couic! Pour vous le Rouge-Gorge est le seul endroit où échapper à votre destin pourri. Vous les godelureaux, plus de cynisme, vous êtes des spectateurs de la misère. Les voyous vous font peur et pourtant ils vous attirent, vous frémissez mais vous savez qu'il ne peut rien vous arriver de très grave, vous avez du fric, un appartement luxueux, un lit douillet, des domestiques... Bien, on va y aller, pour une prise. Et que ça bouge!

Le silence. Le clap. Le moteur. L'orchestre fait rouler son zinzin. La caméra constellée du feu des projecteurs se déplace au bout d'un long bras d'acier, fragile et souple, elle surgit de l'obscurité, une grappe de servants sous son ventre. Elle embrasse la scène d'un coup d'œil puis, solennelle, se penche en avant précautionneusement, terriblement consciente de son importance. Autour d'elle l'espace se rétracte, le décor lui-même rétrécit. On la voit respirer lourdement, avaler les êtres, se goinfrer de leur existence corps et âme. Abreuvée de nourriture, belle cependant, si belle, elle glisse le long de la piste où trois couples bousculent en riant un ivrogne, cueille les rires des femelles, saisit la suffisance des mâles, s'immobilise au-dessus de l'ivrogne chancelant, recule, découvre les banquettes, prend de la hauteur, balaie les visages, s'élève toujours légère, si légère, soudain happe l'assemblée entière, la foule glauque, plus haut encore et l'orchestre jaillit, va-t-elle s'éloigner ou s'approcher plus près jusqu'à embrasser le tintamarre, le soulever, l'emporter au ciel?

– Coupez! tranche Petit Marcel.

L'ivrogne récupère le sens de la verticalité, les vieilles usées retrouvent leurs jambes pour cavaler de l'autre côté de la piste, là où l'une d'entre elles fait bouillir de l'eau chaude pour le thé.

– Ce n'est pas la pause, vocifère Edoardo, chargé de maintenir l'ordre, gardez vos places, s'il vous plaît, ne touchez à rien, madame là-bas, voulez-vous éteindre ce réchaud! Je vous rappelle qu'après la prochaine prise, il sera servi à tous une collation.

– J'espère qu'il y aura du pain, marmonne un vieux beau.

– Peut-être du beurre, espère une gourgandine sur le retour.

– Vous êtes folle ou quoi! s'insurge le vieux beau en se tapant le front.

– Ce sera comme toujours : immangeable, soupire un pêcheur de Carras déguisé en apache.

Edoardo pose le porte-voix entre ses jambes. Aujourd'hui Petit Marcel lui a confié une tâche de faveur. Le jour où sans doute il le méritait le moins. Depuis son arrivée à l'aube au studio, Edoardo s'ébroue dans une brume épaisse peuplée de deux images lancinantes, celle de Gloria, son sourire triste, celle de Boda, sa démarche décidée en direction du plaisir. Peut-on être anesthésié, vidé de l'intérieur comme un lapin, avoir le corps en buvard par la seule virulence de l'amour? Edoardo est incapable de répondre à cette question. L'amour pour lui n'appartient déjà plus à une théorie quelconque que l'on peut analyser et disséquer. L'amour ou cet état qu'on appelle amour a pris la place de sa conscience. L'être, avec ses sentiments, ses émois, ses doutes, s'efface devant un bloc irrationnel de passion où l'instinct agit en dictateur. Pourtant il ne peut en douter, la raison va rappliquer. Impossible autrement. La lucidité n'a jamais autant crépité en lui. Un vrai feu d'artifice, tout aussi éphémère et vain que mille flammèches éblouissantes explorant les ténèbres. Quand les deux images se rejoignent il secoue la tête très fort pour en chasser la misérable douleur. Et à chaque fois, inéluctablement, Gloria chavire, elle chavire dans les bras de Boda. Le colonel embrasse sa peau luisante dans la nuit, l'installe sur le lit... Edoardo secoue, secoue encore jusqu'à s'en faire mal. Alors, s'épanouit la face bellâtre de Boda, son menton veule, ses lèvres trop roses qui se fendent sur un éternel sourire cruel, cette façon particulière de regarder à la dérobée qui suscite l'attendrissement, Edoardo le sait bien. Elle, oh! elle, il ne l'aperçoit que fluide, se coulant dans les bras de l'autre, obéissant à ses injonctions, présente aux ébats de tous ses membres, de tous ses nerfs, de tous ses muscles et pourtant absente. Absente? Et s'il se trompait! Non, de cette absence, il est certain. Il ne saurait dire pourquoi. Simplement peut-être parce que le contraire serait insupportable. Edoardo secoue, secoue mais l'image s'impose, celle du désir, du plaisir. Comme avec lui? Mieux? Avec Boda, gémit-elle, crie-t-elle? Conserve-t-elle ce silence terrible à peine ponctué par un souffle plus bref, juste un essoufflement? La flamme d'une avalanche de jouissance lui traverse l'esprit, Gloria grimaçante, haletante, les doigts enfoncés dans la poitrine du colonel. Une douleur implacable le plie en deux. Il expire à fond, essuie la sueur sur son front. Les deux images se dissocient. Gloria retrouve son sourire revenu de toutes les illusions, Boda son allure de faux mercenaire de la Renaissance.

– On enchaîne, on enchaîne! clame le premier assistant.

Edoardo jette un coup d'œil sur le plan de travail : « Garance et Baptiste dansent comme si la foule n'existait pas. » Edoardo s'approche de Petit Marcel :

– Faites bien attention, lance le metteur en scène, qu'on retrouve les mêmes aux tables sous l'orchestre, je panoramique dessus avant d'aller prendre Arlette et Jean-Louis.

– Bien monsieur.

Edoardo part à la recherche de ses vieilles, de deux gigolos, d'un gandin à la boutonnière fleurie plus quatre visages anonymes, anonymes mais indispensables. Il connaît le point de ralliement : la cantine ambulante. Ils peuvent passer des heures là, dans l'espoir d'un bout de pain, d'une tasse d'eau chaude teintée de noir pouvant passer pour du café ou du thé, comme on voudra. Ils sont là!

– A vos places, bon sang!... Si vous me refaites le coup de disparaître, je vous raye de la feuille de présence.

– Vous ne ferez pas ça, monsieur Edoardo, roucoule une vieille qui roule les *r*, se fait appeler Tania et prétend appartenir à la noblesse russe.

– Il est si gentil, n'est-ce pas? Gentil et si beau! Le meilleurrr.

Tania passe sa main parsemée de taches brunes dans les cheveux d'Edoardo.

– Beau, oui, oui, beau.

– Allez, bon Dieu, filez!

– A vos places, hurle le premier assistant.

Les voix s'apaisent et le silence qui est plus que silence, suspension de vie, attente poignante, s'installe, souffle retenu. Sur la piste, les danseurs attendent les premiers accords de musique. Garance très pâle rajuste son col, une fois, dix fois, Baptiste face à elle semble comme coulé dans la pierre d'une immobilité surnaturelle. Dans ce trou noir d'espace et de temps, la voix nasillarde de Petit Marcel amplifiée par le porte-voix claque comme une cravache :

– Attention, les enfants, vous êtes prêts? Arlette, Jean-Louis, rappelez-vous, vous ne démarrez qu'au signal!

Les deux acteurs font un léger signe de tête.

– Moteur! clame Petit Marcel.

– Moteur demandé!

L'homme du clap jaillit, annonce le numéro de la prise et disparaît. Une seconde... encore.

– Partez, souffle Petit Marcel.

La caméra, diable noir, sort de son sommeil, coulisse sur les musiciens, puis lentement descend au-dessus de la piste où Garance et Baptiste dansent, seuls au monde.

– Coupez, jette Petit Marcel.

Coulée de lave, la respiration de centaines de poitrines s'exhale, accompagnée du clapotis des corps qui se détendent, des chaussures qui craquent, des gorges qui grattent, des toux qui fusent.

– Vous êtes partis trop tard, se lamente Petit Marcel, vous avez marqué un temps d'arrêt. Je dois vous saisir dans le mouvement, vous comprenez? Bon, on recommence. Taisez-vous, bon Dieu, on n'est pas à la foire.

Garance et Baptiste, seuls au monde. Les danseurs autour n'existent pas, un rideau invisible que la caméra traverse en souplesse les protège. Le couple tourne, le regard allumé de bonheur.

« C'est drôle, dit Garance de sa voix tendrement acide, sur le moment je ne vous avais pas reconnu!... Mais vous savez il faut vous méfier. Ils sont plutôt méchants, je vous préviens... »

Baptiste au septième ciel, léger comme un Pierrot lunaire :

« Aucune importance. Que voulez-vous qu'il m'arrive? Je suis tellement heureux... »

Regard étonné de Garance, regard d'amour, regard qui efface le danger.

– Coupez!

Petit Marcel consulte le son, l'image, réfléchit un instant...

– On va la refaire. Ne bougez pas. Je viens.

Secret délivré à l'oreille des deux comédiens. Indication de jeu que personne ne doit entendre. Ouf de soulagement des figurants. Il fait si chaud. On a si faim!

– Ça va bientôt êtrrre fini, oui? se plaint Tania. Qu'est-ce qu'il veut donc, c'était tellement bien moi je trrrouve, trrrès poétique. Ne pensez-vous pas, monsieurrr Edoarrrdo?

Edoardo ne répond pas. Il connaît la suite, la même séquence tournée en plan plus rapproché. Le goûter n'est pas prêt d'être servi.

– A vos places, tout le monde...

On recommence. Garance et Baptiste, seuls au monde, les danseurs autour n'existent pas, le regard allumé de bonheur, l'orchestre là-haut. La caméra fidèle et obéissante. Les projecteurs que l'on rallume. Le couple tourne, se regarde, se parle, l'amour naît. Cette fois sera la bonne. Petit Marcel décide de tirer la prise.

– Vite, vite en place, pour le plan rapproché.

– C'est pas fini!

Un râle parcourt l'assistance.

– Ils exagèrent quand même, on a faim, nous...

Ils sont là depuis six heures du matin, on les a maquillés, habillés, on les a installés, on les a fait taire, on les a fait bouger, danser. La plupart sont arrivés le ventre vide, ils viennent pour cela : la nourriture. Cette nourriture mirobolante qui les hante des premières heures du jour aux dernières heures du soir. Faim, ils ont faim...

– Les histoires d'amour c'est bon pour les ventres pleins, résume un décharné qui n'a plus que la peau sur les os.

– Il y aura du lait? demande une vieille.

– Combien de tartines chacun? s'inquiète un gigolo.

– Dirrre que j'avais jamais faim toute petite, se souvient Tania, papa me grrrondait parrrce que je voulais pas finirrr soupe, belle soupe épaisse, poirrreaux, pommes de terrrre, choux...

– Taisez-vous, bon Dieu! l'interrompt un professeur de français à la retraite venu jouer un gandin décati, on n'a pas à se plaindre, c'est encore ici, dans tout Nice, qu'on arrive à manger régulièrement, moi je dis, vive le cinéma. Des gens bien, ces gens-là...

– En place!

Le couple, seul au monde. La caméra fouille le ravissement de Baptiste, l'étonnement amoureux de Garance :

« C'est drôle, sur le moment je ne vous avais pas reconnu.

– Aucune importance... »

Une fois, deux fois, trois fois... Plus une série de gros plans en secours. Toujours l'amour, l'étonnement, la lumière, le bonheur, le ravissement. Toujours Garance, toujours Baptiste, comme la première fois. Et toujours la caméra impassible, majestueuse, innocente et neuve à chaque prise. Toujours Petit Marcel infatigable, à la recherche du miracle, le traquant, croyant l'avoir trouvé, le perdant, le retrouvant, seul avec ses bribes de rêve à faire tenir debout, ses mouvements morcelés, ses discours fragmentés, seul à imaginer l'impossible, l'univers reconstruit, entier, rond, achevé, beau...

Pour la première fois, Edoardo se demande si vraiment il voudrait être à la place de ce bonhomme dans son costume blanc, trop large, aux plis fripés, ombre qui s'agite avec une telle intensité, marionnette de ses propres désirs transcendés en volonté absolue. Une main fébrile l'arrache à ses réflexions. Dévoré de tics, le teint jaunâtre virant au verdâtre, La Vigue, les yeux définitivement exorbités, le secoue comme un vieux sac de plage dont il faut extirper jusqu'au dernier grain de sable.

– Oui monsieur, interroge Edoardo.

– L'Italie capitule, hein! qu'en dites-vous?... Vous avez des nouvelles? Ne me cachez rien, surtout ne me cachez rien, l'Italie capitule, les salauds, les fumiers, les enfoirés. Les autres ils ont pris Messine... Ça craque de partout... Comment l'appelez-vous déjà, Badaglia, il va jamais tenir le coup.

– Badoglio...

– On s'en fout, Badoglio, Badaglia, c'est de la merde, monsieur! Comment qu'il leur léchera le cul aux Américains, si ce n'est déjà fait! Regardez là, approchez-vous, regardez mon bras...

Edoardo obéit, se penche sur le bras de l'acteur.

– Les poils! Vous les voyez? Redressés! Sont comme ça depuis ce matin. Vous constatez, n'est-ce pas?

Edoardo fait un signe d'acquiescement, en vérité il n'a vu qu'une chair blanchâtre, crêpée de points noirs.

– D'accord, vous êtes d'accord... Je vais foutre le camp de ce film à la con. Je me demande ce que j'y fous d'ailleurs. Je ne comprends rien. Pas un mot. C'est d'un alambiqué. Marcel se sent plus pisser.

– Excusez-moi, monsieur, mais je trouve ça superbe.

La Vigue paraît désarçonné un court instant.

– Vous êtes jeune et vous êtes italien, ça vous passera. Mais croyez-moi, tout ça c'est du bluff, de la roupie de sansonnet. *Golgotha* dans le genre sérieux c'était quand même autre chose. Vous avez vu? J'étais le Christ. Magnifique! Pas moi... Non... le film. Duvivier.

– Vous êtes un grand acteur, monsieur, constate Edoardo.

La Vigue balance ses bras au ciel, découragé.

– Pas si grand que ça, non pas si grand. Les juifs m'ont torpillé... Vous n'êtes pas juif au moins?

– Non, monsieur.

– Tant mieux! Méfiez-vous des juifs, mon petit, ils sont hargneux et ils en veulent, croyez-moi...

La Vigue se tait, cherche une chaise, l'amène à lui et se laisse tomber dessus.

– C'est foutu maintenant, égrène-t-il à mi-voix. Ils vont revenir, et alors ce sera la fête aux gus dans mon genre. On aura intérêt à prendre la poudre d'escampette, je vous le dis! L'Italie ç'a toujours été le ventre mou de l'Europe. Rien à faire. Ce ne sont pas des soldats, pas même des hommes, juste des poètes de quatre sous, des femmelettes joueuses de mandoline.

– Monsieur, proteste Edoardo, il y a beaucoup d'Italiens qui meurent en ce moment.

– Et alors! soupire La Vigue, mourir ne justifie rien, croyez-moi jeune homme!

Sur cette réplique, La Vigue, d'un bond, quitte sa chaise et s'enfonce dans le noir du plateau.

– La pause!

La mère Marie veille sur deux énormes bouilloires crachant par les naseaux des jets continus de vapeur sans saveur.

– Encore du thé!

– De l'eau chaude plutôt...

– Maria tu te fous de nous?...

– Silence, rugit la cantinière, une pile de tasses entassée sur ses deux énormes seins, les grandes gueules je vous préviens auront peau de zeb!

La procession commence, bellâtres, cousettes, mondains se bousculent, s'arrachent la tasse de la bouche... Creusés par la faim et l'attente, les visages sont ravagés de tics. Quelques vieilles, au bord de l'évanouissement, s'accrochent, jambes branlantes, à leurs voisins.

– Aidez-moi, monsieur Edoarrrdo, supplie Tania, ils

me laissent pas passer, les goujats, j'ai si faim, monsieur Edoarrrdo, j'ai l'estomac qui garrrgouille depuis ce matin au lever, hierrr j'ai pas mangé vous savez, rrrien, absolument rrrien, quand je suis pas surrr la feuille, je mange pas. Aux pauvrrres Rrrusses ils donnent pas. Ils veulent même pas vendrrre... Même pas...

– Taisez-vous, vous êtes en train de vous fatiguer inutilement, il y en aura pour tout le monde, Marie a le compte juste.

– Il y a toujours les combines, les combines, monsieur Edoarrrdo.

– Venez avec moi.

Poussant devant lui Tania, Edoardo se fraye un passage parmi les figurants agglutinés autour de la roulotte.

– Dégagez, dégagez, dégagez ceux qui ont leur part!

– Faites quelque chose, Edoardo, gémit Marie de derrière ses tréteaux où s'empilent les tasses vides, j'y arrive plus, moi, ils vont finir par me bouffer si ça continue, quel métier!

– Servez madame, Marie, servez-la bien.

– Ah, mon pauvre! une tasse de thé, une brioche et une tartine chacun, je peux pas plus. Je vais la choisir bien grosse la brioche.

Marie, accablée, court du panier à pain recouvert d'une serviette blanche aux bouilloires fumantes. Tania saisit la brioche, le pain, le thé, très digne, elle se penche à l'oreille d'Edoardo tout en suivant Marie du regard :

– Vous avez vu ses mollets, ses cuisses, ses nichons! elle meurrrt pas de faim elle, ça non.

Autour, ceux qui ont dévoré leur portion s'inquiètent.

– Je me demande de quoi elle était faite cette brioche, s'il y avait seulement de la farine dedans.

– Du froment.

– De l'orge.

– Du seigle.

– Je dirais plutôt de la fécule de patate.

– Je ne crois pas que je vais y toucher, commente hautaine Tania, avant de s'éloigner, sa tasse de thé soigneusement posée contre son cœur.

A petits pas, la foule quitte les abords de la cantine, les plus optimistes se retournent avec dans l'œil l'espoir fou d'une seconde distribution. Etourdi, Edoardo s'appuie aux tréteaux maculés de liquide et de miettes de pain. Marie, un torchon à la main, regard lointain, laisse tomber :

– Monsieur Edoardo, pour vous j'ai du cake aux raisins, du gâteau de semoule ou si vous préférez de l'excellente tomme que mon cousin m'a descendue de la montagne.

– Non merci, Marie, je n'ai pas faim.

– Ben dites alors, ça c'est rare, hein!

Assis sur deux caisses, le crâne investi d'une casquette de toile, Petit Marcel grignote un biscuit. Plus loin, l'équipe des machinos rigole en se passant de main en main une bouteille de pinard. Recouvert d'un drap blanc, la caméra dort abandonnée au milieu d'un cercle vide. Garance, dans sa loge, téléphone à Paris, Baptiste en fait autant dans la sienne. La Vigue ne téléphone pas. Il regarde par la fenêtre le ciel désespérément bleu. Les nouvelles, quelles sont les nouvelles? La question unanime. Question sans réponse. Aucune nouvelle. Le monde brûle, se brise, se fend dans le silence. Les journaux, les radios ressemblent à des places désertes pleines d'inscriptions délavées par les intempéries, ce qu'on y lit, ce qu'on y entend n'a aucune importance, dépassé, travesti, lénifiant.

Habituellement, Edoardo évitait soigneusement de se faire remarquer par Petit Marcel, se confinant à l'autre bout du studio. Aujourd'hui c'est différent, aujourd'hui, il n'a plus peur. Plus peur de Petit Marcel. Il devrait me comprendre, je devrais l'aimer, se dit Edoardo en se dirigeant vers les deux caisses où le maître est juché. A-t-il résolu ses états d'âme, domine-t-il vraiment à ce point ses peurs et ses émotions qu'il peut en faire des films? Comment fait-il pour marier la sensibilité et la force? Qu'a-t-il perdu? qu'a-t-il gagné sur la route de la création?

Le metteur en scène lui fait signe d'approcher. Cœur battant, Edoardo plie les genoux pour être à la hauteur du maître.

– Je vous ai vu tout à l'heure parler avec La Vigue, qu'est-ce qu'il vous a dit? Excusez-moi de vous demander ça mais... il veut s'en aller, non?

Edoardo acquiesce un peu gêné du rôle que lui colle d'office le metteur en scène.

– Ils pensent qu'à ça, tous, poursuit Petit Marcel, Arlette, Jean-Louis, Pierre, les autres, ils ont peur d'être coincés loin de Paris. Vous avez des nouvelles de chez vous?

– Non monsieur, absolument aucune.

– Ah non, et bien moi j'en ai, il paraît que le roi a signé un armistice avec les Alliés et que l'accord reste secret pour l'instant. Je me demande ce que ça va donner?

Petit Marcel essuie son front d'un revers de main, dans ses yeux luisants de fièvre Edoardo découvre une angoisse si absolue qu'il préfère détourner son regard.

– Vous avez une idée, vous?...

Petit Marcel fixe son assistant. Veut-il la vérité ou que je lui mente, se demande Edoardo.

– Les Allemands vont occuper le pays, exiger que nous nous ralliions à eux et enfermer ou fusiller ceux qui résisteront. Il y a déjà pas mal de mouvements de résistance en Italie. Ce sera horrible, peut-être la guerre civile.

Petit Marcel tambourine du doigt sur les caisses entre ses jambes.

– Pourtant, il faut finir le film, merde... La Vigue, il voit déjà les Américains à Menton! Ça vous intéresse, vous, le cinéma?

– Je ne serais pas là sinon, monsieur.

– Pourriez-vous plaquer?

– Non, je crois que je suis comme vous, je préfère le cinéma à tout.

Petit Marcel détaille un instant son interlocuteur, puis frappe dans ses mains en se laissant tomber de son perchoir. Immédiatement l'équipe se reforme, on enlève le drap de dessus la caméra.

– Lumière! demande le directeur de la photo.

Les projecteurs claquent, le cercle de blancheur métallique s'épanouit, poêle torride dans lequel les figurants dépossédés de leur ombre reprennent leur place. Le peu de nourriture ingurgité a suffi pour alourdir les jambes, alanguir les paupières. Petit Marcel, avant de pénétrer dans le cercle, revient sur ses pas :

– Dites, il va falloir leur donner à bouffer, ça peut pas durer comme ça, ce ne sont pas des esclaves tout de même, vous vous en chargez?

– Je ferai de mon mieux, monsieur.

– Eh bien, c'est la moindre des choses, mon vieux.

Petit Marcel s'éloigne à toute vitesse sur ses courtes jambes. Mais Edoardo a la certitude de l'avoir entendu lancer à la cantonade ou peut-être à lui-même :

– De toute façon, qu'ils le veulent ou non, je le finirai mon film!

A Ferrare, Edoardo refusait de suivre sa mère au marché. Il fuyait les salades humides, les bottes de poireaux et leurs poils blancs, le parfum fade du sang, la viande écartelée, la puanteur impudique des bancs de poissons où se régalaient les guêpes saoules. Mais ce qu'il craignait le plus, c'était la familiarité des grosses femmes qui voulaient à tout prix enfoncer leurs ongles dans ses cheveux, le rire gras de leurs bouches édentées, la façon dont elles haranguaient la clientèle avec ce claquement mou des lèvres prometteur de merveilles. « C'est ça la vie », disait sa mère sans trop y croire. « Alors j'aime pas la vie », répondait-il. Edoardo parcourant les marchés de Nice se souvenait des odeurs de Ferrare, il se revoyait en culottes courtes, main crispée dans celle de sa mère tout habillée de noir. Un nœud se formait dans sa gorge à l'idée de revivre un seul de ces jours gris et froids. Aujourd'hui, il aimait les odeurs violentes, la viande rouge, les femmes aux grands ongles ne lui faisaient plus peur. Mais il n'y avait plus de salades perlées d'humidité, ni de quartiers de bœuf sanguinolents, ni même de poireaux ridicules avec leurs tresses de vieillards. Les bancs de poissons sonnaient le creux, les grosses femmes avaient disparu laissant la place au vide. Si les marchandises existaient quelque part, qui aurait eu l'idée de les vendre à ce jeune Italien pas même en uniforme qui parlait de cinéma en proposant bêtement de l'argent? De marchands de légumes en gros en petits paysans, d'épiciers en bouchers, Edoardo arpentait le désert. Il n'était pas fait pour le marché, pas même celui au noir. Il pensa à Gloria. Enfin il pensa autrement à Gloria. Gloria devait connaître les sésames qui ouvraient la route des victuailles. Il n'en était pas certain mais il s'en convainquit en quelques secondes. Il courut jusqu'à la vieille ville, dépassa de longues queues de femmes attendant leur tour à la porte de ténébreux réduits aux rideaux de fer à moitié baissés. Il cogna à la porte de bois sombre, sans résultat. Il s'aperçut alors qu'aucune fenêtre ne donnait sur la rue, une surface nue et aveugle. Non, vraiment personne n'habitait ici depuis le Moyen Age! Fallait-il qu'il s'introduise comme la première fois en voleur? Edoardo fit le tour du pâté de maisons plusieurs fois. Frappa et refrappa, la porte restait muette. Il se rendit dans l'impasse, l'escalier était toujours là. Gloria dormait, voilà tout. Qu'il était bête, il fallait bien qu'elle dorme! Il aurait dû partir, remettre à plus tard, il tourna, retourna, parcourut les ruelles désertes, à un moment le ciel se voila et il fit même froid. Il repensa à Ferrare, à l'appartement glacial, à sa mère, les pieds posés sur un petit poêle à charbon. Aurait-elle du charbon cet hiver? Où serait-il lui-même cet hiver? Il but un café immonde dans un petit bar face à la cathédrale, contempla les bas-reliefs; jamais un être, une chose, une réflexion n'avait occupé son esprit, la moindre de ses pensées comme le faisait Gloria. Un voile tamisait la réalité, il avait l'impression sans cesse que l'image de Gloria lui mangeait la cervelle, qu'elle s'installait et occupait définitivement la place, exerçant une pression astringente sur son pouvoir de décision. En début d'après-midi sous la pluie, il revint cogner à la porte. La ruelle se transformait en ruisseau, Edoardo mort de froid avec sa tenue d'été se réfugia dans le couloir de l'immeuble d'en face, ça sentait le chat mouillé. Il attendrait. Il l'attendrait. La pluie redoubla, un nuage opaque oblitérait la visibilité, en quelques minutes il fit presque nuit. Une femme sans âge passa en tirant une charrette vide, le visage abrité par une écharpe trempée. Edoardo tremblait. Le vent vint de la mer, des rafales d'orage chargées de sucre et d'électricité, au premier coup de tonnerre il n'y eut plus de jour, juste une lueur de coton sale. Le tonnerre grondait deux, trois secondes, avant de rejaillir au-dessus des toits et d'exploser dans un vacarme de gouffre caverneux. Un éclair plus intense propulsa une lumière blême, ourlée de gaz bleus au creux des falaises de la vieille ville. Un goût âcre sur les lèvres, Edoardo se jeta en avant. La porte bougeait. Il entr'aperçut une silhouette... Une cascade le fouetta, détrempé il cogna le battant de toutes ses forces. Il n'avait pas rêvé, la porte était sortie de son immobilité de momie, quelqu'un en avait franchi le seuil. Il en était absolument sûr! Il envoya ses pieds, ses poings, son ventre contre cette chienne de surface. Des gouttes grosses comme des frelons ruisselaient dans son cou, s'écrasaient sur son dos et sa poitrine. Fou de rage, il s'engouffra dans l'impasse, se précipita sur l'escalier de fer, glissa sur les marches, remonta à contre-courant le torrent. Il eut du mal à agripper la poignée gluante de la porte dérobée, la pluie caracolait au-dessus du chambranle, il poussa, le bois craqua, céda. Un instant, la main sur la poitrine, le cœur lui manqua, là, devant lui, le noir absolu. Il avança, heurta des meubles. Une odeur de moisi et de naphtaline lui grattait la gorge. En aveugle il tendit les bras au-devant de lui. Secouée par les trombes d'eau, la charpente du toit grinçait et gémissait dans un râle sinistre. Edoardo pensa à une femme en train d'accoucher, il frissonna d'humidité et de crainte comme si l'attendaient dans ces ténèbres d'étranges prémonitions de malheur. Jamais il ne retrouverait l'escalier qui menait aux étages inférieurs, il tenta en vain d'activer son briquet, la mèche noyée dégoulinait d'eau. Toujours à l'aveugle, il rencontra des murs, des choses molles qu'il identifia comme des coussins, du vide où ses mains tourbillonnaient. A un détour, le sol se déroba. Il posa le pied prudemment, c'était bien une marche. Il faillit pousser un cri de joie. Il se laissa porter, aspirer par un siphon invisible. Brusquement, il se retrouva à plat ventre projeté sur le carrelage glacé d'un palier. Il se redressa et aperçut la lampe jaune. Elle n'éclairait rien, elle était posée sur la nuit comme une étoile morte. Il suivit le long couloir, ses chaussures détrempées faisaient un bruit de marécage. Avant de l'entendre, il la vit se profiler, ombre géante, contre le mur de la chambre. Ce n'est qu'après qu'il entendit le glissement des mules sur le sol. Il fit encore deux ou trois pas, elle portait une robe de chambre molletonnée, ses cheveux tirés étaient noués par un élastique. Sans maquillage, avec cette lumière jaune pâle qui éclaboussait sans éclairer, Gloria ressemblait à une image secrète et douce émergeant d'un tableau mystérieux.

– Décidément, vous ne pouvez jamais entrer par la porte comme tout le monde.

Edoardo parvint à balbutier :

– J'ai frappé des heures...

– Je n'ai pas bougé cependant.

Elle paraissait étonnée.

– Ce n'est pas possible, ce matin déjà.

– Ce matin, je dormais.

– Quelqu'un est venu cet après-midi...

– Vous êtes fou!

– Sorti alors.

– Pas du tout.

– Oh, ça n'a pas d'importance, j'ai dû mal voir avec toute cette pluie.

– C'est vrai, vous êtes trempé...

Elle s'approcha de lui et le prit par la main.

– Vous allez attraper la crève si vous restez comme ça, tenez, séchez-vous.

Elle lui tendit une grosse serviette-éponge, Edoardo la passa sur son visage et dans ses cheveux. Une épaisse fumée de cigarette stagnait au-dessus de la commode et du lit. En refroidissant, le tabac d'Orient laissait un parfum écœurant de fruit caramélisé.

– Déshabillez-vous et séchez-vous entièrement.

Edoardo sous l'émotion jeta la serviette sur une chaise.

– Je ne regarderai pas, soyez sans crainte.

– Je n'ai pas de crainte.

– Mais si, voyons!

Gloria alluma une nouvelle cigarette et se tourna du côté sombre de la pièce. Edoardo demeura figé, ses cheveux amalgamés en une grosse boule hirsute dressée sur le crâne. Avec le silence, il s'aperçut que le vacarme de l'orage n'arrivait pas dans la chambre, ni le bruit de la pluie, ni aucun autre. Sans fenêtre, la pièce se moquait du monde. Ici c'était l'univers de Gloria et lui seul, un univers de cigarette douceâtre, de vêtements pendus au mur, de draps froissés et de pots de maquillage. Presque rien. Un rien qui aurait pu être triste, jamais Edoardo pourtant ne s'était senti si protégé, si confortable. Il n'y avait rien, c'était avant le commencement du monde ou après sa fin, une poche de vie où circulaient les courants essentiels, les liqueurs balsamiques d'un ventre primitif. Edoardo n'hésita plus, il arracha la chemise qui lui collait à la peau, le pantalon lourd comme une serpillière. Il resta nu et en chaussettes.

– Enlevez tout, tant que vous y êtes, dit Gloria en se retournant.

Il claquait des dents, il voulut s'accroupir, elle lui fit signe de s'asseoir sur le lit. Il remonta la couverture le long de ses cuisses jusqu'au nombril et seulement après fit valser dans la pièce les chaussettes détrempées.

– Vous avez les pieds blancs, remarqua Gloria en s'allongeant à son tour, c'est le froid.

Il avait froid, oui, terriblement froid, ce ne pouvait être que le froid qui lui donnait la chair de poule, le faisait grelotter par tout le corps.

– Je vais vous les réchauffer.

Elle glissa sur les draps, lui immobilisa le pied gauche et sans hâte amena l'un après l'autre chaque doigt près de sa bouche arrondie par où s'échappait un souffle brûlant. Elle prenait son temps, pas une parcelle de chair ne devait être négligée. Tandis que la vapeur jaillissait, source intarissable de brume chaude, sa main nonchalante effleurait le doigt pour en chasser les derniers stigmates d'humidité. Quand le pied gauche fut sec et rose, elle coulissa sur le droit et entreprit la même cérémonie. Edoardo n'avait plus honte, il aurait aimé se livrer entièrement entre les mains de Gloria et ne plus jamais rien connaître d'autre. Devenir son esclave si elle le désirait. Comme elle se penchait, le peignoir de la jeune femme s'était entrouvert découvrant au-dessous du cou une plage de peau dorée. Irrésistiblement, il eut envie d'y calfeutrer le pied qu'elle venait de sécher. Il le souleva, le porta délicatement dans l'échancrure, voulut l'enfouir, entre peau et tissu. Gloria le repoussa d'un geste brusque.

– Pourquoi? Pourquoi tout ça si vous ne m'aimez pas, Gloria?

– Pour vous éviter de prendre froid.

– C'est tout, vraiment tout?

– Non, pour vous donner du contentement aussi.

Gloria se redressa, récupéra la cigarette qu'elle avait posée à même le châssis, en secoua la cendre et tira une longue et voluptueuse bouffée. Un sourire narquois sur les lèvres, elle regarda cet homme allongé sur son lit, ses yeux clos, son visage d'enfant grave, sa bouche charnue éclaboussant le reste du visage d'une boursouflure irrémédiable de jouissance et de vie.

Debout, remplissant l'espace de son corps menu et dense, Gloria bousculait les vêtements, renversait les boîtes pleines de rubans, de gazes, de fils, de dentelles. Edoardo contemplait son dos, ses fesses, la finesse des attaches, le galbe de ses jambes.

– Ah, j'ai trouvé, finit-elle par lancer, une boîte noire et poussiéreuse appuyée sur ses seins, on va écouter un peu de musique.

D'une gaieté fiévreuse, elle repartit à la recherche d'une prise de courant. Moqueuse, elle se tourna vers Edoardo :

– Voilà ce que je préfère à tous les hommes de la terre.

Aux premières notes, elle se mit à tournoyer, sa chemise de nuit relevée sur le haut de ses cuisses. Elle ne cherchait pas à suivre la musique, elle dansait comme dansent les feuilles et les arbres, elle dansait pour s'envoler. Et d'ailleurs, elle s'envolait, là, entre les quatre murs défraîchis de la pièce, ses pieds oubliaient le sol, elle voltigeait, tourbillonnait auréolée de volutes de fumée bleue. Elle ne dansait pas pour lui, ni pour personne, mais uniquement pour son propre plaisir immense. Edoardo pensa que s'il avait eu une caméra, il aurait su la capter, la porter plus loin encore, la métamorphoser en véritable oiseau. Alors oui, il aurait été digne de l'aimer et de la posséder.

Essoufflée, elle vint s'allonger à côté de lui :

– Ecoute mon cœur.

Il posa son oreille à travers le tissu, il sentit le sein se soulever si fort, si vite, il ne put s'empêcher de murmurer :

– Il va se rompre.

– Tant mieux.

– Il ne faut pas dire ça.

– Tu n'as jamais eu envie très fort de mourir?

– Non, jamais!

– Moi si, plusieurs fois.

Il ressentit un désir terrible d'elle, pour la première fois. Ce désir, désir de la prendre, de la pénétrer oblitérait le sentiment amoureux, soudain elle n'était plus fragilité, attendrissement, innocence mais volupté, sensualité, féminité.

– Allume-moi une cigarette.

Il se souleva, alla cueillir le paquet au pied du lit, sortit une cigarette, gratta une allumette, tira une bouffée au goût de paille, souffla sur le foyer. Elle ne fit pas un mouvement. Elle attendait, yeux fermés, bouche entrouverte. Avec un frisson de délice, il introduisit délicatement la cigarette dans l'orifice de chair. Les lèvres s'arrondirent puis se refermèrent autour du filtre doré.

Edoardo appuyait de toutes ses forces sur les pédales. Il y avait si longtemps qu'il n'avait plus fait de vélo! L'orage de la veille avait lavé le ciel et la montagne, laissant derrière lui une acidité joyeuse. Un bleu de vacances et d'oubli. L'orage n'avait pas seulement emporté avec lui le gris des nuages, il avait aussi dissous la guerre, avec ses éclairs et sa foudre. Il n'en restait plus que des miettes incongrues comme ces soldats italiens avachis, fusil posé contre un mur, col déboutonné, chargés de surveiller une passerelle. Le plus courageux s'était levé et sans prendre la peine d'ouvrir la bouche avait claqué des doigts pour réclamer les laissez-passer. Un coup d'œil dédaigneux, un nouveau claquement des doigts et la route était libre. Malgré ses semelles de bois qui glissaient sur les pédales, Gloria caracolait fièrement, elle occupait la route étroite, indifférente à sa robe qui flottait en corolle. Edoardo ne perdait rien à chaque tour de roue de l'envolée soyeuse et chantante, hypnotisés ses yeux s'abaissaient et se relevaient au rythme des jambes tendues par l'effort. Des jambes luisantes où le soleil mordait, jamais rassasié par cette pulpe sauvage au goût de pêche. Oui, c'était bien la pêche qui dominait, Edoardo en portait encore la saveur sur la langue. S'il n'avait eu peur de tomber de la machine, il aurait fermé les yeux pour revivre cette nuit ou peut-être la vivre enfin. Tellement il avait l'impression que les événements, les gestes avaient été vécus, exécutés par une sorte de double, un autre lui-même auquel il avait du mal à donner la chair de sa chair, la consistance de ses traits. Seule la mollesse du bonheur dans ses mollets et ses jambes lui apportait la certitude que c'était bien de lui qu'il s'agissait. Son corps portait les stigmates d'un plaisir dont il ne pouvait identifier la part vécue de la part rêvée. Le sommeil avait présidé à la nuit, sommeil feint, sommeil réel, sommeil ajouré de percées de veille. Et d'abord la musique du sommeil, la respiration de Gloria, tranquille, régulière, étale, avec soudain quelques notes de rupture dont le point d'orgue s'achevait en plaintes de jeune chiot rêveur. Il avait écouté longtemps, appuyé sur son coude, incapable de fermer l'œil, cœur battant dans la nuit épaisse de la chambre. Plus tard, beaucoup plus tard, Gloria l'avait happé contre elle, il conservait le souvenir d'une mer chaude dans laquelle il pénétrait avec un râle de satisfaction, de hautes vagues qui le roulaient, l'abandonnaient et le récupéraient haletant, d'un ressac mouvant qui lui faisait bondir le cœur. Il y avait eu aussi des plages de repos, de longues étendues de bien-être humide, de moiteur odorante. Parfum de vanille et de jungle. Puis à nouveau, l'huile bouillante de l'étreinte, la jouissance exaltée, conquise, retenue, lame de fond d'un plaisir extrême. Dans cette alchimie des corps, Edoardo ne se rappelait pas avoir capté l'éclat d'un regard. Ils s'étaient touchés, sentis, enlacés, pénétrés, ils ne s'étaient pas vus. De la nuit avaient jailli les râles, les cris, les appels, les mots nus, les mots crus. Il avait été enlevé, soulevé par le désir violent de Gloria. Qui avait pris l'autre? Avait-elle fait l'amour en solitaire, sans se préoccuper de lui autrement que pour la satisfaction de son désir? Peut-être s'étaient-ils aimés tout simplement, l'un par la jouissance de l'autre. La seule certitude était ce sentiment vaguement amer de n'avoir jamais rien décidé. Il se demandait même s'il n'avait pas imaginé tout cela, ou, le plus bêtement du monde, entièrement rêvé. Mais il y avait les traces sensuelles éparpillées dans tout son être qui le rassuraient. Il avait vécu une nuit d'amour.

La route grimpait. Edoardo aperçut Gloria sur son envolée, deux lacets plus loin. Au réveil, le noir de la nuit n'avait plus été le même, malgré l'absence d'ouvertures, des traînées laiteuses de jour s'immisçaient jusqu'à la chambre. Son premier regard avait été pour elle. Roulée en chien de fusil, elle dormait profondément. Il contempla son dos nu, il était ému par cette chair bientôt entièrement gagnée par une lumière dorée, tellement tendre qu'elle lui ôtait tout désir. Si le paradis existait, comment le concevoir avec une clarté différente, une femme autre pour la recevoir et s'en enduire. Ce fut un moment de calme et de douceur absolue. Il se surprit l'esprit vide, flottant parmi les mêmes nuées floconneuses qui avaient envahi la pièce. Une éternité. Il aurait voulu que ce moment durât l'éternité de l'éternité. Quelques jours auparavant encore, il aurait souri d'une telle idée prétentieuse et naïvement mystique. Mais près de Gloria, rien de ce qui relevait de la passion n'apparaissait ridicule. Sinon l'éventualité de la perdre. Mais alors, le ridicule se transformait en intolérable. Pour se consoler d'une pensée aussi monstrueuse, il n'y avait qu'une tasse de café, il se leva précautionneusement en évitant de secouer le matelas. Les pièces vides baignaient dans la même pénombre cuivrée que la chambre. Il reconnut certaines pièces entrevues la première fois. Il longea un couloir sur lequel donnaient plusieurs portes, il tenta de les ouvrir, elles résistèrent toutes. Ses pieds heurtaient douloureusement les bosses qui parsemaient le sol dépourvu de revêtement. Il retrouva avec soulagement les dalles de l'immense cuisine où des pans entiers d'obscurité résistaient à la levée du jour. Il chercha le café ou ce qui pouvait en faire office. Un buffet courait au-dessus de la vieille cuisinière, il en écarta les battants. Gloria ne risquait pas de mourir de faim, une avalanche de provisions, paquets de café, kilos de sucre, conserves, thé, savons et même, denrée suprême, du chocolat! Edoardo, stupéfait, n'en avait pas vu autant depuis sa toute petite enfance à la campagne chez sa grand-mère.

Elle habitait à deux kilomètres de toute habitation.
– On fouille!

Il ne l'avait pas entendue arriver, elle portait un long pull-over de laine à même la peau. Rien d'autre. Son regard était limpide, sans trace de fatigue, pas même une ombre légère de cernes. Fraîche, neuve avec toujours en filigrane cette aura moqueuse qui semblait lui interdire de céder à toute sentimentalité. Elle s'occupa du café, il s'assit sur une chaise glacée. Pourquoi ne le questionnait-elle pas? Cette absence permanente de curiosité le rendait fou. Tant pis, il répondrait lui-même aux questions qu'elle s'abstenait de lui poser.

– J'étais venu te demander de m'aider, on m'a chargé du ravitaillement pour le film. Tu dois avoir des adresses ou connaître des gens pour me guider. Je sais, c'est ridicule de me servir de toi pour ce genre de chose...

Cette nuit avait-elle été heureuse? N'était-il que le passager d'un soir? L'aimait-elle? Voilà les interrogations qui le brûlaient et qui resteraient enfouies. Elle posa sur la table les tasses fumantes de vrai café bien fort.

– Nous irons chez Delphine, dit-elle en beurrant une tartine épaisse.

Elle dénicha un second vélo presque neuf dans une des pièces de l'immense maison.

Edoardo accéléra. Elle l'attendait assise sur une borne, un brin d'herbe entre les dents. Il arriva essoufflé, le cou et le menton inondés de sueur. Pour mieux le voir, elle plaça les deux mains au-dessus de ses yeux, elle riait. Il ne l'avait jamais vue aussi détendue, la course lui avait ôté les apprêts de la féminité, libérant une nature de gamine désinvolte et rieuse.

– Où va-t-on? fit-il reprenant péniblement son souffle.

Elle tendit le doigt.

– Là!

– Au cimetière!

Il ne put s'empêcher de crier.
– Chut, au cimetière oui, c'est pas une idée qui te serait venue, ça, hein?
– J'avoue, non.
– Pourtant, tu sais beaucoup de choses...
– Pas dans ce domaine.
– Ça sert à quoi alors de savoir? Faut tout savoir ou rien.
– Tu sais tout toi?
– Non monsieur, moi je ne sais rien, sauf qu'au cimetière tu trouveras ce que tu cherches.
Il l'admirait pour sa façon de faire du vélo, de lui sourire, de se moquer de lui, de lui faire l'amour, bref, il l'admirait.
Ils s'arrêtèrent dans un bar-tabac pour boire de la limonade tiède, une seule table était occupée par des ouvriers qui cessèrent de dévorer leur casse-croûte pour fixer Gloria. A contre-jour, la robe révélait les cuisses pleines et le ventre plat. Elle voulut manger quelque chose elle aussi. Le patron, le visage sillonné d'une forêt de poils blancs, leva les bras au ciel.
– Manger! répéta-t-il accablé... Vraiment il fallait être une femme pour oser poser une telle question.
L'un des ouvriers plus grand que les autres, plus brun, plus beau, tendit un quignon de pain à Gloria :
– C'est tout ce que j'ai, dit-il en la détaillant avec gourmandise.
– Merci, on s'en va, fit Edoardo impatient.
Gloria s'approcha de l'ouvrier, se saisit du pain et le mordit à pleines dents. Toute petite à côté de lui, elle mâchait en silence, se laissant absorber complètement par son regard. Il n'y avait ni coquetterie ni ostentation dans son comportement mais une acceptation minérale du désir de l'autre. Elle se faisait boire toute, avec une volupté infinie, corps et âme, c'est l'image qui vint immédiatement à l'esprit d'Edoardo. Il sortit du café, une clarté aveuglante l'éblouit. Il ressentit une sorte de vertige, c'était ni plus ni moins que de la jalousie.

L'impression de se trouver confronté à quelque chose de totalement inconnu, d'une espèce différente. Il ne voulait pas juger. La juger. Quand elle le rejoignit, elle avait retrouvé son air de gamine délurée.

– Allons-y!

Elle le précédait de plusieurs longueurs. Tout son ressentiment lui était descendu dans les jambes. Elles pesaient des tonnes. La route grimpait toujours agrémentée de faux plats, de courbes traîtresses, de virages caillouteux. Quelques baraques où venaient s'accrocher des jardins pelés parsemaient le paysage. A un détour, les premières tombes apparurent, tombes modestes d'une mort sans ambition. Ils arrivèrent devant la grille, des tourbillons de taches noir et bleu volaient devant ses yeux. L'épuisement se disait-il, rien d'autre que l'épuisement.

– Attends-moi là, lança Gloria avant de disparaître à l'intérieur de la loge du gardien. Edoardo s'affala sur un banc de pierre, des femmes passèrent devant lui avant d'entreprendre à pied la descente sur la ville. Il oublierait la scène du café, il le fallait, il voulait du bonheur, il voulait connaître ce genre de bonheur-là, le bonheur qu'elle pouvait lui apporter elle et elle seule. Il n'eut pas le temps de réfléchir plus longtemps, Gloria se profilait face au soleil. Il eut du mal à la distinguer, sa voix sortait d'un trou noir zébré d'étincelles.

– Suis-moi...

Ils posèrent les vélos contre le mur de la maison du gardien. Au-delà s'étendait un territoire immense, labyrinthe poussiéreux au pelage aride. Les tombes réverbéraient une lumière blanche et crue qui obligeait à cligner des yeux. Au contact des sandales de Gloria sur le gravillon, les cigales suspendaient leur vibrato lancinant, ne le reprenant qu'après le passage d'Edoardo, tranquille dans l'éblouissement de midi. La jeune femme se dirigeait à travers les allées sans hésiter. Peu à peu, il n'y eut plus de gravier ni de haie mais de la terre sèche en monticules et des emplacements dessinés pour les tombes futures.

Par endroits, des croix plantées à même le sol jetaient un doute sur la non-occupation du terrain. Edoardo eut la sensation que la mort était là sous ses pas, qu'en fait il marchait dans son lit. Un frisson le fit sursauter à l'idée de la déranger. Gloria s'arrêta devant un monument inachevé, mi-reposoir, mi-chapelle; des poutres en barraient l'entrée. La jeune femme cogna deux fois du poing rapidement puis encore deux fois en laissant un espace plus long. Une porte invisible de l'extérieur aménagée entre les poutres s'entrouvrit. Un espace noir, c'est ce qu'aperçut tout d'abord Edoardo. Puis en baissant les yeux, il vit la petite fille, une enfant d'une dizaine d'années aux cheveux filasse.

– Delphine est là? demanda Gloria.

La gamine se contenta d'acquiescer d'un mouvement de tête inexpressif. La fraîcheur après la canicule du dehors leur coupa le souffle. Il fallut aussi adapter le regard à l'obscurité. La petite fille ne les attendit pas, elle filait au-devant d'eux le long d'un boyau étroit étayé par du bois d'échafaudage. A peine engagés dans le boyau, ils furent assaillis par l'odeur, elle dominait les ténèbres et les craintes. Une odeur de potager aux premières heures de la matinée. Le poireau l'emportait mais la tomate résistait bien, sans parler du basilic, du persil, de l'ail frais. La pièce en rotonde où ils débouchèrent était éclairée de bougies et de lampes à gaz.

– La caverne de la mère Delphine, s'exclama Gloria.

Sur des étagères à claire-voie, les légumes rutilaient gonflés de sève, rebondis de jus. Le vert cru des courgettes, la robe mauve des aubergines léchée par la flamme des bougies et du gaz mêlaient leurs couleurs au travers d'un tamis louvoyant. Les carottes gigotaient au mur comme une armée de nains enturbannés, une énorme courge ronde trônait sur un établi pour elle toute seule, écartelée et saignante. Les caisses d'œufs en escalier escaladaient le mur et allaient se perdre dans la nuit. Privation, tickets, ces mots-là n'avaient pas de sens, ici régnait l'abondance, les saveurs des vrais produits issus de la terre. Salade, mesclun, raisin, kaki s'épanouissaient en toute plénitude loin d'Hitler, si loin qu'on pouvait se demander s'il avait jamais existé.

– Delphine, Delphine, appela Gloria, tu te caches ma belle!

– Pitchoune, c'est toi, dis ça fait une paye... Qui c'est celui-là, le *novi*? Il est mignon hé! *Dové? Italiano si?* Les plus jolis, dommage sont tous marteaux... Sainte Mère de Dieu!

Elle n'avait ni forme ni corps, une masse taillée d'une pièce, drapée de noir depuis les cheveux jusqu'aux bas de laine en passant par une demi-douzaine de tabliers et de camisoles superposés. De l'ensemble se détachait un nez parsemé de bosses et de poils gris. Avec la lumière diffuse, il prenait la forme inquiétante d'une étrange racine arrachée au sol. Elle ne parlait pas, elle hurlait, elle ne marchait pas, elle trottinait et sautillait, elle ne se mouchait pas, elle envoyait valser la morve entre pouce et index. De temps à autre, elle rugissait après un certain Mimi qui demeurait invisible.

– Mimi! Mi-mi! Regarde-le ce misérable où c'est qu'il a encore foutu le camp, *porca madone*... Tu veux quoi ma belle, j'ai de l'agneau premier choix tué à Breil, de la viande d'avant la guerre, une pure merveille, de l'agneau, rien que le mot il vous mouille l'estomac, pas vrai beauté...

– Combien Delphine? Gloria piocha d'un geste véloce une grappe de raisin noir qu'elle picora du bout des lèvres.

– Mimi, Mimi! s'égosilla à nouveau Delphine, quel chien, je vais te le renvoyer d'où il vient moi, tu vas voir! Combien?... Ah ça!... Deux cents francs la belle côtelette.

– Deux cents francs la côtelette!

– Oh dis! tu en as vu toi ces temps de l'agneau, du vrai, tué de la montagne, saignant dans la bouche?

– Je m'en fous, se désintéressa tout à coup Gloria, c'est lui qui paye.

D'un mouvement de l'épaule Gloria désigna Edoardo.

– Ah, le *bello*! s'exclama Delphine, pas vrai que j'ai raison mon bon? De la viande! De l'agneau! Tiens, c'est donné.

Edoardo s'approcha de la vieille :

– C'est pas tellement de la viande qu'il me faudrait, madame, mais des œufs, du lait, du beurre, des légumes et le tout en assez grande quantité voyez-vous.

– Pas de problème, *bello*, combien d'œufs?

– Il m'en faudrait environ cinq cents...

– Cinq cents œufs! Ah je comprends, vous êtes grossiste, Mimi, arrive! on a de la grosse clientèle...

– Une cinquantaine de cageots de légumes aussi.

– Ça va pitchoun, j'ai compris... Ça change tout. Mimi, crapule, attends que je vienne te chercher.

– *Arriva!*

Il n'était pas plus haut qu'un potiron Mimi, si minuscule qu'il semblait avoir jailli de nulle part. Ses yeux jaunes fendaient un visage ridé de pruneau sec, sa bouche molle se refermait sur des gencives sans dents. Sur son torse d'une minceur de planche, pas un seul poil. Machinalement, Edoardo se mit à compter les côtes.

– Monsieur veut du gros, jeta de toutes ses cordes vocales déployées Delphine dans l'oreille de Mimi.

– Oh! fit sobrement Mimi.

– Oui monsieur, confirma Edoardo, il me faudrait surtout des œufs, du fromage aussi s'il y en a.

– On a de tout, interrompit Delphine.

– Du fromage, continua Edoardo et de quoi faire des soupes, un peu d'huile également, enfin de tout vous comprenez.

– Oh, ponctua Mimi dont les yeux atones s'allumèrent.

– T'as compris, crétin, intervint Delphine.

– Oh! répondit Mimi tranquillement en s'éloignant.

Delphine se moucha bruyamment entre les doigts et baissant brusquement le ton s'adressa à Edoardo :

– Vous allez les vendre où? Attention à Nice c'est bouché, vous avez fait accord avec Donadi? Ça m'étonnerait, hein! Je les connais les revendeurs, ils viennent tous chez Delphine. Ils vous laisseront pas faire, mon pauvre. Que c'est tous chiens et compagnie, alors hein...

Edoardo aperçut seulement alors ses yeux : deux fentes rectilignes couleur de l'acier, sa bouche invisible sous le promontoire des naseaux.

– Ce n'est pas pour faire commerce, expliqua-t-il, il s'agit d'une collectivité.

– Ah, une collectivité, une pension? Des réfugiés? Des juifs?

– Dis-lui que c'est pour le cinéma, laissa tomber Gloria.

– Le cinéma! s'exclama Delphine, tu entends Mimi, le cinéma, ben alors ça... Parce qu'y en a qui font du cinéma, ils en ont pas assez dans la vie du cinéma!

Elle éclata de rire, sa bouche se fendit comme une blessure. Elle n'avait pas de dents.

– Oh! jeta du fond de la caverne Mimi.

– C'est quoi le cinéma, tati, demanda d'une voix geignarde la gamine grimpée sur un amoncellement de sacs de farine?

– Le cinéma, c'est des images, dit Edoardo devançant la vieille.

La fille le reluqua par en dessous avec un regard de vicieuse surprise en train de torturer un chat.

Delphine avait repris son trottinement dans ses pantoufles éculées.

– Dépêche-toi, Mimi... Et dites, mon beau, comment vous allez me l'enlever la marchandise?

– T'as pas pensé à ça, s'étonna Gloria en allumant une cigarette.

– Non, fit Edoardo, je croyais...

– Quoi, qu'on faisait la livraison! Oh, mais d'où tu le sors, pitchoune, celui-là, *bello, ma bestias* hein!...

– Ne vous en faites pas, madame, lança Edoardo, je reviendrai avec une voiture, en attendant vous me préparerez le tout.

– *Paga?*
– Oui, je paye le tout.
– Non, paye la moitié seulement, fit Gloria et, s'adressant à la vieille, pas vrai Delphine que c'est mieux comme ça? Tiens, je t'emporte quelques tomates pas trop mûres, cadeau hein, puis du raisin aussi, d'accord?
– Toi, les cadeaux, tu t'y entends... Le reste de la phrase se perdit dans un borborygme rauque.
– Oh! gloussa Mimi revenu des fins fonds.
– Et mon agneau, se souvint Delphine, dans le cinéma ils aiment la viande, non? De la viande comme ça ils n'en ont jamais mangée, même les Boches ils n'en ont pas de l'aussi bonne! Fernandel, il n'y est pas?
– Ah non, pas Fernandel, fit Edoardo.
– Dommage. Alors pour l'agneau?
– Il m'en faudrait de trop grandes quantités, je regrette.
Des coups retentirent, étouffés par la distance.
– Va voir, ordonna Delphine à la gamine. Bon, c'est pas tout ça, vous venez quand demain, j'ai mes heures moi.
– Je ne sais pas, hésita Edoardo, demain matin, début d'après-midi...
Delphine se saisit d'un bout de papier et d'un crayon que lui tendait Mimi.
– Ça fera deux mille francs pour aujourd'hui.
Edoardo sortit une liasse de billets de sa poche.
– Je vérifierai la marchandise demain.
– Y a rien à vérifier, je vous en ai mis de quoi nourrir tout le cinéma de France. Sortez par-derrière, montreleur le chemin Mimi, *fissa*!
Elle ne s'intéressait plus à eux, elle embrassa négligemment Gloria. Les nouveaux arrivants pénétraient dans la caverne. A la suite de Mimi, ils empruntèrent un minuscule boyau plus long et tortueux que celui par lequel ils étaient entrés. Mimi les éclairait avec une lampe électrique. Ils débouchèrent sur une salle circulaire identique à l'autre et tout aussi pleine de marchandises. Mimi manœuvra une dalle et les poussa dehors.

– Oh! grommela-t-il en guise d'adieu.

– Salut! lança Edoardo.

Ils retrouvèrent leurs vélos appuyés contre le mur de la loge. Tandis que leurs machines dévalaient la pente du retour avec un bruit de baiser mouillé, ils croisèrent des groupes de femmes aux grands cabas noirs noués au bras. Sur la mer, un nuage sanglant précédant la nuit embrasait l'horizon. Une couleur si brutale, si dépourvue de nuance qu'elle en paraissait irréelle à force de crudité.

– Ils ont signé! C'est foutu, ils ont signé...

Halluciné, La Vigue traversa le plateau en courant. La nouvelle était officielle, le gouvernement italien avait signé un armistice avec les Alliés. L'Italie en quelques heures changeait de camp. L'Italie ou ce qu'il en restait. L'Italie fendue en deux, la guerre d'un côté, l'occupation allemande de l'autre et un gouvernement qui jouait les filles de l'air. Sans oublier Mussolini sur son rocher du Gran Sasso. Qui était avec qui?

Il n'en pouvait plus La Vigue, ses mains tremblaient, son menton se crispait, une avalanche de tics lui ravageait le visage.

– Je veux partir...

La folie s'était emparée des machinistes, des électriciens, on courait aux nouvelles, on les répétait, on les transformait, les commentait! Vite, tous n'avaient qu'une envie, retourner en ville. Savoir! Voir! Que feraient les Italiens? L'armée... Il y avait un avant-goût de paix retrouvée. Un maréchal avait signé un bout de papier quelque part de l'autre côté des Alpes et, miracle, les Allemands étaient renvoyés aux oubliettes. Le plateau se vida à une vitesse folle. Quelle fin d'après-midi! La plus excitante, la plus exaltante, la plus extraordinaire depuis des années, depuis le début de la guerre, le commencement des temps. Il faisait une douceur de fin d'été, des nuages violets traversaient un ciel limpide parfaitement calme. Un ciel pour rêver à l'amour, un ciel de communion où s'effaçaient la rancœur et la haine, un ciel de clémence pour tout, pour tous.

La Vigue voulait une voiture, il voulait être à l'hôtel, à la gare, à Paris, ailleurs. Il errait dans les couloirs où s'ouvraient les loges désertes. Le sol était jonché de paquets vides, de cartons, de papiers d'emballage, l'habituelle tourmente des départs affolés. Des costumes avaient été oubliés sur le dossier des chaises, jetés à l'aventure, des tiroirs étaient renversés par terre, quelques meubles gisaient défoncés, ventre à l'air.

Quand le comédien entra dans le bureau des assistants, il n'y trouva qu'Edoardo tentant en vain de joindre sa mère à Ferrare. La Vigue se précipita :

– Jeune homme, quelle chance de vous trouver... Emmenez-moi à la gare, il doit bien rester une voiture de la production? Le train part à huit heures... Faites ça pour moi. Personne ne m'écoute, Marcel a disparu, ils sont tous partis, ils s'en foutent de ma pomme. Je suis tout seul, merde, tout seul!

Des larmes inondaient ses fameux grands yeux de velours scélérat.

– Vous allez m'aider, n'est-ce pas? Faites ça pour moi...

Ils trouvèrent une voiture déglinguée, bosselée, peinture arrachée.

– Pourvu qu'elle marche, criait La Vigue, c'est tout ce que je demande, hein petite, file encore un coup, le dernier, pour bibi...

– Pourvu que j'ai la bonne clé surtout, dit Edoardo.

C'était la bonne clé! La voiture toussa, cala, tressauta et finalement démarra. Dès qu'ils furent arrivés au pied de la colline, le long de la route parallèle au bord de mer, plus aucun doute n'était possible, toute l'armée italienne, la IVe armada se dirigeait vers la frontière. A perte de vue, coincé entre mer et montagne, à pied, dans des charrettes à chevaux, en camion, en teuf-teuf, à moto, à bicyclette, le grand reflux venait s'engouffrer dans le goulet.

– Regardez-les comme ils déguerpissent! La Vigue trépignait, nez contre la vitre. Ah, ils sont beaux les fers de lance du Duce. Racailles. On dirait 40... Des soldats de l'Europe nouvelle, ça? Pas étonnant qu'ils se soient fait étriller par le Négus.

Il fulminait, mâchoires coincées par la rage.

– Ces enfoirés vont nous retarder, quelle heure est-il? On n'arrivera jamais à l'hôtel, ils passent tous par là, c'est pas possible, la smala complète.

Dans les camions débâchés, les soldats débraillés chantaient à tute-tête: « *Finita la guerra, finita...* » Sur les trottoirs, les gens regardaient étonnés, quelques-uns gueulaient: « *Vinceremo!* » doigt tendu.

– Pourquoi chantent-ils, les connards, questionna La Vigue. Ils se rendent pas compte qu'ils sont cocus jusqu'à la gauche?

– Ils rentrent chez eux, répondit Edoardo.

– La belle affaire.

– Ça leur suffit.

Aux environs du boulevard Gambetta, plus personne n'avançait, les troupes s'agglutinaient. Les soldats s'asseyaient par terre, entamaient les provisions, ouvraient les gamelles, éventraient les paquets de biscuits.

– On va laisser la voiture ici et aller à l'hôtel à pied, fit Edoardo.

– D'accord, mais vite. Ça me fout la frousse, la déroute... Triste fin, triste fin. J'aurais jamais dû me laisser bloquer dans ce trou! Le Midi ne m'a jamais rien valu.

Ils s'enfoncèrent dans la marée des capotes et des uniformes dépareillés. Avec le crépuscule, une menace sourde pesait sur cette multitude jetée là comme par hasard. La douceur de l'air avait laissé la place à un vent froid venu des montagnes. Les ombres se découpaient contre le blanc du ciel. Des lampes de poche trouaient la nuit. Des soldats allumaient des feux avec des cageots, une fumée légère courait au-dessus des têtes. Derrière les vitres du Négresco brillaient les flammes des bougies et des chandelles. Les fuyards avaient envahi le perron, dans le hall et le grand salon des grappes humaines se suspendaient aux rares fauteuils. Les divans du XVIIIe siècle disparaissaient sous des avalanches de soldats avachis. Un remugle de transpiration et de tabac liquéfiait l'atmosphère. Des troufions avaient décroché tentures et rideaux pour s'envelopper dedans, les plus placides dormaient déjà, les autres fumaient en silence. Il régnait sous la coupole un brouhaha d'église à la sortie de la grand-messe. Derrière la banque du concierge, une malheureuse bougie lançait des éclats tremblés sur les clés qui pendaient avec un air désolé. La Vigue se saisit de l'une d'entre elles.

– Je vous attends ici, fit Edoardo.

– Pas du tout! Je vous en prie, accompagnez-moi, regardez-moi ce spectacle! Où sont passés les chasseurs, les réceptionnistes, le concierge? Quelle honte!... J'en ai pour une minute, venez avec moi, sait-on ce qui peut se passer... Je suis malade... Comment vous appelez-vous déjà?

– Edoardo, monsieur.

– Oui Edoardo, des éblouissements, des vertiges, la tête qui tourne, j'ai besoin de vous.

– Ne jouez pas à l'enfant, je vous dis que je vous attends, je ne bouge pas, là, devant les clés, impossible de se rater.

– Et s'ils vous emmènent?

– Qui m'emmène?

– Eux.

– Dépêchez-vous, on va rater le train.

– Si je le rate, ce sera de votre faute, vous entendez, j'en parlerai à Marcel, je vous ferai rayer, j'ai encore des pouvoirs vous savez.

– Ne me menacez pas, monsieur Le Vigan, ou je m'en vais immédiatement, vous vous débrouillerez tout seul.

– Non, non, ne faites pas ça...
Il se lança en courant puis revint sur ses pas :
– Vous ne m'abandonnerez pas, n'est-ce pas?
Des ombres s'approchèrent, elles cherchaient à vendre des parfums, des bijoux, tous les souvenirs achetés ou volés pour être rapportés à la femme au pays et aujourd'hui en prévision de la longue marche devenus trop encombrants, dérisoires. Mieux valait de l'argent, n'importe quel argent, français, italien, allemand. Edoardo se détourna de ces mains tendues dans la pénombre d'un palace transformé en quelques heures en bazar.
Le balluchon de La Vigue : une petite valise ratatinée, fissurée par endroits; l'acteur surprit le coup d'œil étonné d'Edoardo :
– Oui, j'ai peu de chose, je me méfiais du coup. Absolument. Jamais j'aurais dû y mettre un pied dans ce cul-de-basse-fosse. Allons-y! Allons-y!
La marche lente de la IVe armée avait repris, piétinement laborieux nimbé d'une lueur blanchâtre flottant au-dessus de la mer. La Vigue et Edoardo remontèrent le courant, on entendait des rires étouffés, des froissements de grosse étoffe, des raclements de godillots.
– N'avancez pas trop vite, geignait La Vigue, on va se perdre, je ne sais même plus où on a laissé cette sacrée bagnole. Je suis foutu sans vous.
Edoardo traçait la route au milieu de ces hommes dont les moindres inflexions de voix, les soupirs, les jurons appartenaient à sa vie, fondus à lui depuis le premier souvenir. Par bouffées violentes. Edoardo se mettait à célébrer tout ce qu'il avait toujours maudit et rejeté, l'uniforme, les liens du sang, du danger partagé, une certaine idée de la patrie, l'humilité salvatrice d'être anonyme dans une collectivité quel que soit son sort glorieux ou misérable. Quand ils reprirent place dans la voiture, il se sentit lâche et malheureux. Il était différent, il était seul. Et il payait cette solitude au prix d'un amour incertain, peut-être imaginaire.

Sorti du goulet de la Promenade, la circulation redevint normale, ils croisèrent quelques rares voitures, des vélos-taxis, des fiacres en provenance de la gare. Sur le trottoir des groupes se formaient, des filles mèches en tortillon sur le front, des garçons aux chemises ouvertes. Brusquement les drapeaux tricolores jaillirent. On les devinait plus qu'on ne les voyait dans la nuit. Ils claquaient, brandis à bout de bras. Près de la gare, ils devinrent plus nombreux, éclairés par les réverbères et des lampes de poche, disposés en faisceau.

– D'où sortent-ils tout ça, demanda La Vigue? Trop tard, les drapeaux, c'était en 40 qu'il fallait y aller jeunes cons... N'est-ce pas?

– Je ne sais pas, je ne suis pas français et je m'en fous, vous comprenez, je m'en moque.

La Vigue ricana :

– Bien parlé, faut s'en foutre, la mort approche de toute façon... Vous m'avez vu dans *La Bandera*? Le seul qui ne crève pas, c'est moi, indestructible, l'ordure repentie, le scélérat touché par la grâce. On ne fait pas mieux, ça c'est sûr... Vous m'avez vu?

– Oui, j'ai pas beaucoup aimé le film, trop de complaisance.

– Complaisance... Pourquoi complaisance! Faut plaire de toute façon, n'oubliez jamais ça jeune homme si un jour vous faites du cinéma.

– Le cinéma va changer.

– Idiotie... A la fin « mort au champ d'honneur... mort au champ d'honneur... mort au champ d'honneur », bibi au garde-à-vous, l'officier qui fait l'appel et moi le chœur tragique, unique survivant. Ce que je préfère, c'est quand arrive mon tour et que je réponds « présent... ». Grandiose!

Près de la gare, plus question d'avancer. Des voitures pleines de gradés durent stopper. Cent mètres, il restait cent mètres à découvert et à pied... Les officiers se lancèrent sous une forêt de bras d'honneur. Lieutenants, capitaines, colonels filaient droit devant eux.

– *Vinceremo!* hurlaient des téméraires perdus au milieu des curieux.

La Vigue traînait la jambe.

– Vous n'avancez plus? fit Edoardo irrité.

– Ils me coupent les jambes avec leurs cris à la con.

Lointaine, une voix puis plusieurs, une rumeur, un souffle, un tremblement allant s'affermissant, rebondissant d'un côté de la place à l'autre et brusquement l'explosion pleine et frémissante.

Le Vigan s'immobilisa, sidéré :

– Quest-ce qu'ils chantent là les abrutis?

– *La Marseillaise,* je crois bien.

– Ils sont fous, complètement fous.

L'acteur s'immobilisa :

– Merde, c'est beau quand même.

Les Italiens s'engouffraient dans la foule. Seul, un colonel stoppa net, fixa l'assistance, haussa les épaules sous les huées et s'éloigna à pas volontairement mesurés.

La Vigue vacillait, hébété, des larmes mouillaient ses yeux de chat.

Dans le hall, des ampoules bleutées répandaient une lumière aquatique à laquelle se mêlaient d'énormes panaches de fumée échevelée. La condensation se changeait en gouttes de pluie tiède. Paris, Rome, les deux quais suffoquaient, les locomotives trépignaient, les pistons gémissaient, les couloirs dégorgeaient un trop-plein de visages hagards, définitivement désolés. Pour tous ceux qui s'empilaient, s'insultaient, s'arrachaient les vestes et les boutons, ces deux convois étaient ceux de la dernière chance. Y aurait-il encore des trains demain? Les hommes partaient, les femmes restaient. De jeunes élégantes mal à l'aise de partager ne serait-ce que l'espace d'un instant une pareille promiscuité accompagnaient époux et amants. Elles les regardaient s'enliser dans la populace anonyme du train, tentant de les suivre des yeux le plus loin possible dans leur progression de fourmis, un mouchoir froissé au creux de la main prêt pour les larmes et l'ultime adieu.

Côté italien, moins de compagnes, plus de familles, l'occupation terminée rompait des chaudes retrouvailles de cousins, tantes, sœurs. Cet armistice dont on ne savait quoi penser brisait des liens renoués. Tout allait redevenir comme avant du temps où on ne se voyait plus, où on ne se parlait plus. Chacun chez soi. La guerre avait du bon, les larmes étaient sincères, les grosses larmes de ces mammas aux nuées de mioches pendus aux basques. Au-devant de quoi allaient-ils, tous? de la paix? des Allemands? Il n'y avait plus de triomphe ni de cris de victoire mais un départ en catastrophe, une foireuse fuite en avant.

– Drôle d'armée, grinçait La Vigue, les soldats à pied, les officiers en chemin de fer.

– Bof, ce n'est pas tellement important!

Edoardo désespérait de trouver une place de libre pour asseoir le comédien.

Ils remontèrent jusqu'aux premières.

– Qu'est-ce qu'ils ont tous à vouloir partir ce soir?

– Ils sont comme vous, ils veulent mettre de la distance entre le danger et eux, c'est humain.

– Comment humain, haletait La Vigue essoufflé, mais qu'est-ce qu'ils risquent? Des pantouflards, des planqués, ça n'a jamais émis une opinion, la moitié d'une. Pétainistes hier, demain gaullistes, aujourd'hui que dalle! Craignent quoi au juste? Tandis que moi, c'est pas la même chose mon jeune ami. On m'a entendu, moi, à Radio-Paris, engagé à fond. Vous savez, j'ai reçu des cercueils, des petits peints en noir. Faudrait peut-être coincer le contrôleur, non! lui glisser un billet en douce...

Edoardo se demandait pourquoi il ne l'avait pas lâché dès l'entrée de la gare, ce qu'il faisait encore avec lui, chevalier servant, majordome, garde-malade.

Ils arrivèrent en tête sans avoir croisé un seul contrôleur.

– Il faut que vous montiez maintenant, à l'intérieur vous vous débrouillerez.

A une sorte de frémissement, on sentait le train sur le point de partir, comme s'il prenait son élan. Sur le quai, les amis et les parents ne savaient plus quoi dire ni faire. Seuls les couples d'amoureux n'arrivaient pas à s'arracher. Ils se tenaient serrés, la tête de la femme enfouie dans la poitrine de l'homme. Un baiser, le dernier, puis encore un et l'ultime... Le maquillage zébrait les joues mal rasées. Les larmes se confondaient, se noyaient avec celles de l'autre. Les lèvres en se séparant émettaient un bruit d'étendard mouillé

– Et vous, la queue, jeune homme, ça marche? demanda Le Vigan à Edoardo.

Edoardo faillit trébucher.

– Je suis amoureux, oui, si c'est cela que vous voulez dire.

– Parfait. Rien de grave, j'espère?

– Je ne sais pas.

Ils s'immobilisèrent devant un wagon de première surchargé comme les autres.

– Je vais monter là, dit La Vigue, et à Dieu vat! Bon, jeune homme, merci et salut. Dites-moi pour l'amour, vous savez faut y faire croire l'autre sans jamais être dupe soi-même.

– J'essaie!

– C'est une maladie italienne, l'amour, Venise, Roméo et tout le tralala... Je crois que cette fois, ça y est!

Un coup de sifflet retentit suivi d'un autre plus impératif, La Vigue se précipita, escalada les hautes marches, sa valise toujours pendue au bras, il eut juste le temps de se retourner adossé à une muraille de corps humains avant que la machine pousse un soupir et que le convoi s'ébranle.

– Dites donc, si vous voyez Marcel, dites-lui que je m'excuse.

Edoardo fit un signe d'acquiescement. Une poussière charbonneuse voilait les visages. Très vite, le train fut invisible, les mouchoirs devinrent ridicules. Les groupes se dispersèrent à tout petits pas, jambes molles, cœur écorché. Edoardo alluma une cigarette, les uns partis pour Rome, les autres pour Paris et lui qui restait là. Pour qui, pour quoi? Il chassa cette pensée. Finalement, il aimait bien La Vigue.

On avait ouvert les fenêtres, branché les gramophones, la nuit était veloutée, une nuit d'automne aux senteurs de printemps. Les musiques se mélangeaient, des musiques à danser et quelques marches militaires pour faire bonne impression. Libre! On était libre. Plus d'armée, de soldats. La guerre ailleurs, partout ailleurs, mais ici sur les places, le long de la mer, dans les jardins publics, les couples s'enlaçaient pour fêter un enfant prématuré, inespéré et fragile : la paix. Pas de chars, pas de canons, pas même d'avions dans le ciel. Une véritable soirée comme avant la guerre quand personne ne connaissait le prix du bonheur. Une soirée à sucer des glaces à la vanille, s'il y avait eu encore de la vanille. Une soirée à s'aimer, à oublier. On fermait les yeux et le temps s'abolissait, on se retrouvait intact tel qu'avant l'horreur. Il suffisait de se laisser baigner par la douceur de l'air et des sourires. Sourires des filles dont on devinait la peau safranée sous le chemisier défait par l'effet des courses et des embrassades multiples. Non, ce n'était pas le désir, ces mains en voltige sous le revers des jupes mais la célébration partagée d'une ivresse brutale et inattendue. On dansait devant la gare, on dansait sur le parvis de l'église Notre-Dame, on dansait tout le long de l'avenue, sur le trottoir des Galeries Lafayette on avait déniché des lampions multicolores. Des couples valsaient drapés de bleu, de blanc et de rouge au son d'un accordéon des rues. En quelques heures, on avait improvisé un 14 Juillet, un 14 Juillet sourd à toutes autres sirènes que celles du cœur. Pour ceux qui ne participaient pas à la liesse, le danger venait de là : du cœur! Ils s'étaient réfugiés derrière les volets, avaient tiré les rideaux, claquemuré les ouvertures, cadenassé les chaînes. Ils n'y croyaient guère, eux, à l'embellie, ils préféraient attendre le retour du cours naturel des choses, attendre que la guerre remette de l'ordre. La guerre, ils étaient habitués, ils avaient toujours vécu avec, quel que soit le nom qu'on lui donne en temps de paix.

Edoardo parcourut la fête, l'œil aux aguets et la peur au ventre. Il devinait Gloria en chaque fille virevoltante. Pourquoi se mettaient-elles toutes à lui ressembler? Il était partagé entre la joie d'une rencontre fortuite et l'appréhension des découvertes qu'il ferait à cette occasion. Mieux valait vivre encore ce doute infernal qui le taraudait nuit et jour, lent et lourd comme un fleuve de lave. Arrivé sur la Promenade, il eut un sentiment de pitié à la vision des vestiges lamentables laissés par les soldats en déroute, casques, sacs, chaussures et même fusils jetés sur la chaussée et le trottoir. Ainsi certainement pouvait-on les suivre à la trace jusqu'à la frontière et plus loin encore. Pitié, oui c'était de la pitié mais pas vraiment pour cette misérable Italie coincée entre ruisseau et mer. Un sentiment plus général, plus absolu, sans foi ni morale. Edoardo découvrait qu'il aimait aimer. Aimer sans raison. Juste pour l'émoi, le courant chaud qui éclate dans la poitrine avant de partir en voyage dans le reste du corps.

Au Ruhl, c'était soir de gala. Bruno tel qu'en lui-même, pas plus argentin que brésilien, sans Gomina ni fausses moustaches, faisait vibrer les fibres patriotiques d'une salle en délire. Les serveurs vermoulus n'arrivaient plus à satisfaire la foule. Ils n'avaient pas vu autant de monde depuis Munich. Moins de gentry ce soir mais le haut du pavé commerçant venu lâcher le trop-plein de billets du marché noir, notables de la défunte République et de la nouvelle Révolution nationale, dignitaires de tous les ordres anciens et nouveaux, vieilles belles prêtes aux dernières aventures, jeunes affamés arrimés pour tous les tangages, tous les bords, tous les assauts, gandins aux allures de mystère, mèche collaborationniste et sourire résistant. Fauves lâchés aux tourbillons, passé effacé, présent aléatoire, lendemain facultatif. Champagne pour tous! Faux le champagne, du mousseux trafiqué mais il y avait les bulles. Sur chaque table une loupiote à l'abat-jour grenat et fichées par-ci, par-là quelques bougies. Sur la piste, le tango ravissait toutes les opinions confondues, un pas, une glissade, un délice. Edoardo s'installa au pied de l'orchestre dans un renfoncement de tentures torsadées; devant lui, recouvrant la table, une longue nappe immaculée, digne des temps révolus où le savon moussait à volonté. Sans son déguisement Bruno aurait pu poser pour une de ces affiches invitant les jeunes de France à s'engager dans la LVF. Un visage robuste, des cheveux d'un châtain clair laissant deviner un blond qu'aviverait vite fait un coup de soleil. Il était le plus jeune élément d'un orchestre qui avait connu toutes les péripéties balnéaires, le dur labeur de la valse et du tango, du fox-trot et du swing obligatoire, le dur labeur des femmes, toutes les femmes, la sienne et celles des autres, le dur labeur des fuites par les balcons les pieds nus sous la pluie, le rude et incessant labeur d'être chaque jour, saison et hors saison, appétissant, œil sensuel et lippe grivoise. Rien d'étonnant si au bout de l'infernal parcours, les cheveux teints, les bedaines comprimées, les dents refaites, les rides maquillées s'imposaient mis en valeur par un éclairage insidieux plongeant l'estrade dans la lumière crue et réservant à la piste l'ombre propice.

Terminé le tango, les danseurs réclamèrent de la vraie musique, celle qui donne des picotements partout.

La salle criait des titres, les musiciens les attrapaient au vol. Mais le plus fondant, celui repris dix fois, vingt fois, ce fut *Seul ce soir,* l'orchestre amorçait, la salle reprenait avec à chaque fois un amollissement de plus en plus attendri.

Je suis seul ce soir avec mes rêves
Je suis seul ce soir sans ton amour.

Sur « sans ton amour » mille soupirs prenaient leur départ, brise légère qui s'enflait, grossissait, gonflait et finalement s'envolait par les fenêtres larges ouvertes.

Je suis seul ce soir avec ma peine
J'ai perdu l'espoir de ton retour.

Jeunes, belles, moins jeunes, celles qui attendaient quelqu'un et celles qui n'attendaient personne laissaient couler des larmes libératrices. La peine et l'espoir soudaient la salle dans l'émotion. Une seule chanson suffisait pour effacer les différences, donner les bases d'une unité nationale du frisson. *Maréchal nous voilà* n'y pouvait rien non plus que *la Marseillaise.* Plus fort, il y avait la romance, le chant du cœur en morceaux. Emportées par la fièvre, des femmes aux yeux mouillés et luisants allaient de table en table embrasser les hommes, elles leur prenaient le visage dans les mains, les regardaient un moment puis les baisaient avec la violence des derniers adieux. Quelqu'un eut l'idée d'éteindre les lustres, une exclamation de joie salua l'initiative, on ralluma les bougies éteintes. Les lampes de couleur et les flammes formaient une chaîne de lueurs fantomatiques. On s'étreignait avec l'ardeur d'un nouvel an, le nouvel an de la guerre terminée, le nouvel an d'une fraternité inventée et créée de toutes pièces.

J'attendrai le jour et la nuit...

Les cris redoublaient, les sanglots aussi, cette fois-ci c'était trop, à la table à côté d'Edoardo, une blonde frisottée coulissa lentement de sa chaise sans connaissance. Pour la ranimer, on l'aspergea d'eau fraîche, elle revint à elle en pleurant.

– Assez de guimauve, jeta une voix de commandement, la chanson c'est ce qui nous a mis à genoux. Bordel, l'orchestre joue-nous une marche, une vraie marche de chez nous avec des couilles!

Un oh! de stupeur parcourut la salle. Les lumières se rallumèrent. Debout, au centre de la piste, Joachim Lumeni, chef de la milice, brandissait un verre en direction des musiciens. Avant la politique, Joachim Lumeni avait été médecin, avant la politique Joachim Lumeni avait été amoureux d'une femme. Depuis la politique, il se saoulait à l'alcool et aux discours. La femme l'avait trompé, elle s'était enfuie en compagnie d'un aviateur. Tout ça datait des débuts de la guerre. Les gens qui se trouvaient là ce soir n'ignoraient rien de l'aventure. Ils en avaient ri au début. Puis Lumeni s'était engagé dans la milice et ils avaient beaucoup moins ri. Dès qu'il en fut nommé chef, ils n'avaient plus ri du tout.

Bien planté sur ses jambes, Lumeni s'approcha de l'estrade. On disait qu'il avait une tête de chien. Un chien triste et boudeur, le nez épais venait manger la bouche, les dents écartées rendaient son sourire dérisoire. Dans le regard s'inscrivait une détermination tragique, spirale noire de malheur et de cruauté. Lumeni se laissa choir à la table d'Edoardo, la chaise craqua sous son poids.

– Permettez? je suis saoul mon vieux. Italien, non? Si! Ah, je les flaire à cinq cents mètres. Ma mère est de Lombardie, un village de la plaine du Pô, chaque fois qu'il pleut ils sont inondés, la terre est plus basse que la flotte, il n'y a que les Italiens pour inventer ça!

Edoardo alluma une cigarette avec un sourire le plus neutre possible.

Tranquillisez-vous, poursuivit Lumeni, je ne vais pas vous entretenir de la situation, on la connaît la situation, hein!... Quand même ça m'a fait quelque chose de les voir partir comme ça cet après-midi, la queue entre les jambes! Tiens, buvons un coup, cognac ça va?

– Si vous voulez, fit Edoardo incapable d'envisager une possibilité de fuite.

– Garçon, hurla Lumeni d'une voix qui couvrit l'orchestre.

L'un des vieux serveurs se précipita.

– Ce que je peux m'ennuyer, pas vous? J'ai horreur des bals, des soirées, des tralalas, pouah! Dites-moi, qu'est-ce qu'ils croient tous, que c'est fini, qu'ils ont gagné la guerre sans lever le petit doigt? Je les hais! Je vous le dis à vous, je m'en fous. Je les hais!

– Pourquoi vous me le dites?

– Parce que je vous sens fragile et que vous êtes italien. Au fait, vous n'êtes pas parti avec les autres?

– Je ne sais pas encore ce que je vais faire, répondit Edoardo inquiet.

Le serveur apporta les cognacs, deux verres au ventre rond pleins d'un liquide ambré.

– Du vrai, chuchota le garçon à l'oreille du chef de la milice.

Lumeni émit un claquement de lèvres, s'empara du verre et le lampa d'un trait. Puis en direction de l'orchestre :

– *Lili Marlène*, ça va? Allez, faites-moi plaisir. Elle me rend mélancolique cette chanson. Et j'aime ça être triste.

Aux premières mesures, Lumeni ferma les yeux. Bruno en profita pour faire un signe à Edoardo, cette conversation entre son ami et le meneur de la milice l'inquiétait. Edoardo le rassura d'un clin d'œil. A la fin de *Lili Marlène* les gens applaudirent. Lumeni ouvrit les yeux.

– Tous des cons, ricana-t-il, rien que des cons...

Brusquement il fixa son voisin :

– Vous êtes fasciste?

– Non, je m'occupe de cinéma.

– Je ne vous demande pas ce que vous faites mais ce que vous êtes.

– Alors disons que je suis cinéma.

Lumeni éclata de rire.

– Moi je suis fasciste.

– C'est très bien.

Il fallait rompre là, trouver n'importe quelle excuse, fuir!

Lumeni frôla le bras d'Edoardo :

– Vous voulez un conseil, laissez-la...

– Qui ça?

– Gloria.

Edoardo sentit l'air s'épaissir, ses poumons se resserraient, la salle de bal était devenue minuscule, un cachot, une oubliette. La voix de Lumeni lui parvenait comme à travers un porte-voix, étrangement sonore et blanche.

– Ne vous inquiétez pas, je suis votre ami, Gloria n'est pas pour vous, elle est pour personne. Elle est pour le mal, oui le mal. Ces choses existent jeune homme, et ailleurs qu'au cinéma. Ne croyez pas, je ne suis pas fou, j'ai connu une femme moi aussi, si belle qu'on lui aurait donné mille âmes superbes, émouvantes, envoûtantes, seulement voilà, elle n'en avait pas une seule. Pas la plus petite parcelle! Je me mettais à genoux devant elle comme devant une statue de plâtre, exactement, du plâtre.

– Taisez-vous, interrompit Edoardo, ça ne me regarde pas.

– Il faut que vous sachiez.

– Non, à chacun son histoire.

Lumeni approcha son visage, Edoardo tenta de reculer, l'autre le retint par le bras :

– Écoutez, elle me faisait ramper et j'aimais ça, vous entendez, j'aimais ça! Vous voulez ramper à votre tour?

– Pourquoi pas!

– Pourquoi? Parce que tout n'est pas permis à l'homme. Celui qui rampe n'est jamais sûr de pouvoir se relever, ce ne sont pas nos jambes, nos cuisses, notre ventre qui rampent, pas du tout, c'est notre âme qui se traîne, c'est elle que nous avilissons. A jamais.

– Je ne crois pas que l'amour puisse avilir. La guerre oui, pas l'amour. Au fait, comment savez-vous pour Gloria et moi?

Lumeni haussa les épaules avec lassitude :

– Je sais tout.

– Vous connaissez Gloria?

– Je connais toutes les Gloria de la terre.

Un petit homme en uniforme se faufila jusqu'à la table. Lumeni lui fit signe d'approcher. Le petit homme écrasé par un béret trop large pour sa tête plate et longue se pencha à l'oreille du chef. Lumeni écouta, ses lèvres se crispèrent sur un sourire de glace. Quand le petit homme eut terminé, il se leva sans perdre une seconde.

– J'ai été heureux de vous connaître.

Le ton était officiel, brusque. Edoardo crut entendre comme un bruit de talons. Il répondit d'un signe de tête, Lumeni s'éloigna à grandes enjambées suivi par le petit homme au béret trop large.

La salle se vidait, les bougies rendaient leur dernier soupir auréolées de lambeaux gélatineux. Les serveurs épuisés éteignaient les lustres en partant du fond pour remonter jusqu'à la piste. L'orchestre annonça les trois dernières danses. Des valses.

Solitaires, quelques femmes attendaient encore. Sur les canapés, des ivrognes ronflaient. Prudemment, les serveurs venaient les secouer. Puis ce fut les derniers échos, le chef d'orchestre s'avança au bord de l'estrade, il donna rendez-vous au lendemain cinq heures et souhaita une bonne fin de nuit à tous. Il aurait voulu en dire davantage, des vœux pour l'avenir, ne sut trop comment et surtout si c'était bien utile pour les quelques fantômes dispersés sur la piste.

A peine rangé son violon, Bruno vint rejoindre Edoardo encore bouleversé par les propos de Lumeni.

– Qu'est-ce qu'il te voulait, fit sans perdre de temps Bruno, tu le connais?

Edoardo s'essuya le front avec un coin de nappe :

– Non, il était saoul, des propos sans queue ni tête, j'ai rien compris.

– Pas plus!

– Non, je t'assure, des bêtises.

Bruno, soulagé, alluma une cigarette :

– Quelle journée, je ne sais plus où j'en suis, j'avais hâte de te voir, j'ai quelque chose à te montrer. Quelque chose de très important.

– Tout de suite?

– Oui, immédiatement, suis-moi.

Edoardo fut étonné par le ton péremptoire de Bruno.

Ils passèrent derrière l'estrade, traversèrent un immense espace complètement vide, cerné de miroirs dans lesquels se reflétait le minuscule point lumineux de la lampe de poche du musicien. Les pas résonnaient avec un fracas terrible laissant derrière eux une plainte lugubre.

– Où me conduis-tu?

– Découvrir une princesse comme dans *les Mille et Une Nuits*.

A la salle déserte succéda un couloir encombré de fauteuils cassés, de tables sans pied, de statues mutilées, les rebuts de l'hôtel depuis des dizaines d'années. Une odeur rance de relents graisseux annonça la cuisine de l'autre côté de portes battantes usées par les coups de pied. Le couloir tourna devenant plus étroit, au-dessus d'une porte brûlait une veilleuse.

– C'est là, fit Bruno.

Ils pénétrèrent dans une remise peuplée de naphtaline et de poussière, Bruno mit un doigt sur sa bouche, s'approcha du mur du fond encombré de coussins crevés, chercha quelques secondes dans la paroi, souleva un loquet et fit signe à son ami de venir voir. Eclairée par une bougie mourante une femme dormait allongée sur un divan, la tête posée sur des coussins anciens.

– Qui est-ce? chuchota Edoardo.
– La nurse, Madeleine, mon amie.
Telle quelle à la lueur vacillante, elle semblait anonyme, un visage banal, une frimousse encombrée de boucles enchevêtrées. Avec le peu de lumière Edoardo fut incapable d'en déterminer la couleur, châtain clair peut-être? Ce qui le charma immédiatement, ce fut le calme, l'expression reposée des traits, le sourire endormi sur les lèvres. Il émanait du repos et des certitudes de cette petite boule endormie. Bruno remit le loquet en place et, en silence, ils sortirent de la pièce. Après quelques pas dans le couloir, le musicien prit le bras d'Edoardo :
– Alors, qu'en penses-tu?
– Je ne comprends pas, interrogea Edoardo.
– Les juifs dont elle s'occupait des enfants ont quitté l'hôtel pour se planquer à Beaulieu. Madeleine est restée.
Son visage brillait, Edoardo l'admirait.
– Tu l'aimes pour de bon? questionna-t-il.
– Si je l'aime! Le problème c'est que je ne sais pas où la loger alors en attendant je l'ai cachée là.
– Pourquoi cachée?
Bruno secoua la tête :
– Je ne sais pas. J'ai peur. Il faut que nous trouvions une chambre pour tous les deux. On veut vivre ensemble.
Ils regagnèrent la salle de bal où les serveurs achevaient de mettre les dernières chaises sur les tables.
– Une chambre, j'en connais une, même plusieurs, fit Edoardo.
– Formidable!
Ils quittèrent le Ruhl, une lueur laiteuse illuminait le ciel par l'ouest, du même côté que montait la rumeur d'une bête au souffle court. Les deux amis s'immobilisèrent. Le râle se transforma en vrombissement. Le sol, les fondations, les murs, la plage elle-même se mirent à être secoués de spasmes lents et lourds. Le jour, rose et gris

comme le ventre d'un poisson arraché à la mer, se levait. Un brouillard translucide mêlait l'horizon au ciel. Ce fut dans cette perspective tremblée et irréelle qu'apparut le premier tank suivi par les chars et les camions.

Les Allemands étaient sur la Promenade des Anglais.

Gloria n'avait pas dit non, de son lit où elle était plongée sous les couvertures, elle fit un signe vaguement approbateur. Bruno et Madeleine s'installèrent le soir même, Edoardo le lendemain. Il n'avait pas le choix, la production du film ne payait plus sa chambre au Négresco. D'ailleurs il n'y avait plus de production ni de film.

Petit Marcel reçut Edoardo entre deux valises.

– Le film est interrompu, vous le savez? Je pars à Paris, j'espère tourner quelques plans d'intérieur et revenir le plus vite possible, que comptez-vous faire?

Edoardo n'hésita pas :

– Je vais vous attendre si vous le permettez.

– Vous serez en situation illégale et sans argent, je vous préviens. Je ne peux pas déclarer un assistant à mille kilomètres du tournage.

– Je prends le risque, monsieur, la seule certitude que j'aimerais posséder c'est connaître vos intentions, m'engagerez-vous de nouveau à votre retour?

– Sans doute.

– Dans ce cas, je vous attends.

– Il se passe des choses dans votre pays, pourquoi ne pas y aller faire un tour?

– Parce que j'aime une femme et que je voudrais achever votre film.

Petit Marcel boucla le couvercle de sa dernière malle avant de jeter un regard rapide sur Edoardo.

– Ce sont deux bonnes raisons, fit-il.

Dans la maison de la vieille ville, la vie s'organisa. Une chambre éloignée au rez-de-chaussée pour le musicien et Madeleine, une autre pour Edoardo au même étage que Gloria.

– Tu ne crois pas qu'on va vivre l'un sur l'autre, non, avait-elle proclamé.

Il n'insista pas, de son lit il apercevait la lampe jaune. La maison était si vaste que chacun pouvait vivre indépendamment des autres. Les appréhensions d'Edoardo disparurent dès qu'il s'aperçut qu'en fait Gloria ne changeait rien à son existence. Dormir jusqu'au début de l'après-midi, grignoter deux trois biscuits, sortir quelques heures, revenir en début de soirée, se maquiller, s'habiller et partir pour le Perroquet. De temps à autre, elle croisait Madeleine dans la cuisine, les deux femmes échangeaient quelques mots insignifiants et très vite choisissaient le silence. Madeleine ressemblait à l'image de la fille endormie, discrète, elle prit en main les tâches ingrates et ménagères. Jamais, elle ne paraissait irritée ou nerveuse, son sourire la précédait dans les innombrables pièces. Il se passa des jours avant qu'Edoardo ne remarquât qu'elle boitait légèrement. Elle était si légère, si évanescente, si fluide que ses pieds ne semblaient rejoindre le sol que par mégarde. Il ne put cacher son étonnement, Madeleine se contenta de sourire un peu plus. Ce fut tout. Elle évitait de parler d'elle, de la guerre ou de quoi que ce soit. Seule avec Bruno, c'était différent, Edoardo les entendait discuter et même attraper des fous rires. Le matin, toujours heureuse, elle chantait en lavant la vaisselle, insouciante, manches relevées, son corps que l'on sentait délié et ferme à l'aise sous une blouse trop grande qu'elle serrait à la taille avec une ceinture d'homme. Si Edoardo surgissait à ce moment-là, elle s'essuyait au tissu le long de ses cuisses avant de lui tendre une main blanche et toute fumante. Jolie, elle l'était mais comme elle n'y attachait aucune importance, on avait tendance à l'oublier. Ses yeux verts, son teint pâle, sa bouche de poupée ancienne, son allure aérienne plus que fragile donnaient une impression de cristal. Avec Bruno, on la sentait aimante, attentive et complice, pour tout dire, sans question. Une liaison pour mille et mille ans, rectiligne comme une flèche de cathédrale. Au début, Bruno parut gêné par les lieux trop sombres, trop silencieux, avec trop de portes soigneusement fermées. Et puis, il y avait Gloria, cette présence permanente même lorsqu'elle n'était pas là. Vis-à-vis de la chanteuse, Bruno avait la méfiance instinctive des chats. Lorsqu'elle pénétrait dans la cuisine ou quand par hasard il la croisait dans les couloirs son poil se hérissait, il pâlissait, tout son être sur la défensive. Mais peu à peu, il s'habitua à l'ambiance, aux pas feutrés, à la pénombre, à l'absence de bruit, à cet univers sans attache aucune avec la réalité. Il tint juste à éviter le plus possible les rencontres avec Gloria, ce qui n'était pas difficile. Il travaillait le soir mais rentrait tôt et se levait moins tard que la chanteuse. Gloria parfumée, maquillée, vaporeuse, quittait la maison en début de soirée. Parfois Madeleine accompagnait Bruno au Ruhl, ils partaient vers les quatre heures et ne rentraient qu'aux environs de minuit. Mais la plupart du temps, elle préférait rester à l'attendre dans sa chambre.

Vers la fin septembre commença la saison des pluies, la nuit et le jour se confondaient dans le même magma sinistre et humide. L'électricité était régulièrement coupée en début de soirée. Les rafales de pluie vrombissaient à travers les pièces, amplifiées par la hauteur des plafonds et les espaces vides. Madeleine et Edoardo prirent alors l'habitude de se retrouver dans la cuisine autant pour économiser les bougies que pour échapper à une solitude lugubre. La soirée débutait avec le départ de Gloria et se terminait par le retour de Bruno. Les deux bougies chacune posée à un bout de la grande table perdue dans l'immensité nocturne rendaient effrayants ces rendez-vous. Madeleine décida de rapprocher les bougies. Edoardo s'installa en bout de table et Madeleine immédiatement à ses côtés, à tel point que parfois leurs pieds se heurtaient. Très rapidement les heures passées ensemble furent soumises à une sorte de rite non avoué mais scrupuleusement respecté. La soirée débutait par la lecture des journaux, tandis qu'Edoardo lisait, Madeleine cousait d'éternels dessus d'oreiller aux entrelacs complexes et subtilement baroques : « Ce qui me passionne, disait-elle, c'est que ce soit atrocement compliqué, sinon j'ai horreur de coudre. » Après *le Petit Niçois* et *l'Eclaireur*, réduits à une pagination congrue et où de toute façon il n'y avait rien à lire, Edoardo passait à la presse nationale, *le Matin*, *le Petit Parisien*, puis à celle des hebdos, surtout *Ciné Mondial*. Les remous autour du *Corbeau* les passionnaient, ni l'un ni l'autre n'avait vu le film mais ils se promettaient d'y aller dès qu'ils sortiraient à Nice. Ils ne précisèrent pas si ce serait ensemble. Edoardo découvrit que Madeleine connaissait le cinéma, Renoir et *la Grande Illusion*, et surtout les films américains qu'elle adorait avec une faiblesse particulière pour Gary Cooper. Elle avait vu plusieurs fois *les Trois Lanciers du Bengale*, elle aimait le regard désarmant d'innocence de l'acteur comme dans *l'Extravagant Mr. Deeds*. Edoardo lui demanda si elle appréciait Frank Capra, le réalisateur de *Mr. Deeds*. Madeleine lui avoua qu'elle ne s'intéressait guère au metteur en scène, que c'était plutôt les vedettes qui l'attiraient lorsqu'elle allait voir un film. Edoardo n'en tint pas compte, il lui parla plusieurs soirs de suite de ce film qu'il avait vu à Rome juste avant qu'il ne soit interdit par la censure, *Ossessione*, réalisé par un jeune cinéaste, Luchino Visconti. Il lui confia que c'est en voyant ce film où des êtres de chair et de sang ressemblant à tout un chacun étaient plongés dans un drame qui les dépassait, soumis à une fatalité qui les écrasait, qu'il avait pris définitivement sa résolution de tenter d'en faire autant. Il racontait la fin du film, la route de craie blanche, la voiture noire, la mort des amants. Le déchirement d'une tragédie antique traitée comme un fait divers. Madeleine l'écoutait s'emballer, s'exciter, théoriser, ça la faisait rire. Edoardo aimait lorsqu'elle riait. Dans la cuisine cathédrale, ça paraissait une incongruité, Madeleine s'en apercevait, elle plaçait sa main devant sa bouche pour étouffer les éclats. Vrai, c'était inconvenant de rire pareillement. Il faisait tout de suite plus chaud, la pluie devenait moins cassante, la maison plus humaine. Après elle préparait le thé, les provisions de Gloria étaient inépuisables. Du thé, du café, du beurre, du sucre, des biscuits, du pain d'épice, des friandises. Madeleine disait : « J'ai honte. » Edoardo haussait les épaules, Gloria leur avait permis de puiser abondamment, les vivres ne l'intéressaient pas, sous-entendu qu'elle n'en manquerait jamais. Edoardo se laissait bercer par le cérémonial, les tasses fumantes, les biscuits et les tranches de cake beurrées soigneusement posées dans une large assiette, la confiture d'oranges et celle de figues dans des coupelles placées devant les soucoupes. La table se dressait sans hésitation ni effort, par enchantement, les actes du quotidien pour Madeleine étaient si familiers qu'ils n'existaient plus. Elle agissait avec une grâce naturelle tellement dépourvue d'âpreté qu'elle arrivait à effacer la trajectoire de ses gestes au fur et à mesure qu'elle les accomplissait. Dans tout ce qu'elle faisait, se saisir d'un plat, verser le thé bouillant, couper un citron, il y avait une si grande aisance à mille lieues de toute notion de travail qu'elle donnait l'impression de rêver les choses : « J'ai fait ça toute ma vie », se contentait-elle de sourire les rares fois où Edoardo osait lui avouer son étonnement. Sa vie, des familles, des enfants, des chambres de bonne, si peu... Il évitait de l'interroger, préférant jouir note à note de cette délicate et chaleureuse musique. En connaître les mystères et l'origine risquait de détruire la miraculeuse harmonie. Le goûter s'éternisait engloutissant l'heure du dîner. La nuit, la vraie nuit commençait. Madeleine se remettait à sa couture, Edoardo lisait. Mais pour lui tout seul. Quand le silence devenait oppressant ou que la pluie frappait trop fort la vieille maison, ils se lançaient dans des parties de cartes aux règles changeantes et folles. Le plus grand des plaisirs consistant justement à en inventer de nouvelles à chaque fois. Rien de sérieux, encore des occasions à fous rires pour Madeleine. Parfois leurs regards se croisaient par-dessus les flammes des bougies. Edoardo baissait le premier les yeux. Ni l'un ni l'autre n'était mal à l'aise, simplement de la pudeur. Une pudeur curieuse qu'Edoardo ne cherchait pas à analyser. Un soir d'octobre où l'électricité fonctionnait, Madeleine décida que plutôt que de jouer aux cartes, ils pourraient écouter de la musique. Ils déménagèrent le gramophone de Gloria dans la cuisine, Madeleine alla chercher la collection de disques que Bruno s'était procurée en Italie, des disques rares, des merveilles américaines, Fred Astaire, Bing Crosby et un orchestre fabuleux, Glenn Miller. La musique déferla, rebondit jusqu'à la soupente, cogna les vieux murs crevassés. Ils durent mettre en sourdine les cuivres cinglants, les batteries tonitruantes, le tonnerre des explosions jubilatoires des orchestres. Un moment ils restèrent cloués sur place, écouter une telle musique dans cette cuisine de Moyen Age à la lueur de deux bougies épuisées leur paraissait complètement irréel, les stridences des trompettes arrivaient là après un voyage de plusieurs années-lumière à travers le temps : « Un autre monde », chuchota intimidée Madeleine. Edoardo serrait les poings, c'était si beau, si sauvage, si inattendu. Jamais il n'avait perçu ces musiques comme cette nuit. Jamais elles ne lui étaient apparues aussi surnaturelles, aussi pétries d'étincelles, de brillances, de sensualité légère et ensoleillée, jamais il n'avait eu autant envie de se libérer et de sauter à pieds joints dans cet univers de rêve loin du gris, loin du froid, loin de la guerre. Les larmes lui vinrent aux yeux. « J'ai envie de rire et de pleurer », avoua-t-il. Madeleine lui caressa la main. A peine. Un frôlement de papillon. Elle riait et pleurait elle aussi. Sur *Cheek to cheek* Madeleine entraîna Edoardo qui ne savait pas danser au centre de la cuisine. Elle lui disait de se laisser conduire. Ils étaient dans l'obscurité, ils se pressèrent, joue contre joue, Madeleine ne riait plus. Les bougies là-bas ressemblaient à des lucioles d'été, lumineuses par intermittence. Ils avaient le noir pour eux, la musique pour eux, le délire d'une vie autre pour eux, ils s'embrassèrent. Les lèvres de Madeleine roulèrent sous celles d'Edoardo, les effleurèrent puis les absorbèrent entièrement comme pour gober un fruit. Edoardo ouvrit la bouche, il sentit sa langue baignée d'une salive chaude, la salive de Madeleine, alors sa langue à lui aussi se mit en mouvement. Lentement, elle s'enfonça, se roula, se lova pour finir par s'anéantir dans une mer brûlante qui la fit fondre doucement, vaporeusement, loin si loin de tous les rivages aux aspérités cruelles. Ils restèrent étourdis longtemps encore après la musique. Au son de l'aiguille grattant la cire ils se séparèrent et retournèrent dans la lumière chétive. Ce fut Madeleine qui parla la première :

– Il ne faudra plus recommencer, jamais. Puisqu'on ne s'aime pas. On ne s'aime pas, n'est-ce pas?

– Je ne sais pas Madeleine, je ne sais pas.

Un sang différent, tumultueux, lui montait à la tête, faisait trembler ses mains, ses jambes. Et il aimait ce sang qu'il devinait plus rouge qu'aucun autre auparavant dans ses veines. Madeleine faisait jouer les doigts de sa main, des doigts un peu trop épais, si attendrissants qu'Edoardo voulut les saisir pour les embrasser. Précipitamment, elle les fit disparaître sous la table.

– J'aime Bruno.

– Je sais, chuchota-t-il.

Elle lui fit répéter.

– J'aime Gloria, dit-il.

Il y eut d'autres soirs avec musique mais sans danse ni émoi ni baiser. Ils évitèrent seulement d'écouter *Cheek to cheek*.

A Bruno, ils présentaient un visage apaisé d'amitié routinière. Il leur racontait les nouvelles en buvant des grands bols de café. C'en était fini de la gaieté factice, la ville s'enfonçait dans le vert-de-gris. Même le thé dansant sombrait, Bruno voyait se rapprocher le moment où il abandonnerait les roucoulades. Le bal ressemblait de plus en plus à un bal de cadavres égoïstes, chaque tourbillon se transformant en valse obscène. Cet ersatz de vie insouciante puait la décomposition. La guerre avait enfin rejoint la ville et elle comptait bien se rattraper, exiger des comptes. Bruno ne parlait plus d'Amérique, de nuits phosphorescentes au pied du Pain de Sucre, le sérieux l'avait harponné et semblait-il à Edoardo ficelé pour de bon. La soirée se terminait par une omelette quand il y avait des œufs ou sur un plat de pommes de terre sautées que Madeleine faisait rissoler dans un peu d'huile. La dernière bouchée avalée, Bruno se levait. Edoardo aurait bien traîné encore, retardé de quelques minutes la hantise du lit glacé et de l'attente. Il tournait tout habillé dans sa chambre repoussant l'instant de se glisser dans les draps. Il ne pouvait s'empêcher de surveiller au bout du couloir la lampe jaune, présence matérielle de celle qui n'était pas là, de celle qui peut-être ne rentrerait pas de la nuit. Il s'apercevait alors qu'il n'avait vécu la journée que pour cette attente désespérée, ces moments horriblement vides, hantés par la machinerie de sa mémoire malade et de ses spéculations infernales. Depuis son installation dans la vieille maison, Gloria avait dressé une muraille entre elle et lui, une muraille qu'elle, et seulement elle, pouvait franchir à son caprice. Si elle avait envie de lui parler ou simplement de le voir, elle frappait en passant contre la porte. Le sonnait.

La chanteuse devenait de plus en plus incompréhensible, mystérieuse, d'une dureté étrange. Savait-elle comme elle le faisait souffrir? Ou n'était-ce qu'inconscience effrénée? Des jours sans lui adresser la parole, des nuits sans un appel, aucune explication et encore moins de justification au sujet de ses fugues d'où elle revenait sourire aux lèvres et les bras chargés de cadeaux qu'elle jetait avec dédain en vrac dans la chambre. A ces moments-là, elle était enjouée, toute ruisselante de l'odeur de la rue, du soleil, du vent, de l'ailleurs. Il l'aimait alors idéalement comme un dément, un amour de chien bâtard. Et c'était vrai que si elle le lui avait demandé il aurait levé la patte et pissé partout sur les traces qu'elle laissait derrière elle. Il se contentait dans un souffle de lui demander gentiment, oh si gentiment, d'où elle venait et si elle n'avait aucun problème.

– Quel problème? lui répondait-elle en lui passant la main dans les cheveux.

Le contact de cette peau si incroyablement voluptueuse le pétrifiait, arbre dont toute la sève venait d'être absorbée d'une lampée. Il n'y avait rien à faire! Sinon marquer la main au fer rouge pour possession démoniaque.

Il arpentait la chambre, nuit après nuit, soumis au désir d'une garce, d'une folle? Pauvre idiot, pourquoi n'envoyait-il pas tout promener, pourquoi ne se ruait-il pas loin d'ici, de cet affaissement qui le dévorait et l'anéantissait? Il y avait ce tumulte en lui qui ne demandait qu'à sortir, s'exprimer, flamboyer au cœur d'une création n'importe laquelle. Et il restait là, objet trivial dont on se sert sans y penser et que l'on jette après usage. Un chiffon! Voilà à quoi pouvait se comparer son existence. D'autres faisaient la guerre, tuaient ou étaient tués pour une cause... Une cause. Il n'avait rien pour lui, pas le moindre idéal, uniquement des sentiments empoisonnés. De toutes les prisons qui encombraient l'Europe il avait choisi la plus honteuse. Prisonnier d'une soumission volontaire. Soumission décidée, vécue au-delà des contraintes. Le plus évident n'était-il pas après tout que Gloria ne souhaitait pas sa présence? Refus qui le justifiait et le liait, le persuadant de continuer, continuer jusqu'au bout, terme final que par rejet sauvage de toute solution il ne pouvait concevoir. Aux plus spectrales des ténèbres, à trois ou quatre heures du matin, des nausées le soulevaient, il s'asseyait au bord du lit et il essayait de comprendre. Comprendre! Son destin devait-il s'accomplir dans l'assassinat de ses ambitions, la mise en laisse de ses rêves les meilleurs, les plus forts, les plus intenses. Devait-il tout sacrifier à une idée d'amour, une caricature de passion mal partagée? Non, la planète existait, il percevait autour de lui les craquements et les fêlures du monde ancien et cette agonie n'était pas réservée aux autres, elle venait le déloger dans son trou pour le mettre à nu, désemparé et indigne. Parfois il se disait que si au moins il avait tout connu de Gloria, il aurait été guéri. Définitivement. Mais Gloria n'expliquait rien. Il y avait au Perroquet les sollicitations, les invites alléchantes, les obligations, qui sait? Gloria n'était pas une sainte mais que lui importaient les saintes! Gloria était la femme exemplaire, la femme femme, la femme totale, contradictoire, séductrice, charmeuse, menteuse, femme de chair et d'irréalité à la fois. Elle n'était pas sa mère, n'avait pas besoin d'être pure, intacte, cela lui était bien égal, oui égal, mais il voulait savoir, tout savoir, tout d'elle. Si elle était la maîtresse de Boda, si elle avait couché avec Donadi... Et pourquoi ces quantités de nourriture cachées dans les armoires et toutes ces portes fermées et si elle s'offrait aux hommes qui lui plaisaient comme elle l'avait fait avec le maçon? Pourquoi? Pourquoi? Et ce silence à chaque fois sur ces nuits effrayantes où elle ne rentrait pas. Silence qu'elle ne rompait que pour mentir, mentir,

mentir toujours, mensonge puéril formulé plus pour se tranquilliser elle-même que pour tromper les autres. Pourtant lui la croyait. Ce n'était que plus tard au fil des nuits sans sommeil que le faux s'écroulait et qu'une vérité indiscernable mais indubitable surgissait.

Il avait repéré une fenêtre dans cette maison sans ouverture, il lui arrivait au cœur des heures fatales de l'ouvrir et de respirer la nuit, la longue nuit pluvieuse et sucrée d'octobre, sucrée jusqu'à l'écœurement. Cette nuit lui rappelait celles de son enfance quand il ne trouvait pas le sommeil, le même ciel lourd et charbonneux, gonflé à crever de pluie, le même air suave qui collait à la peau, tellement humide qu'il laissait sur les lèvres des gouttelettes d'eau invisibles, cette même attente mouillée qui givrait les réverbères. Des nuits et des jours partagés entre l'averse d'avant et celle d'après, les lumières qu'on n'arrivait plus à éteindre dans la maison bourgeoise, elle aussi trop grande, trop froide, trop triste. Ces nuits sans sommeil et sa mère qui pleurait en faisant bien attention de ne pas faire de bruit dans la chambre d'à côté. Pleurait-elle chaque nuit? Même les nuits où il dormait comme un bienheureux? Toutes les nuits, toute la vie. Pleurer pour un homme insaisissable, envolé, tantôt en Ethiopie, tantôt là-bas à Rome près de Mussolini. Sur les photographies, il portait beau l'uniforme du fascio, le gros ceinturon, la chemise bouffante, sur sa tête même le chapeau n'arrivait pas à être ridicule. Il reviendrait, disait sa mère. Elle l'attendait. Edoardo non. Il avait appris par instinct à ne plus faire confiance à ce bellâtre déguisé. Son père.

Il respirait l'air de son enfance, de sa jeunesse. Il entendait le pas de Gloria. Allait-elle frapper au mur? Comme il aurait aimé vieillir! Et que tout soit fini, sa mère, Ferrare, Gloria... Qu'il soit enfin un autre. Elle s'engouffrait dans le long couloir, déjà elle pouvait apercevoir la lampe jaune et la porte de sa chambre à lui. Elle approchait. Deux coups contre le mur plutôt deux frôlements. Elle avait frappé... Dieu existait! Il la rejoignait. Elle était allongée sur les couvertures dans sa robe rouge, une cigarette allumée au bout de ses longs doigts transparents. En le voyant elle se mettait à rire. Un rire sec et épuisé. Elle lui faisait signe. Il avançait au pied du lit en souriant, son sourire de crétin comme il l'appelait.

– J'aime savoir que tu ne dors jamais, susurrait-elle, que tu m'attends, ça me rassure, mon père faisait pareil mais lui c'était pour me frapper, toi tu es plus gentil que mon père, tu ressembles à un baba qui ne fondrait jamais. Pourquoi ris-tu? C'est vrai tu es inépuisable, infatigable, indestructible. Passe-moi le châle, là, oui c'est ça. Il y avait plein d'Allemands ce soir, des permissionnaires qui reviennent de Russie, tous beaux à faire peur, si jeunes, si graves, on sent qu'ils vont mourir, on a envie de les prendre dans les bras et de les bercer.

– Tais-toi, bon Dieu...

– Tu es jaloux?

Elle le questionnait avec une compassion désolée sans se donner la peine de jouer juste, accentuant l'ingénuité jusqu'à la rendre accablante.

– Jaloux! Mais ce sont des nazis... Je m'étonne de ta sympathie. Pour une juive, les serrer sur ton sein!

Il s'asseyait tout près d'elle, lui enlevait ses chaussures et massait ses pieds endoloris par le froid. Il remontait jusqu'à la cheville, le mollet, la jambe, ses mains crissaient d'électricité au contact des bas.

Et elle, indifférente...

– Des soldats, des soldats comme les autres, ils m'ont demandé plein d'airs. Je jouais, ils chantaient, c'était émouvant à donner des frissons. Il y en avait un qui voulait m'emmener avec lui, un capitaine. J'ai dit non.

– Il n'était pas à ton goût?

– Au contraire, tout à fait le genre que j'aime, élégant, viril et très très amoureux. Je suis certaine qu'il va mourir, je l'ai tout de suite deviné.

Il continuait de la masser, sa main descendait, montait. Un brouillard de désir humectait ses yeux.

– Pourquoi alors?
– Parce que je savais que tu m'attendais.
Il enfonça ses ongles dans le tendre du mollet.
– Tu me fais mal, imbécile!
Il avait fermé les yeux, il ne voulait plus la voir.
– Monte plus haut...
Elle avait chuchoté l'ordre. Ses doigts filèrent le long des cuisses à la rencontre du porte-jarretelles, il en fit sauter les attaches, caressa la peau odorante et tiède. Elle bougeait à peine. Il posa sa bouche là où les attaches avaient froissé la chair. Il en effleura les délicates marbrures avec ses lèvres dans un baiser plus doux, plus léger qu'un zéphyr. Puis sa langue plongea dans les sillons captant au plus profond quelques perles de sueur. Ah, il avait bien eu raison d'attendre, de souffrir mille morts, en vérité ce n'était rien, rien du tout comparé à ces quelques secondes de volupté absolue. La récompense dépassait en jouissance suprême les afflictions, les peines extrêmes, les balayait, les effaçait, les anéantissait. Gloria avait retroussé la robe rouge dévoilant son ventre bombé d'enfant. Avec une aisance de magicienne, elle fit disparaître sa culotte. Le mouvement avait été si preste qu'Edoardo ne s'aperçut de rien, ce furent ses lèvres étonnées qui rencontrèrent la mouvance veloutée et luxuriante. Sa bouche s'enfonça à la rencontre d'une autre bouche, bouche mystérieuse, silencieuse, incandescente, à la rencontre d'autres lèvres sans mensonge ni ironie, sans jeu ni mépris. Source vaporeuse d'une vérité astrale aussi brutale et fulgurante que l'éphémère scintillement d'une comète. Il allait boire, boire jusqu'à l'ivresse. Mais brusquement, plus haut, si haut... Gloria se propulsa avec la vitesse et l'évidence d'un fauve. Il se retrouva plaqué au matelas, écartelé, tétanisé; insecte épinglé au cadran des supplices. Amazone rageuse, elle le chevauchait, le transperçait. Il était tout à la fois le leurre, l'hameçon et la proie de ce sacrifice offert en offrande à sa dominatrice et à son pouvoir. Domination et pouvoir, territoire de l'unique plaisir qu'elle accordait. Il se tor-

dait, s'agrippait, résistait de toute sa volonté tendue, volonté qui lui durcissait les cuisses et le bas-ventre; hurlait qu'il ne voulait pas, qu'elle était une salope, une immonde garce. Puis une nouvelle fois, une fois de plus, il éclatait et c'en était fini. Foutu, meurtri, assassiné comme toujours. Une nuit, il lui planterait une vraie lame dans son ventre vorace. Il se le jurait et puis tombait, cendre froide, à ses pieds. Une nappe d'engourdissement et de béatitude lascive le liquéfiait. Il n'osait l'embrasser ni la caresser, il posait sa tête timidement entre ses cuisses où ruisselaient, telles les larmes blanches du remords et de la défaite, des gouttes de sperme.

Sombre. Sombre jour et nuit. Le soleil pendait lamentablement comme une vieille ampoule oubliée au fond d'un couloir. Brünner à l'hôtel *Excelsior* avait choisi une pièce sans ouverture. Double avantage, on ne s'évadait pas et on n'entendait pas crier. Le chef de la Gestapo avait perdu le sommeil. Tant de juifs! Le plus beau gâteau de toute l'Europe de L'Ouest. Pour lui tout seul. Combien, quinze mille, vingt-cinq mille? Il avait mis toutes ses équipes au boulot. Rude tâche, ils étaient si peu et les autres si innombrables. Les Italiens avaient gâté la population la rendant arrogante et méfiante, pas coopérante pour un sou. Il ne pouvait compter que sur lui-même. Il y avait bien quelques dénonciateurs mais au compte-gouttes. Bien obligé, il avait retroussé ses manches. Rafles dans les hôtels, les meublés, les appartements, rue par rue. Rafles à la sortie de la gare, contrôle des wagons, fouille des trains. Il lui aurait fallu trois équipes supplémentaires. Il avait des convois de deux mille têtes à remplir... Il lui fallait traquer, arrêter, trier, interroger et expédier le tout avec une poignée d'hommes épuisés, à bout de patience et de nerfs. Inutile d'attendre un coup de main de la Wehrmacht, celle-là on ne la voyait même pas. La police française était tout sourire en apparence mais impossible de lui faire confiance, elle sentait l'hypocrisie à plein nez. La preuve, les faux papiers pullulaient, Brünner n'en avait jamais tant vu. Tous les juifs se retrouvaient baptisés plutôt deux fois qu'une! Heureusement, il ne s'intéressait pas aux papiers. C'était nus que les juifs se révélaient être juif ou non. Le reste ne l'intéressait pas. Qui était circoncis était juif. Qui n'était pas circoncis ne l'était peut-être pas.

Le plus grave était l'exiguïté des lieux, l'hôtel *Excelsior* débordait, les nouveaux arrivants s'entassaient sur ceux déjà répertoriés en attente de transfert. Brünner devait éviter l'encombrement à tout prix. Plus vite il réunissait son quota de têtes, plus vite il libérait les chambres pour les futurs contingents. Evidemment c'étaient les interrogatoires qui traînaient en longueur, toutes ces femmes qui ne voulaient pas dire où se trouvaient leurs époux, ces troupeaux d'hommes dans la force de l'âge comme par miracle célibataires, veufs, séparés, sans enfants ni parents. Certains résistaient longtemps avant d'avouer leur mensonge. Et encore, ils donnaient de fausses adresses, de faux prénoms. Vérifications, reprise de l'interrogatoire, autant de temps de perdu, d'espace vital immobilisé. Mais ce qui inquiétait le plus le chef de la Gestapo, ce qu'il n'arrivait pas à comprendre, c'étaient les non-juifs. Cette Madeleine par exemple, la fille qu'il avait ramassée dans l'après-midi à Beaulieu rendant visite à ses patrons, une famille juive, les Ullman... Un beau coup, le père, la mère et les deux enfants. L'abrutie ne voulait rien dire, ni son adresse ni ce qu'elle faisait depuis qu'elle ne travaillait plus pour « ses juifs ».

Il l'avait fait mettre nue sur une chaise de fer, une nudité phosphorescente presque immatérielle sous les projecteurs. Brünner parlait. Madeleine fermait les yeux. Elle entendait encore les coups... Des coups de crosse. Mme Ullman la première avait crié :

– Félix ce sont eux, ce sont eux!

Et les coups de plus en plus violents, la porte qui pliait dans ses gonds.

– Ouvrez, police française, ouvrez!

Ils hurlaient de l'autre côté avec un accent épouvantable. Un accent que les Ullman fuyaient depuis cinq ans.

Ils s'étaient réfugiés au sous-sol de la villa, l'ancien logement des concierges. Trois pièces en longueur aux murs couverts d'une lèpre humide, au sol crevé de fentes boueuses dans lesquelles couraient des cafards. Madeleine avait failli hurler, M. Ullman lui avait posé une main devant la bouche.

– C'est inutile Mady, je vais ouvrir le porte. Vous, vous allez sûrement vous en tirer. Je l'espère, ô mon Dieu! oui, je l'espère.

Les paroles de M. Ullman passaient à travers elle. Si au moins elle avait pu faire cesser ses tremblements!

– Écoutez-moi, écoutez-moi bon sang, Madeleine!

Elle le fixait comme un étranger comme si déjà il était mort.

– Je vais cacher Laura dans la penderie... Vous écoutez Madeleine ce que je vous dis?

– Oui, oui... elle bredouillait.

– Ils vont défoncer la porte, gémissait Mme Ullman, ses deux garçons serrés contre elle.

– Laisse-les défoncer, si grâce à Dieu ils ne la trouvent pas, je vous la confie, Madeleine.

M. Ullman saisit par la main sa fille aînée. Laura hurlait.

– Je veux rester avec vous, je veux rester avec vous... Maman!

Mme Ullman se jeta sur sa fille, voulut la prendre dans ses bras, son mari la repoussa violemment.

– Assez maintenant, il faut faire ce que l'on a prévu.

Les coups cessèrent quelques instants pour reprendre plus haut à la porte principale de la villa.

– Ils sont partis, murmura folle d'espoir Madeleine.

– Non, ils vont revenir, je les connais Mady. Je les connais...

Dans la penderie, derrière les vêtements, M. Ullman fit coulisser une plaque fine de contre-plaqué. Entre la plaque et le mur dégoulinant d'eau, il y avait la place pour un enfant ou un adolescent très mince. Laura échappa à la poigne de son père.

– Jamais je rentrerai là-dedans, papa, jamais, je préfère mourir immédiatement. Madeleine, aide-moi! Madeleine... Tu ne peux pas laisser faire ça, c'est une chance que tu sois là, c'est une chance, avec toi il ne peut rien arriver.

Elle s'écroula aux pieds de Madeleine dans la pellicule boueuse.

– Ça suffit, Madeleine, ne la retiens pas...

M. Ullman arracha sa fille, la souleva et la précipita dans la cache :

– Maintenant si tu tiens à nous, tais-toi et obéis-moi. Tu as quelques vivres et une bougie avec toi. Ne bouge pas quoi qu'il arrive. Attends le retour de Madeleine. Si par malheur elle ne revenait pas, prends l'argent qui est dans la doublure de ma veste marron et à la grâce de Dieu ma fille. Évite les gares.

Les coups et les cris avaient repris. M. Ullman se pencha à l'oreille de Madeleine :

– Il m'a fallu choisir, Madeleine, j'ai choisi la fille, avec les femmes, la vie se perpétue. J'ai raison n'est-ce pas?

Madeleine, prostrée, incapable de prononcer un mot, regarda M. Ullman ouvrir la porte.

La gifle de Brünner la sortit des images du cauchemar. Une gifle lancée à plat sur la joue gauche, pas très forte s'il n'y avait eu la morsure de la bague. Elle porta instinctivement la main sur son visage, là où l'anneau s'était incrusté dans la chair. Elle craignait de voir du sang, mais non, seulement l'estafilade cuisante d'une griffe de chat. Il fallait en finir, Laura là-bas dans la penderie de la villa de Beaulieu, seule, terrorisée de silence. Elle ouvrit les yeux et les porta sur Brünner. Il ne ressemblait à rien sous ses lunettes bon marché, pas même de la cruauté, un visage en creux, lisse et plat comme une fesse. La tête de tout le monde, avec peut-être très loin dans le regard perdu derrière les verres la froideur efficace d'un bureaucrate médiocre. Madeleine tenta un sourire. Brünner en fut si surpris qu'il s'approcha pour vérifier. Elle sentit son souffle dans son cou et plus bas sur sa poitrine. Il articula doucement, comme pour une demeurée :

– Vous parler!

– J'ai tout dit.

– Non, rien...

– C'étaient mes patrons, vous les avez arrêtés c'est tout.

– Vous en connaître d'autres, beaucoup!

– Non, aucun.

– Vous vivre comment maintenant?

– Je cherche une place.

– Vous amie avec eux.

– Non, eux patrons.

Elle se mettait à parler comme lui en martelant les mots, laissant le minimum d'espace à un doute possible.

– Je peux partir, monsieur?

Il fit le tour de la table qui lui servait de bureau. Allait-il encore la gifler? Elle rentra la tête dans les épaules. Il se contenta de la détailler. Elle se sentit nue pour la première fois depuis le début de l'interrogatoire. Elle tenait ses cuisses serrées... si fort que des crampes par vagues venaient les dévorer. Mais il y avait cette touffe de poils que malgré toutes ses tentatives elle n'arrivait pas à cacher complètement, ils s'échappaient entre les doigts de ses mains croisées. Elle en avait honte, juste ces quelques poils si fins qu'ils paraissaient transparents. Elle eut une bouffée de remords, depuis l'arrestation des Ullman elle n'avait pas pensé une seule fois à Bruno. Elle n'arrivait même pas à fixer les traits de son visage. Elle eut si peur d'elle-même à cet instant, de son ingratitude, de ce qu'il fallait bien appeler son indifférence, que les larmes jaillirent silencieusement, comme de l'eau sur du marbre.

– Pourquoi vous pleurer?

Pourquoi pleurait-elle, il ne l'avait même pas frappée! Il sortit un bonbon de sa poche, enleva soigneusement le papier et l'enfonça délicatement dans sa bouche. C'était ridicule mais elle l'entendait mastiquer et broyer lentement le bonbon. Certainement un bonbon acidulé. Pourquoi pensait-elle à des choses aussi stupides? Elle essuya ses larmes d'un revers de main.

Brünner frappa violemment sur la table :

– Vous vouloir partir?

– Oui, monsieur.

– D'accord, je suis d'accord mais vous revenir me voir.

– Comment cela?

– Vous comprendre.

Il se leva brusquement

– Vous venir avec noms de vos amis juifs. Vous comprendre? Sinon...

Il répéta en postillonnant...

– Vous comprendre, n'est-ce pas?

Quelle importance, elle allait dire oui. Il fallait dire oui. Elle n'était pas une héroïne. Laura l'attendait. La vieille maison l'attendait. Edoardo l'attendait! Non pas Edoardo. Elle ne devait pas penser à lui. Pas maintenant. Les soirées si calmes, la lecture des journaux, le thé fumant, en un éclair, les odeurs, la quiétude, la qualité du silence, tout lui revint. Elle eut envie de retrouver tout cela, elle le voulait de toute son âme, retrouver Edoardo, sa gentillesse, son regard de chien intelligent. La vie allait être encore belle. Seigneur, qu'il la laisse partir! Elle lui promettait n'importe quoi, il n'avait qu'à demander, cet infect à lunettes. Elle n'avait plus envie d'avoir mal, pas aujourd'hui. Elle aimait tant les Ullman pourtant. Et les Ullman allaient mourir, c'était eux qui le lui avaient dit. Un peu de chaleur, un peu de tendresse, un peu d'oubli. Après elle retrouverait le mal. Mais seulement après, plus tard, plus tard!

– Je comprends, oui.

– Vous ne pas oublier, nous avons votre adresse.

– Je peux partir?

Brünner fit un signe de tête. Elle se redressa d'un bond, impudique dans la lumière aveuglante. Le chef de la

Gestapo enfonça un autre bonbon entre ses lèvres décolorées. Il avait tant d'interrogatoires encore à faire, combien plus difficiles. Il eut comme un éblouissement de fatigue. Dans la pièce à côté, un factotum signa un laissez-passer. Le couvre-feu avait été décrété à vingt heures. A peine le papier entre ses mains, il fallut faire un effort de volonté à la jeune femme pour ne pas courir à travers les couloirs glauques de l'hôtel *Excelsior.*

Dehors, la nuit. Pas un réverbère, pas une lumière. Il s'était remis à pleuvoir, une pluie douce et lente. Madeleine s'immobilisa, leva son visage, entrouvrit sa bouche et laissa glisser la pluie dans sa gorge. Elle n'était plus elle-même, rien d'autre qu'une plante quêtant l'averse, nourriture indispensable à sa survie. Elle était un corps et elle sentait en elle des racines qui allaient s'enfoncer loin, très loin dans un territoire inconnu. Elle se mit à marcher au milieu de l'avenue, en plein milieu, là où passaient les trams. Ses semelles de bois résonnaient joyeusement dans le silence opaque de la ville. Elle croisa une patrouille. L'officier ralentit le pas. Il allait l'interpeller. Elle tenait son laissez-passer entre ses mains. Il lança le faisceau blanc de sa lampe de poche dans sa direction. Elle continua d'avancer, ses cheveux défaits ruisselaient dans la lumière diffuse de la lampe. L'officier la regarda. Pas un mot. Rien. Les soldats sifflèrent, *fräulein, fräulein...* elle entendit leurs rires longtemps après. A quoi bon arrêter une fille qui marche au milieu de la chaussée avec des semelles qui font suffisamment de bruit pour réveiller tout le quartier? Dès la place Masséna, elle entendit la mer, les vagues rondes et régulières. Le Ruhl profilait, fantôme laiteux, ses tours et ses donjons. Elle traversa la Promenade et à tâtons descendit sur la plage; les galets à travers les semelles blessaient ses pieds. La mer demeurait parfaitement invisible, mais elle sentait l'odeur, une bouffée si forte qu'elle en eut la respiration coupée. Elle sentait et écoutait la mer dans le noir absolu. Elle n'avait plus aucune crainte. Demain matin, elle irait délivrer Laura.

Gresaco enfonça un autre bonbon entre ses lèvres décolorées. Il avait tant d'interrogatoires encore à faire, combien plus difficiles. Il eut comme un étourdissement de fatigue. Dans la pièce à côté, un lieutenant signa un laissez-passer. Le couvre-feu avait été décrété à vingt heures. À peine le papier entre ses mains, il fallut faire un effort de volonté à la jeune femme pour ne pas courir à travers les couloirs glauques de l'hôtel Excelsior.

Dehors, le froid. Pas un réverbère, pas une lumière. Il s'était remis à pleuvoir, une pluie douce et ténue. Madeleine s'immobilisa, tendit son visage, entrouvrit sa bouche et laissa glisser la pluie dans sa gorge. Elle n'était plus elle-même, rien d'autre qu'une plante qu'on arrose, nourriture indispensable à sa survie. Elle était un corps et elle sentait en elle des racines qui allaient s'enfoncer loin, très loin, dans un territoire inconnu. Elle se mit à marcher au milieu de l'avenue, en plein milieu, là où passaient les trams. Ses semelles de bois résonnaient joyeusement dans le silence opaque de la ville. Elle croisa une patrouille. L'officier, alerté par le pas, l'avait interpellée. Elle tenait son laissez-passer entre ses mains. Il lança le faisceau blanc de sa lampe de poche dans sa direction. Elle continua d'avancer. Ses cheveux défaits ruisselaient dans la lumière diffuse de la lampe. L'officier la regarda. Pas un mot. Rien. Les soldats sifflèrent, gaillards, joyeux. Elle entendit leurs rires longtemps après. À quoi bon arrêter une fille qui marche au milieu de la chaussée avec des semelles qui font suffisamment de bruit pour réveiller tout le quartier ? Dès la place Masséna, elle entendit la mer, les vagues rondes et régulières. Le Ruhl profilait sa façade rococo, ses tours et ses clochetons. Elle traversa la Promenade et à tâtons descendit sur la plage. Les galets à travers les semelles blessaient ses pieds. La mer demeurait parfaitement invisible mais elle sentait l'odeur, une odeur si forte qu'elle en eut la respiration coupée. Elle sentait et écoutait la mer dans le noir absolu. Elle n'avait plus aucune crainte. Demain matin, elle irait délivrer Laura.

Sombre. Sombre jour et nuit. Edoardo filait Gloria. Il avait peur mais il le faisait à travers les rues humides et grises. Se cachant sous les portes, se dissimulant derrière les kiosques à journaux. Il avait froid, mal aux jambes, ses chaussures prenaient l'eau. Chaque heure de traque l'enfonçait un peu plus dans le tunnel du désespoir. Pour Gloria, il n'y avait ni barrage, ni patrouille, ni couvre-feu. Elle possédait toujours le laissez-passer valable, sinon elle le remplaçait par un sourire, le nom d'un général, d'un haut responsable. Et les patrouilles continuaient leur route, et les barrages s'écartaient, et les gardes levaient les barrières. D'ailleurs elle ne bluffait même pas. Elle connaissait tout le monde. Et tous les hommes la connaissaient. Plus ils étaient importants, plus ils la connaissaient, la choyaient, l'invitaient. Dans la ville bouclée, ratissée, elle allait comme une reine. Au Cintra, elle croisait ses jambes gainées de bas de soie, environnée de fumée et de notables repus engoncés dans des manteaux trop chics. Ils se penchaient sur elle, l'effleuraient, la touchaient. Elle riait, allumait une cigarette, trempait ses lèvres dans du porto d'avant la guerre. Il faisait voluptueusement chaud. La bourrasque cognait aux vitres. Près du poêle les vêtements répandaient une douce odeur de confort et de laine tiède. Elle s'attardait rarement, on l'accompagnait jusqu'à la porte, elle s'emmitouflait dans sa gabardine, ouvrait un parapluie et partait d'un pas décidé parmi les visages harassés et affamés. D'autres rendez-vous l'attendaient, d'autres cigarettes, d'autres gouttes de porto, d'autres hommes de puissance et de combines. Et Edoardo la suivait comme il pouvait priant Dieu que son vieux permis de séjour fasse une fois de plus l'affaire. Italien en situation irrégulière, il était bon pour l'incorporation immédiate dans la Wehrmacht ou la prison. Mais il ne pensait pas à son destin, hypnotisé par cette silhouette frêle, impalpable, anonyme pour ceux qui la croisaient tête baissée sous l'averse et pour laquelle, lui, il était prêt à braver tous les dangers. Ni par courage ni même par inconscience mais dans le plus absolu mépris des contingences de tout ce qui n'était pas elle! Ce qu'il appelait encore, faute de mieux, son amour pour elle. Avec Donadi, Gloria déjeunait dans l'arrière-salle d'un bar-tabac délabré du quai Saint-Jean-Baptiste. Un bouge rescapé du XIXe siècle, assommoir pour population ouvrière. Les tractions avant s'arrêtaient en double file au grand étonnement des chiens étiques du quartier qui à tout hasard aboyaient après les uniformes vert-de-gris qui en descendaient. Vert-de-gris en compagnie des mêmes manteaux trop chics du Cintra. Les premières jambes à apparaître aux portières étaient celles des femmes. Par-delà les jambes, il y avait les tailleurs cintrés moulant les fesses provocantes. Plus haut sous la voilette du chapeau, des visages marqués de satisfaction vulgaire et gourmande. Les belles baissaient pudiquement les yeux en traversant la première salle, celle des pauvres. Un peu comme lorsqu'elles étaient forcées de rendre visite à leurs grand-mères à l'hospice. Les officiers allemands enlevaient leur casquette et saluaient. Les beaux manteaux se frottaient les mains sûrs de leur nécessaire arrogance. Dans l'arrière-salle, les tables n'avaient pas de nappe, les couverts n'étaient pas en argent et les assiettes dépareillées valaient quatre sous au Roi-de-la-Vaisselle. Mais dedans nageaient le veau tendre, le rôti de bœuf saignant cuit juste ce qu'il faut. On commençait par une bonne plâtrée de pâtes à l'huile. D'olive l'huile! Parfois la patronne remplaçait les pâtes par des raviolis farcis à la daube. Le mercredi il y avait du lapin à la niçoise, le vendredi était jour sacré, celui du *stockfisch*. Coude à coude dans la buée et la fumée, on s'empiffrait, le regard allumé par le vin de la réserve. Gloria ne mangeait pas, elle grignotait. Par son comportement, son port de tête, les regards ne pouvaient s'empêcher de s'attarder sur cette fille étrange, si différente des pouffiasses aux lèvres grasses qui l'entouraient. Trop digne pour être pute, trop belle pour être épouse, trop lointaine pour être la maîtresse d'un seul. Sa noblesse naturelle éveillait la curiosité, son mystère suscitait envie et crainte. Une espionne? Une dignitaire du fascisme? Son cas courait de table en table, de spéculations en rumeurs. Chanteuse! Elle! Une aimable couverture... Donadi bénissait ces instants de suffisance absolue. Il était roi, il était Dieu. Lui avec la plus désirable, la plus inquiétante! Son visage émacié jubilait, ces moments de bonheur extrême étaient si incroyablement intenses qu'il en avait l'appétit coupé. Et peu importait son dédain à elle, cette façon qu'elle avait de le regarder comme s'il présentait toutes les caractéristiques d'un mollusque avarié. Dans son éden, il n'allait pas jusqu'à exiger d'être apprécié, qu'elle soit là en face de lui suffisait au ravissement. Au dessert, ils partaient les premiers. Gloria refusait le vélo-taxi que lui proposait l'inspecteur. Elle préférait marcher. A peine formulé son refus, elle s'envolait. Transi, Edoardo la suivait. Il n'avait plus faim, plus froid, hébété il marchait. Elle se serait retournée, elle n'aurait pas pu faire autrement que de le voir. Peut-être insensiblement le souhaitait-il? Qu'elle sache comme il souffrait, que malgré tout et tous elle n'arriverait jamais à le dégoûter. Elle l'aurait surpris dégoulinant, pâle, désespéré et qui sait l'aurait pris dans ses bras, du moins lui aurait saisi la main, essuyé le visage. Elle était capable de ces gestes-là. Mieux, elle les accomplissait avec une délectation heureuse, art méticuleux du geste. La rencontre inopinée n'aurait rien changé, il n'était même pas évident que Gloria marquât une surprise quelconque. A l'entrée de l'Hôtel-Continental, les sentinelles allemandes la saluaient. Edoardo s'asseyait sur un banc de la place Mozart, le seul qui fût protégé par l'auvent d'un ancien manège. Entre deux averses, des pigeons au pelage frileux venaient voir s'il n'y avait rien pour eux. Deux petits tours et ils repartaient se mettre à l'abri sous les toits. Edoardo, pieds dans l'eau, attendait qu'elle ressorte en compagnie du général Mazzoli. Quand la jeune femme venait le voir, ils ne manquaient pas d'aller prendre le thé au Christie vers les quatre heures. L'arrivée des Allemands n'avait pas bouleversé les habitudes de Mazzoli, d'agent de renseignements de l'OVRA italienne, il était sans changer de bureau passé agent des services de renseignements nazis.

Il était le seul pour lequel elle se mettait en frais de charme. Volubile, elle parlait avec de grands gestes en traversant les rues tandis qu'il marchait à côté d'elle muet et raide. Il buvait son thé, un thé au goût de tisane, sans desserrer les mâchoires. De temps à autre, il acquiesçait d'un hochement de tête. Comment pouvait-elle être si douce, si attentionnée, si ingénue? Ils se quittaient sur le trottoir du boulevard. Dieu qu'elle était attendrissante avec cette lueur de fragilité dans les yeux! A cette minute Edoardo pensait à son retour le soir dans la grande maison.

– Qu'as-tu fait, lui demanderait-il?

Et elle répondrait d'un ton enjoué et détaché:

– Rien.

Madeleine désertait la vieille maison. En deux mots, elle avait raconté son arrestation sans donner de détails comme s'il s'était agi d'un simple contrôle. Bruno, lui, disparaissait plusieurs jours de suite. A chacun de ses retours, Edoardo avait du mal à le reconnaître. Il avait remplacé ses vêtements de danseur mondain par une canadienne marron, ses cheveux coupés court encadraient un visage résolu, fermé. Il parlait peu ou pas du tout. Le violon rangé dans sa boîte n'en sortait plus. Edoardo errait le long des couloirs et des pièces vides, il s'asseyait, prenait un livre, se levait, marchait un peu, s'asseyait à nouveau. Les pièces inhabitées transpiraient d'humidité. Le peu de chaleur se calfeutrait dans la cuisine. La chambre de Gloria toute petite et sans ouverture conservait également une tiédeur permanente. Mais Edoardo passait au large. Ames en peine, âmes perdues, toutes ces expressions littéraires devenaient pour lui des réalités tangibles, difficiles à supporter dans la plus totale des solitudes quotidiennes. L'attente elle-même lui était refusée. Gloria ne frappait plus contre le mur en rentrant. Et d'ailleurs elle ne rentrait plus, sinon en coup de vent pour se changer. Elle lui jetait un bonjour enjoué et indifférent. Parfois il y avait une note de gaz, il la plaçait en évidence sur le guéridon de l'entrée, la plupart du temps elle n'y faisait pas attention. Elle ne recevait jamais de courrier. Une heure plus tard, il entendait claquer la lourde porte de la rue. Jusqu'au lendemain elle ne réapparaîtrait plus. Tout cela n'avait aucun sens. Edoardo se le disait et redisait, litanie obsédante et vaine. Bien sûr, il aurait dû fuir, n'importe où, n'importe comment. Mais il y avait ce stalag dans sa tête, qui le paralysait plus sûrement que mille miradors. Il était un prisonnier de plus parmi des millions. Immobilisé sur place, ni plus ni moins que les autres. Que font les prisonniers? Ils bricolent, ils parlent, ils se souviennent, ils écrivent. Edoardo ne savait pas bricoler, il n'avait personne à qui parler, les souvenirs étaient trop proches, faisaient trop mal pour qu'il s'en délecte, il essaya d'écrire. Il acheta du papier, une plume, de l'encre et s'ensevelit sous une couverture. Il était armé, fin prêt, il plaça d'abord la rame de papier sur ses genoux puis, vu l'inconfort, déménagea de sa chambre à la cuisine et posa les feuilles sur la table immense. Le moment où jamais d'écrire un scénario, le scénario! Il avait les éléments, un sujet, une succession de situations, il lui suffisait d'amalgamer le tout. Il transformerait son malheur, sa dépendance mortelle en œuvre. La création le sauverait. Souffrir mais inventer, souffrir mais créer. Transformer le terne malheur en tragédie, conquérir avec des mots cet intangible qui se dérobe et se cache, le traquer, le retenir, le séduire, faire l'amour avec lui pour finalement le tuer et le ressusciter dans sa vraie gloire, son incandescence. A quoi bon la vie si ce n'était cette course à l'absolu? Edoardo frémissait, une force le soulevait de sa chaise. Il serait grand. Il serait beau. Il avait envie d'embrasser l'univers entier y compris le mal entier. La jubilation créatrice subvertissait le monde, le rendant indispensable tel qu'en lui-même avec ses désastres, ses catastrophes, ses abjections coutumières. Il fallait s'approcher de Dieu, voilà le but. Et Dieu n'a pas de morale. Edoardo faisait les cent pas des heures entières puis se laissait choir sur sa chaise épuisé. Cette générosité emballée investissant le diable lui-même, il en connaissait le moteur secret, le minuscule piston dissimulé sous son crâne. Il s'appelait amour. Bêtement amour, amour d'un homme pour une femme. Amour de démiurge bon marché flambé de délires romantiques. La création n'avait rien à voir là-dedans. Il était revenu à son point d'ancrage et d'esclavage sans écrire une ligne.

Bruno revint, épuisé et plein de mystère. Il dormit deux jours. Lorsqu'il se réveilla, il mangea pour huit puis se recoucha. Ce fut le moment que choisit Madeleine pour déménager. Ils se croisèrent. Edoardo nourrissait un espoir dans la raison et le bon sens de son ami. De simplement le veiller et le nourrir lui apportait un désintérêt de lui-même qui le reposait. Retapé, pâle mais en forme, Bruno l'écouta. Il était assis sur le lit, jambes croisées en tailleur. Il interrompit Edoardo.

– Sais-tu qu'en Russie c'est la débâcle, les Allemands craquent de partout?

– Je lis les journaux.

– Les journaux! Il faut écouter Radio Londres, lire la presse clandestine, sortir de ton trou. En Italie, c'est le bordel complet mais les Boches l'ont dans le cul là aussi.

– Ma mère m'a écrit, je sais...

– Oui, tant mieux, on attend un débarquement des Alliés, peut-être ici même! Il faut se préparer, les temps changent mon vieux...

– Tu ressembles à un conspirateur avec tes airs de mystère et tes godasses pleines de gadoue.

Bruno regarda Edoardo attentivement avant de répondre :

– Je fais de la résistance.

– De la quoi?

– Je fais partie d'un réseau quoi!

– Toi! Et Madeleine, elle en pense quoi?

– Elle ne le sait pas, pourquoi mêles-tu toujours les femmes à tout. Madeleine c'est Madeleine.

– Mais tu voulais partir avec elle, l'Amérique, Rio, la belle vie, le bonheur. Vous avez rudement changé.

– J'ai changé, elle je ne sais pas. Moi c'est comme ça.

– Pourquoi? Je croyais que tu te fichais de cette guerre, qu'elle ne te concernait pas.

Bruno bascula la tête en arrière dans une sorte d'abandon enfantin.

– Mon vieux, ma vie a commencé comme une opérette, boire, aimer et chanter et elle se terminera en opéra lyrique. Mais dans le fond, j'ai toujours préféré les orchestres symphoniques. J'ai raté ma vocation, j'aurai dû faire le Conservatoire. On fait pas toujours ce que l'on veut. Sauf cette fois-ci. Ça ne t'est jamais arrivé de ne plus pouvoir te regarder en face et de te dire : attention, tu vas devenir un sale con?

– Si, ça m'arrive tous les jours.

– Et alors?

– Alors, j'essaie d'écrire, de faire quelque chose.

– Ecrire! Mais bon sang on n'a plus le temps d'écrire, aujourd'hui il n'y a qu'un seul choix possible : agir.

– C'est vite dit...

– Tiens, fouille dans ma canadienne, la poche intérieure. Non, l'autre, vas-y! N'aie pas peur.

Edoardo sentit quelque chose de glacial, il tira, l'objet prit place facilement dans sa paume. Un revolver, Edoardo n'en avait vu qu'au cinéma. Un vrai revolver noir et lourd.

– Il est chargé?

Bruno sourit :

– Bien sûr.

Edoardo faillit lâcher l'arme, le métal glissait entre ses doigts moites. Il la posa précautionneusement sur les couvertures à côté du musicien.

– Pourquoi me montres-tu ça? demanda-t-il en s'essuyant les doigts.

Bruno se redressa, son visage retrouvait cet aspect dur et fermé qui était le sien depuis qu'il avait rangé son violon.

– Pour te montrer avec quoi et comment il faut agir.

– Ce n'est pas mon problème de tuer.

– Tu as lu *l'Eclaireur* aujourd'hui? Regarde la première page. Lis ça...

– Je connais, Bruno, il y en a tous les jours.
– Lis quand même, à haute voix.
Edoardo lut à toute vitesse en avalant les mots.
AVIS. *Le ressortissant français Jean-Paul Fabre a été condamné à mort pour espionnage le 27 octobre 1943 par un tribunal militaire allemand. Le jugement a été exécuté le 5 novembre 1943 par fusillade.* DER KOMMANDANT DES HEERESGEBIETES SUDFRANKREICH.
Edoardo jeta le journal au pied du lit.
– Tu le connaissais ce Jean-Paul Fabre.
– Pas du tout.
– Il faut tuer des Allemands, c'est cela, en représailles?
– Pas de représailles. Les représailles ce sont eux. Il faut les tuer parce que c'est la guerre et qu'ils sont les ennemis, parce que ce sont des salauds, eux et ceux qui les soutiennent.
Edoardo se leva, croisa son image dans la glace, Bruno l'avait mis mal à l'aise, un sentiment d'incompréhension et de dégoût. Il crut tout de même bon de préciser :
– Ce n'est pas ma mort qui m'inquiète, c'est celle des autres.
– Si ce n'est que ça, il y a toujours moyen de bien mourir pour une juste cause.

Bruno avait une mission, il l'avoua le soir même au dîner. Il allait abattre un collaborateur. Le chef du PPF pour la région. Une mission de responsabilité. Durant ses absences répétées, il avait fait connaissance avec les gens du maquis. Là, on lui avait appris à se servir d'une arme et à tirer.
– Et on t'a choisi? questionna Edoardo.
– Je me suis porté volontaire.
Les provisions de Gloria s'épuisaient. Ils entamèrent le dernier pot de confitures.
– Le musicien tueur, chuchota Edoardo.

– Le musicien héros, je préfère, fit Bruno en se servant une tasse de thé.

Edoardo remarqua le tremblement de la cuillère dans la main de son ami.

– Tu peux me présenter, fit-il?

Bruno fixa le liquide noir à portée de ses lèvres.

– C'est pas un jeu, Edoardo.

– Je sais.

L'entrée du Skating Azur était parcourue par des effluves d'eau de Cologne. Les hommes en maillot de corps malgré le vent glacial, cheveux plaqués, mégot aux lèvres, flottaient dans des pantalons trop larges tenus à la taille par des ceintures dont le bout rapporté pendait par-devant comme une queue de rat. Les visages semblaient reflétés par un miroir déformant : nez taillé à la serpe, bouche édentée, traits écrasés, crâne plat. Frileuses, les filles roulaient des yeux mouillés dont le maquillage outrancier dérobait un regard éperdu de sauvageonne.

De la salle parvenaient par rafales des hurlements stridents entrecoupés de sifflets rageurs. L'impatience! Au diable la valse musette déversée par deux haut-parleurs éraillés. Ils étaient là pour les coups. Le grand art pugilistique. Le vrai, le pur, l'amateur. En entrant, Edoardo eut le souffle coupé. Huit cents personnes tapaient du pied en cadence soulevant un ciel de poussière âcre. Suspendue au-dessus des visages, la fumée des cigarettes dessinait, elle, un autre ciel, plus nébuleux, bleuté et volatile. Le ring disparaissait dans la lumière auréolée de brume, les projecteurs clignotaient des éclats phosphorescents et argentés. Soudain l'accordéon poussa un gémissement de douleur et la voix du speaker tenta de couvrir les bruits de la foule.

– Ta gueule! fut unanimement la réponse. On l'envoyait se faire foutre dans un tas d'endroits puants avec une constance inébranlable. Bruno connaissait le chemin, il mena Edoardo le long des travées aux sièges de bois pourri. Dans les recoins, des gigolettes délurées offraient leurs lèvres peintes à des affreux calamiteux ruisselants de brillantine. Les gamines se frottaient comme des folles contre les pantalons des gigolos, leurs guibolles dans la pénombre jetaient des éclairs laiteux. Près des toilettes, des vieux types ridés et baveux, la tête couverte d'un chapeau mité, proposaient des paris aux quelques bourgeois égarés venus peureusement pisser. Des relents d'urine flottaient dans le couloir qui menait aux vestiaires. Deux ampoules pendaient au plafond, deux malheureuses ampoules couvertes de cadavres de mouches et de papillons calcinés. Dans les pièces de chaque côté, des jeunes gars allongés, yeux fermés, se faisaient taper sur les cuisses et les fesses par des malabars à casquette, les mains enduites de graisse. La rumeur de la salle parvenait atténuée dans ces bas-fonds sordides où les gladiateurs se préparaient au combat.

Auvare ne s'appelait pas Auvare mais tout le monde l'appelait ainsi depuis qu'il était né à une portée de crachat de la caserne du même nom. Manager, entraîneur, soigneur, Auvare ne reculait devant aucune tâche pour ses poulains, les jeunes as de la boxe de demain. Guerre après guerre il y aura toujours du public pour un beau K.O., disait-il. Les plus talentueux des boxeurs amateurs de la région, c'était lui qui les recrutait. D'un coup d'œil, il devinait l'uppercut foudroyant, le jeu de jambes américain, le direct sous-jacent, le gauche fameux et l'excellente agilité du droit. Il avait tout du chétif, poitrine rentrée, bras en asperge, jambes arquées. Et par là-dessus, une trogne violacée au nez enfonçant ses racines profondes et fleuries dans le mou d'une bouche éternellement pendante. Mais le charme d'Auvare, c'était sa voix, véritable torrent en crue, réduisant en bouillie grumeleuse les syllabes courageuses qui tentaient de percer.

Il était assis à califourchon sur une chaise, mégot de papier maïs aux lèvres. Le réduit puait l'embrocation et le tabac refroidi. Sur la table, jambes écartées, les fesses posées sur un vieux drap troué, Young Raymond attendait que Charly, le masseur, s'occupe de lui. Auvare parlait sans le regarder, en faisant bien attention de tout répéter deux fois, le boxeur écoutait, yeux fixés sur le plafond couleur caca. Il aurait pu être beau, Young Raymond, un peu Henri Garat, sans son nez écrasé et ses multiples cicatrices aux arcades sourcilières. Une jolie petite gueule de bellâtre humant le ruisseau. Auvare jeta un œil glauque sur Bruno sans interrompre pour autant les recommandations à son protégé.

– Pieragnalli, n'oublie pas, c'est pas un cogneur, il va danser je te dis, tu dois le cueillir frais sinon il te fatigue, tu comprends, il te fatigue, il joue la corde, il joue, alors toi tu le prends à revers, tu saisis? à revers... Bon, c'est le gauche que tu expédies, que le gauche! ne me fais pas le coup de te découvrir pute molle, conserve ton droit. Entrez, restez pas là plantés, poussez la porte. Alors, où j'en étais, ah oui, joue serré hein, tu as compris, serré au visage, il n'y a que comme ça que tu l'estourbiras vite fait parce que lui il te fatigue n'oublie pas. Il se dérobe... toi tu te fatigues. Tandis que si tu le cueilles d'entrée, l'affaire est dans le sac. Pieragnalli il a pas de couilles, je l'ai vu à Toulon, il a pas de couilles, j' te dis. Crois-moi, il a pas de couilles.

Bruno, suivi d'Edoardo, se glissa contre le mur derrière la table où Young Raymond, toujours allongé, jambes relevées, ne sembla même pas les avoir remarqués.

– Bon, je te laisse une seconde, petit, reprit Auvare, concentre-toi, vas-y Charly, fais-nous-le beau, le Raymond.

Debout il faisait vraiment petit et maigre.

– Faut pas venir me trouver ici, vous allez retourner dans la salle, on se verra après le match. C'est ton copain? Bon, bon... Ne bougez pas. Vous allez voir du spectacle, Young Raymond c'est la foudre. Tout en finesse.

Dans le couloir, Edoardo questionna Bruno :

– Tu t'embarques avec un type pareil?

– T'en fais pas, c'est quelqu'un de bien.

Les hostilités avaient commencé. Sur le ring, deux gringalets poids mouche se tapaient dessus avec une ardeur que redoublaient les cris de la foule. Bruno et Edoardo s'installèrent dans les premiers rangs, à côté d'un couple distingué et silencieux. Avec leurs petits bras qui moulinaient à une vitesse folle, les deux poids mouche soulevaient une mer de sarcasmes et de rigolade. Comme il n'y avait que huit rounds, ce fut vite fini, d'autant plus qu'au septième, à la surprise générale, l'un des gringalets s'écroula pour le compte. K.O. sous les quolibets et les huées. Le vainqueur tenta de lever les bras en signe de victoire mais une flopée de projectiles l'en dissuada. Vaincu et vainqueur disparurent sous la même houle de mépris. L'assistance s'était renforcée, les contre-allées débordaient de spectateurs debout et furieux de l'être. Le couple distingué semblait aux anges, de temps en temps l'homme encore assez jeune avec des cheveux blancs coupés court ôtait le papier d'un bonbon qu'il tendait à sa femme. Le moment arrivait, la tension faisait frissonner la salle. Le speaker en chemise blanche s'avança au milieu du ring. Il commença par remercier *le Petit Niçois*, organisateur de la réunion, quelques sifflets retentirent. Mais le grand déferlement explosa à l'annonce du match vedette.

– Marcel Pieragnalli...

La suite fut inaudible, couverte par le martèlement des talons en bois et le credo des insultes.

– Italien! Macaroni! *Stronso*...

– Il est marseillais! cria une voix solitaire.

– *Vafencule!* répondit la salle.

– Ils ont l'air de bien aimer les Italiens, dis donc, confia Edoardo.

– Rassure-toi, ils le sont tous, c'est juste une question de famille.

– Ah bon, je préfère.

Pieragnalli en remettait, il dansait au centre du ring et à chaque tombereau d'injures saluait d'un magnifique bras d'honneur.

– Fumier, on va te couper les *bimballottis*, jeta une femme à la voix graissée par l'ail.

Un éclat de rire secoua les sièges. Pieragnalli pouvait s'asseoir dans son coin, ils en avaient fini avec lui. Pour Young Raymond, ce fut un délire d'applaudissements et de râles d'amour, les filles lui lançaient des bravos et des baisers. On l'acclama debout durant cinq minutes. Young Raymond, modeste, attendit que ça se calme avant de rejoindre son tabouret. Sur le ring, il faisait plus costaud que sur la table de massage. Puis ce fut le silence, un silence épais et menaçant. Les deux boxeurs se touchèrent les gants, le gong résonna et l'arbitre commença à valser autour des deux silhouettes écrasées par la lumière. Pieragnalli lança la première attaque soulevant une moisson de hurlements. Presque rien pourtant, à peine une menace. Au pied du ring, Charly et Auvare se contorsionnaient, esquissaient les coups de Pieragnalli, frappaient ceux que Raymond aurait pu lancer. Auvare transpirait à flots, de quoi assécher définitivement sa carcasse de bois sec. Young Raymond termina le round en fuyant la bagarre. Pratiquement aucun coup n'avait été échangé. Les deux hommes rejoignirent leur coin sous les sifflets. Du côté de Raymond, on sentait une activité anormale, un soigneur fut appelé, le gant de la main droite enlevé. Il y eut un vent de panique, Young Raymond était blessé : incroyable! Quelques sifflets retentirent mais sans conviction. Si le match devait s'arrêter, c'était l'émeute, la furie, la dernière heure du Skating Azur. Le speaker avec un ouf de soulagement annonça que, malgré sa légère blessure à la main droite, Young Raymond reprenait le match. Raymond bien en souffle virevolta autour de son adversaire plaçant des directs à la face. Pieragnalli sous le choc chercha refuge dans le corps à corps. Comme Auvare le lui avait recommandé, Young Raymond boxait serré, ne lâchant pas une seconde Pieragnalli, le harcelant, l'acculant dans les cordes. Chaque coup était accompagné d'un han! rageur de la salle réclamant l'écartèlement, la lacération, l'écrabouillement, l'anéantissement final.

– Tue-le!

Un seul cri, un seul souhait. Ils étaient aux anges. Puis vint le sang, quand l'uppercut de Young Raymond s'écrasa sur l'arête du nez de Pieragnalli. Un filet. Le Niçois s'engouffra dans la faille, les directs redoublèrent sur la face du Marseillais qui vacillait, complètement incapable de se protéger. Le nez de Pieragnalli se transforma rapidement en un énorme morceau de viande sanguinolent, le reste du visage tuméfié disparaissait sous les éclaboussures. Dès le premier sanglot rouge, il y eut comme un gémissement de jouissance dans la salle, un râle longuement retenu et qui enfin se laissait aller. Le ravissement pouvait commencer, le stigmate de la souffrance était advenu dans toute sa splendeur rutilante.

– Vas-y, vas-y, gueulaient les filles qui, grimpées sur l'épaule des types, n'en perdaient pas une giclée.

Edoardo surprit chez le couple distingué une série de frémissements, sous le chignon de la femme perlaient des gouttes de transpiration, ses mains s'étaient refermées sur la poignée de son sac avec une telle force que les jointures semblaient vouloir crever la peau. L'homme avait jeté la tête en arrière comme si sa propre mâchoire encaissait la volée de coups. Ses lèvres retroussées mettaient en évidence des dents noirâtres, rongées par le sucre. Le gong sauva Pieragnalli, il rejoignit son coin à l'aveuglette. Young Raymond, babines en avant, lâchait des jets de salive qui venaient s'écrabouiller en postillons sur les spectateurs des premiers rangs. Le Marseillais allait-il abandonner? Il n'avait plus que deux rounds à tenir. On passa de l'éther et du mercurochrome sur ses plaies, on l'aspergea à l'aide d'une éponge d'eau froide. L'arbitre vint contrôler qu'il pouvait reprendre le match en lui soulevant les paupières. Pieragnalli fit oui de la tête plusieurs fois, oui il voyait le nombre de doigts qu'on lui tendait, oui il comprenait ce qu'on lui demandait, oui il voulait encore se battre, mais non il ne pouvait plus parler parce que ses lèvres gonflées comme des boudins de Noël ne laissaient plus filer un seul malheureux son. Young Raymond sautillait d'une jambe sur l'autre. Il allait lui enfoncer le blair dans la cervelle au Pieragnalli.

– Achève-le, jeta la même voix qui réclamait tout à l'heure la mise à mort.

Et Young Raymond obéit, il envoya dinguer le Marseillais, une série de crochets et de directs que l'autre n'avait plus la force d'éviter. L'arcade sourcilière s'ouvrit comme une fleur, le sang se mit alors à pisser de deux sources différentes. Il le tenait maintenant, Young Raymond redoubla, ses yeux brillaient d'une insolence infernale. Il l'acheva d'une volée à la mâchoire, Pieragnalli coula doucement, son torse était couvert de traînées sanglantes, ses bras battaient le vide, ses jambes se replièrent dans une ultime feinte du corps. Sa nuque heurta le tapis avec un bruit mou et spongieux. Compter et recompter, les acharnés le voulaient encore plus terrassé, mort pour de bon. Young Raymond dansait, Auvare tenta de le saisir dans ses bras de rutabaga. Des supporters grimpèrent sur le ring en se trémoussant de bonheur. Au moment d'évacuer inconscient le Marseillais, Young Raymond royal lui témoigna sa mansuétude en lui frappant dans la main. Les spectateurs quittaient le Skating à regret. Pour la première fois le couple distingué échangea quelques mots. C'étaient des Allemands. Sous l'effet de la surprise, Bruno et Edoardo blêmirent.

Auvare vint les rejoindre plus tard. La salle vide n'était

plus éclairée que par une loupiote de chaque côté des travées. Les deux hommes assis sur leur banc ressemblaient à des momies.

– J'ai pas le temps, commença par dire Auvare. C'est vous alors l'Italien?

– C'est moi, répondit Edoardo.

– Bon. Vous voulez être des nôtres? Bruno vous a recommandé, nous on lui fait confiance. Maintenant je vous préviens, au moindre faux pas, pan, pan..., d'accord?

– Vous ne risquez rien, intervint Bruno.

Auvare ralluma son perpétuel mégot maïs, le briquet dégageait une odeur d'essence, la flamme éclaira son visage ridé et ratatiné. Vraiment pas la gueule d'un héros, comment ce nabot pouvait-il incarner le monde nouveau, une espérance quelconque? pensa Edoardo. Ils parlaient bas tous les trois de crainte que leurs voix ne se répercutent dans l'espace désert. La chaleur et la fièvre de la foule n'étaient déjà plus que des souvenirs. Dans la nuit poussiéreuse et sale, le Skating prenait des allures de hangar abandonné.

– C'est d'accord, fit Auvare, prends-le avec toi. Vous serez le deuxième homme. Il est au courant de la mission?

– Non, mentit Bruno.

– Une exécution, fit Auvare de sa voix rauque, le chef du PPF pour la région, le Dr Arnoux. On le suit depuis des semaines. Maintenant vous êtes au courant. Autrement dit, vous ne pouvez plus dire non. Bruno vous expliquera les détails.

– Pourquoi lui, ce docteur? demanda Edoardo.

Il y eut un long moment de silence.

– Parce que c'est un salaud.

La sentence du manager tomba sèche et définitive. Pour la première fois, Edoardo sentit une détermination implacable, quelque chose d'absolu dans le ton d'Auvare.

La présentation était terminée. Le manager s'éloigna de

quelques pas à reculons puis, retrouvant toute sa familiarité, lança :

– Bon match, hein les gars! Young Raymond un as! Le *first*, comme disent les *British*.

Il disparut en rigolant. L'écho résonna longtemps dans les ténèbres sinistres du bâtiment.

Boda s'était installé dans la grande maison. Edoardo le découvrit la nuit même du match de boxe en chemise noire avec tout l'arnachement du fascio. Il portait toujours fièrement sa gueule de second couteau, veule et molle. Capitaine Boda rallié à la république nationale socialiste et mussolinienne de Salo. Mazzoli l'avait sorti d'un camp d'internement où les Allemands avaient réuni tous les militaires italiens raflés après l'armistice. Gloria n'avait pas perdu ses après-midi. Edoardo déménagea ses affaires dans la pièce la plus éloignée possible de son ancienne chambre. Demain il partirait. Le monde s'écroulait et il rangeait ses affaires comme on le fait à la veille des vacances en faisant bien attention de plier ses chemises. Le monde s'écroulait et il allait, un vague sourire aux lèvres, l'esprit anesthésié, les jambes dans une épaisse couche de ouate. Gloria n'était pas allée chanter ce soir-là, le Perroquet était fermé pour quelques jours. Elle lui expliqua tout ça gentiment avec l'autre assis à boire la dernière réserve de café. Tout cela respirait le plus parfait des naturels : Boda le soldat rentré de la guerre, Gloria l'épouse qui l'avait amoureusement attendu et lui, mon Dieu, l'hôte de passage un peu intrus, un peu benêt mais dans le fond pas gênant. Il prit du café lui aussi parce qu'elle le lui demanda et qu'elle le prépara elle-même, remplit la tasse, mit le sucre et le fit fondre doucement en tournant la cuillère. Et tous ses gestes, il les bénissait, et tous ses gestes il les buvait comme des gouttes de liqueur d'espoir insensé. Et si elle... Oh non, ne parlons pas d'aimer mais peut-être de tendresse! Sans l'autre baudruche, il aurait posé sa tête sur ses cuisses en fermant les yeux, une, deux minutes. Il aurait été le plus heureux du monde, oui du monde, et tant pis pour la guerre, la douleur... Tout cela c'était les autres. Et lui, oui lui, il aurait été contre elle, sa tête séparée de sa chair par un voile de rien et cet instant se serait appelé bonheur. Il but son café en silence. Gloria le regardait avec un regard qu'il ne lui connaissait plus depuis les tout débuts. Un regard attendri, celui d'une amante fatiguée dont le sentiment maternel l'emporte sur le désir. Elle le berçait et il se laissait couler dans ce sommeil lâche avec une délectation sans remords. La tasse vide, la cigarette fumée, l'ultime sourire échangé, il fallut bien se lever, partir et se coucher seul sur un vieux matelas moisi à l'autre bout de la maison, loin des amants, les vrais amants, Gloria et Boda. Boda et Gloria. Il pouvait imaginer leur plaisir, la nuit d'amour qu'il comptabilisait au clocher de la cathédrale, quart d'heure par quart d'heure. Il y avait si longtemps! comme ils devaient redécouvrir chacun le corps de l'autre, les gestes précis que l'on n'oublie jamais, le cheminement du plaisir, toujours le même, toujours inventé. Il se jeta contre le mur et frappa sa tête jusqu'au sang. Il voulait avoir mal, très mal, à l'égal de leur jouissance à eux. Quand il n'en put plus, il s'écroula sur le grabat et crut entendre un cri, le cri de Gloria dans l'extase. Mais bien sûr, il inventait. Aucun cri n'était capable de percer autant d'épaisses murailles. Non aucun. Il s'endormit la tête entre les bras comme pour se protéger d'une douleur insensée.

Il rêva à une nuit d'orage terrible, sa mère était venue s'allonger à côté de lui. La tempête frappait la maison avec une telle violence qu'il crut que les carreaux des fenêtres allaient se briser et que la pluie envahirait la chambre, il serra encore plus fort sa mère dans ses bras. Elle était chaude et fondante comme de la mousse au chocolat, il s'enfonçait en elle sans rencontrer d'obstacle, ses doigts pénétraient sa chair, profond, toujours plus profond. Le ventre c'était là qu'il aurait aimé retourner à l'abri à jamais des tempêtes, de la lumière et de la méchanceté. Il se voyait porté par une eau sirupeuse et parfumée, il ne nageait pas non, il flottait comme au fil lent d'un fleuve quasi immobile. Timidement à voix basse, d'une voix si basse qu'il dut répéter deux fois, il demanda :

– Maman c'est comment l'intérieur d'un ventre?

– Pourquoi demandes-tu ça?

– Quand tu m'attendais, moi, comment c'était à l'intérieur?

– On ne pose pas ce genre de question, Edoardo.

– Mais je veux savoir, maman.

– Non, tais-toi, dors maintenant...

Edoardo se réveilla en nage, la tête lourde avec la sensation très précise que s'il avait dormi un instant de plus, une seconde encore, il se serait littéralement dissous dans la mort comme le sucre dans du café. L'image de Gloria l'investit. Une journée commençait. Il faisait jour. Il boucla la valise préparée la veille, traversa les couloirs et les pièces sur la pointe des pieds, gagna l'entrée, ouvrit la porte et la referma précautionneusement derrière lui. Dehors, il pleuvait, une pluie fine sous un ciel gris pâle tout juste lavé de la nuit.

Madeleine ouvrit le portail en robe de chambre. Les gravillons accentuaient sa claudication. Elle jeta un regard furtif sur le visage ravagé d'Edoardo, ses yeux rougis, le tremblement de ses mains. Elle lui prépara du café, refusant d'en prendre elle-même par souci d'économie. Elle ne manifesta aucun étonnement; en lui donnant son adresse avant de partir de la grande maison, elle se doutait qu'un jour elle le verrait arriver ainsi. Elle le conduisit dans une petite chambre sans caractère qui lui servait de débarras mais où un lit était aménagé avec des draps parfumés à la lavande. Edoardo se laissa tomber sans prendre la peine de se déshabiller. La maison n'était pas chauffée, la jeune femme avait trouvé cette petite villa dans le parc Chambrun, un quartier excentré de la ville. Les locataires avaient fui précipitamment à l'arrivée des Allemands laissant sur place un tas d'affaires. Madeleine occupait le rez-de-chaussée et deux pièces au premier étage. Elle prépara un déjeuner improvisé avec le peu de provisions qui lui restaient et des légumes que lui vendit un voisin propriétaire d'une campagne sur les collines. Elle fit sauter des artichauts mêlés à des pommes de terre auxquels elle ajouta pour le goût un morceau de gras de lard. L'odeur de friture fit sortir de sa torpeur Edoardo. Reposé mais très pâle, on aurait dit un jeune convalescent. Il embrassa Madeleine sur les joues avant de passer à table.

– Je ne mérite pas autant d'attention, tu sais.

Il toucha à peine à la nourriture qui avait parfumé délicieusement la maison.

L'après-midi ils allèrent se promener, Edoardo s'accrochait au bras de Madeleine.

– Je te transforme en garde-malade, fit-il.

– J'ai l'habitude.

Le quartier était doux et paisible, une succession de petites villas disparaissant sous les cèdres, les mimosas et les sapins. Les rues portaient des noms de poètes et d'écrivains : Vigny, Musset, George Sand, toutes s'enlaçaient autour d'un jardin couronné d'un temple consacré à l'amour, vestige oublié d'un temps où l'ensemble faisait partie d'une immense propriété. Les lotisseurs avaient laissé ce témoin désuet avec sa coupole à la grecque et ses colonnades ouvragées de cœurs percés et de déclarations d'amour d'une limpidité classique JANY AIME LOULOU. Ou encore JE T'AIME signé LUCIEN sans aucune autre précision, comme si de toute évidence il n'y avait qu'une destinataire. Le soleil se leva, un soleil brumeux de vieillard. Ils prirent place sur un banc, il faisait si calme, si bon, il régnait une telle paix silencieuse et feutrée qu'ils crurent un moment avoir pourfendu le mur du temps. Ils étaient installés dans un coin du XIXe siècle, un espace à l'abri de l'histoire, du progrès, de l'évolution. Ils s'étonnèrent de voir passer des gamins à vélo et même un peu plus tard une voiture, la seule qu'ils aperçurent de tout l'après-midi. Ils rentrèrent quand le soleil tomba derrière les nuages et que l'humidité glaça d'un coup de givre le bosquet de cactus planté dans la muraille derrière le banc. Edoardo tenta d'allumer un feu de bois dans la cheminée de la salle à manger sombre et sévère. En quelques secondes, la pièce fut enfumée.

– J'ai jamais su rien faire de mes dix doigts.

– De toute façon, tout est déglingué, personne n'a dû allumer de feu depuis Napoléon III.

Une flamme chétive survécut tant bien que mal. Ils se réfugièrent sous les couvertures. Madeleine plaça une bouillotte sous ses pieds. Ils avaient froid à claquer des dents.

– Ici, le soir, il faut se coucher, c'est le seul moyen d'avoir un peu de chaleur, avoua Madeleine en se pelotonnant dans son peignoir.

Ils allumèrent la TSF sur Radio Monte-Carlo, ils écoutèrent une pièce imbécile jouée par de sinistres cabotins, les répliques idiotes, le ronron des voix leur permettaient de s'évader en sauvegardant les apparences. Après le dernier bulletin d'informations de huit heures et demie, il n'y eut plus que le grésillement des ondes, Madeleine éteignit le poste. La nuit allait être terriblement longue. Ils burent un reste de tisane amère dans laquelle ils trempèrent des biscuits au goût de plâtre. Le silence devint si pesant que Madeleine décida de monter dans sa chambre.

– Je veux être avec toi, chuchota Edoardo, contre toi.

– Pourquoi? demanda Madeleine à voix basse elle aussi.

– J'ai peur, répondit Edoardo.

– Viens alors...

Madeleine grimpait déjà l'escalier qui grinçait à chaque marche.

Dans la nuit, il plut de nouveau, des bourrasques terribles qui faisaient trembler la villa. Edoardo était blotti le long du corps de la jeune femme. Elle avait refermé ses bras sur son torse. Et à chaque secousse nerveuse qui secouait le lit et le matelas, elle lui caressait la poitrine d'une pression légère des doigts. Elle ne dormit pas cette nuit-là comme du temps où elle veillait un enfant malade. A la seule différence qu'il lui semblait vivre un moment privilégié de bonheur. Prudente, elle refusa de se l'avouer.

Ils se l'étaient promis au temps des soirées de la grande maison. Le lendemain, ils allèrent voir *le Corbeau*. Aux actualités, sur le front de l'Est, les cadavres boueux recouverts de neige sale étaient tous désignés comme russes tandis que les images grises montrant des soldats courant derrière des tanks victorieux clamaient l'avance irrésistible des forces du Reich. A l'apparition du drapeau à croix gammée, quelques sifflets retentirent depuis le balcon. Le Capitole près de la place Garibaldi se trouvait à quelques pas de la vieille maison. Edoardo ne pouvait s'empêcher de regarder en direction de l'entrée à chaque arrivée nouvelle. Gloria lui avait dit cent fois pourtant qu'elle n'allait jamais au cinéma. A l'entracte un dresseur de chiens fit danser sur des ballons deux pauvres bêtes si maigres que même assis dans leur fauteuil, les spectateurs étaient capables de compter les côtes. Puis ce fut le vertige du mal et ses cavaliers de l'Apocalypse : la délation, le vice, l'hypocrisie, la haine. Les monstres portaient des lorgnons, des costumes étriqués et buvaient l'apéro. Les monstres avaient des gueules ordinaires de bourgeois provinciaux, définitivement vulgaires et médiocres. Des imbéciles bouffis de vanité, d'orgueil et d'envie. Impossible de se tromper, ces gens sur l'écran couraient les rues absolument identiques prêts à dénoncer, à profiter, à voler, à bouffer sur toutes les têtes de cadavres quel que soit le parti du cadavre, pourvu qu'il soit définitivement cadavre et qu'on puisse s'essuyer les pieds dessus sans danger. Tous des salauds. Et elle aussi. Elle surtout avec sa frimousse de bébé, sa bouche voluptueuse, son regard humide et prometteur, cette peau que l'on devinait blanche et sensuelle. Elle avec ses poses lascives, sa démarche nonchalante en forme d'invite, elle, oui, avec son allure d'ange déchu et ses lèvres offertes aux hommes qui veulent bien s'arrêter. Elle toujours, mais elle, misérable enfant grandie trop vite oubliant le monde et son manque d'amour dans une sexualité éperdue, dévoreuse de peau faute de cœur à saisir, peut-être à aimer. Elle, jouant avec les seules armes que lui accordait la vie, son corps et encore son corps. Une enfance brisée, à jamais humiliée.

– Tu réinventes le film, explosa dans la rue Madeleine. Ginette Leclerc est une salope, un point c'est tout! C'est un mauvais film toute cette lâcheté, ces personnages dégoûtants, malsains.

– Ils ne sont pas malsains, ce sont des victimes, victimes de la vie, de la société. Ils font le mal, c'est leur façon à eux de lutter contre le destin.

Il leur fallait traverser toute la ville à pied. Madeleine traînait la jambe un peu plus que d'habitude. Edoardo pensa au pied bot de l'héroïne du *Corbeau.* Elle marchait vite pourtant, propulsée par la colère. Il s'en voulut de cette comparaison idiote. Les rideaux de la défense passive étaient déjà tirés. Les rues sans circulation ressemblaient à des lignes trop droites tracées par un architecte surréaliste. Le soleil, avant de disparaître, réfractait un glacis de lumière déchirante au reflet mauve. Ils trouvèrent la villa dans la nuit. Ce soir-là, il n'y avait pas d'électricité, les pièces leur semblèrent encore plus froides et ingrates. Madeleine alluma des bougies. La tension ne fut pas atténuée par cette pénombre à peine troublée de flammes dansantes et mourantes. Madeleine la première rompit le silence :

– Tu crois qu'on ne peut pas faire le mal pour le mal?

Tous les bourreaux seraient d'abord des victimes? Il n'y aurait plus de victimes innocentes. Moi j'affirme que le mal existe pour lui-même, sa propre justification. On est venu arrêter les Ullman, on les a embarqués comme des bestiaux, tu entends, des bestiaux, tu crois qu'ils le méritaient?

Edoardo cessa de tisonner les cendres dans la cheminée.

– Je n'ai jamais dit que les victimes étaient des coupables mais que les victimes pouvaient parfois commettre le mal.

De là où il se trouvait, il devinait plus qu'il ne voyait Madeleine engloutie dans le divan défoncé.

– Tu confonds les victimes et les faibles. Après tout je m'en fiche. Je sais pourquoi.

– Ah oui, pourquoi?

– Pour la défendre, l'excuser à tout prix, quoi qu'elle fasse. Anéanti tu trouveras encore de bonnes raisons à ta destruction. Plus tu souffres, plus tu l'aimes. Sans ta souffrance il n'y a rien.

Edoardo se leva, c'était facile pour Madeleine d'aligner des jugements le cœur au sec.

– Tu n'as jamais aimé Gloria, ça n'a rien à voir avec moi!

– Pas du tout.

– Oh si, mais moi je suis allé plus loin qu'un simple regard superficiel, j'ai su voir l'être blessé en elle, la petite fille souillée par le regard des hommes, cette innocence qu'il devait être si bon de pervertir et d'abîmer. Oui, je suis allé au tréfonds derrière le masque, là où persiste la détresse. Imagine qu'il lui a fallu résister, se battre, s'inventer un monde et des lois pour survivre. Je crois à la petite fille rieuse qu'elle a dû être, je vois un sourire de pureté derrière l'ironie et la cruauté. Je l'entends rire comme si nous étions tous les deux dans une prairie au printemps. Je suis ridicule! Je préfère le ridicule à la sagesse. Je ne veux pas m'avouer vaincu par la raison, Madeleine. Ce sont les fous et les saints qui l'emportent sur le désespoir, toujours. Le malheur c'est de ne pas être assez saint ou assez fou.

– C'est bien, très bien, je vois que tu n'as pas besoin d'aide.

– Non, j'ai pas besoin d'aide. J'ai besoin de chaleur.

– Le froid, ça fait partie des horreurs de la guerre.

Edoardo, cette nuit-là, dormit seul. Ou plutôt il tenta de dormir. Clouzot avait raison, la chaîne du malheur est la seule qui lie les hommes entre eux.

Le lendemain, Bruno sonna au portail. Il portait sa canadienne, un pantalon de velours et des cheveux coupés court.

– Gloria m'a dit que tu avais disparu sans laisser d'adresse, je me suis douté que tu serais ici. Ça va? Vous êtes ensemble!

– Elle m'héberge...

Le visage de Bruno se détendit, il entra dans la cuisine et s'installa à table.

– Je peux avoir un peu de café, même du faux. Madeleine je l'aime toujours tu sais, c'est simplement les circonstances, mes occupations, je ne veux pas lui faire courir de dangers inutiles.

– C'est bien que tu l'aimes. Il faut le lui dire.

– Je lui dirai bien sûr mais je ne suis pas venu pour ça. C'est pour mercredi...

Edoardo demeura muet, la cafetière à la main. Bruno insista :

– Notre affaire!

– Mercredi, c'est après-demain.

– Exactement, après-demain.

– J'ai entendu des voix...

Jamais Edoardo n'avait vu Madeleine aussi adorable, son visage de porcelaine rendu encore plus vulnérable par le reflet vert des yeux. Des yeux électriques, mobiles comme la mer entr'aperçue par la fente d'un coquillage.

Elle portait un col de fourrure sur son manteau. Elle courut vers Bruno. Quand elle courait, elle ne boitait plus. Elle embrassa le musicien sur les joues et passa en riant la main dans ses cheveux.

– Ne te moque pas...

Elle riait tout de même. Le soleil vibrait sur ses joues d'opale, elle goûta du bout des lèvres le breuvage. Sans bouger, elle envahissait la pièce. Edoardo se dit qu'il était amoureux. Pourquoi aller tuer cet homme? Amoureux de Madeleine, le désespoir n'avait plus de raison d'être. Amoureux de Madeleine, pourquoi risquer sa vie? Elle l'avait fait exprès ce matin d'être si magique! La prendre dans ses bras immédiatement et la consoler. La consoler de quoi? Ah, il trouverait, de la peine qu'il lui avait faite la veille au soir, de toutes les peines. Il était fou de passer à côté de l'amour! Madeleine semblait surgir tout auréolée d'une pièce de Tchekhov, ne manquait même pas l'irisation lumineuse de la chevelure. Le soleil à travers les carreaux faisait plus et mieux que mille projecteurs. Il fallait la retenir, secouer la fange, la boue, la tristesse.

– Je vous laisse, vous devez avoir des secrets.

– Non, reste...

Il bredouillait.

– Non, Edoardo, non, jeta Bruno.

Elle fit un signe de la main et s'envola. Il avait la tête qui tournait comme s'il descendait d'un manège fou.

– Tout est repéré, fit Bruno, mercredi dix-sept heures trente, hôpital Saint-Roch, par l'entrée de la rue Pastorelli. C'est l'heure de sa consultation. Il sera à vélo, nous aussi. Tu surveilles et tu t'occupes des bécanes, moi je tire.

Il ne pleuvait pas. Pas encore. Mais l'eau était suspendue dans le soir parcouru par des rafales de vent qui laissaient dans la bouche une amertume de goudron humide. Le ciel uniformément gris s'effilochait en lambeaux de vieille laine sale. Ils avaient posé les vélos contre le mur rose délavé de l'hôpital. Là, sous le porche, personne ne pouvait les voir, ni de l'extérieur ni de l'intérieur. La loge du gardien éclairée par une lampe à pétrole était de l'autre côté enfouie dans un renfoncement. Ils avaient vu passer des malades emmitouflés de cache-nez, des familles, paquets au bras. Certainement au milieu d'eux, quelques patients pour la consultation du Dr Arnoux. Bruno gardait les doigts noués sur la crosse du revolver. Ses phalanges lui faisaient mal à force de serrer le métal froid au début, maintenant tiède, presque moite. Edoardo avait enfilé une canadienne. Le docteur avait du retard, plus de cinq minutes. Bruno s'essuyait le front avec sa manche, inutilement, la transpiration se reformait immédiatement. Les coups de feu partis, il lui tendrait le vélo le plus proche tandis que lui grimperait sur le second. Après ils disparaîtraient du côté du boulevard Dubouchage. C'était simple, si simple. Edoardo répétait la manœuvre dans sa tête depuis la veille. Il avait fait les gestes, mille et mille fois. A tel point qu'il n'était pas étonné d'être là, le décor, l'attente, tout cela, lui semblait-il, ressemblait à quelque chose qu'il avait déjà vécu plusieurs fois. Il ressentait cet engourdissement qu'il avait connu autour des tables de montage cinématographique quand défilait des heures de suite la même scène à des vitesses différentes. Depuis le début de l'après-midi, il n'avait plus peur. Une sorte d'ankylose générale s'était substituée à la trouille. Il avait résisté la veille à en parler à Madeleine. Résister à tant de tentations : celle de fuir, celle de se faire arrêter, celle de forcer Gloria à le suivre dans le premier train en partance pour l'Italie, celle de téléphoner à la Gestapo et de tout avouer, celle de prévenir le docteur qu'il était fier d'avoir vaincu autant de lâcheté avec si peu de convictions.

Ils devinèrent le Dr Arnoux avant de l'avoir vu, par une sorte de lame qui les transperça comme un rayon de lumière glacée. Il pédalait doucement, sa trousse en travers du guidon. Ses revers de pantalon formaient deux ailes de papillon retenus par des pinces en bois. Il passa devant eux. Ils entendirent distinctement son souffle accéléré. Il avait un visage rond sans expression, mou et lisse, surmonté de petites lunettes cerclées de fer. Il aurait pu être un fonctionnaire, pâle et invertébré. Il posa son vélo contre le mur, de l'autre côté du portail. Bruno s'avança. Cinq mètres le séparaient du docteur. Edoardo sentit un grand froid, son sang se figea, ses jambes se dérobèrent, un brouillard phosphorescent lui brouillait les yeux. Il vit le dos de Bruno, son bras se plier pour aller chercher l'arme dans la poche. Le docteur se pencha, un verrou à la main. Personne, pas un passant, pas un vélo, pas une automobile. Eux seuls et le docteur qui enfonçait la tige d'acier entre les rayons de la roue arrière. Le bras de Bruno se leva lentement avec au creux de la main le revolver. Le docteur introduisit la clé. Ça ne pouvait être que maintenant avant qu'il se relève, une fraction de seconde. Bruno devait appuyer. Il appuya. Edoardo vacilla, la brûlure avait remplacé la neige dans ses veines. Une trace rouge, flamboyante avec des stries violettes comme une étoile filante, le coup était parti. La balle entra par la tempe droite, le docteur fut projeté en avant, soulevé de terre, la seconde balle pénétra dans l'épaule. Les lunettes heurtèrent le pavé, le sang gicla au rythme du cœur encore battant. Les deux détonations fondirent dans le silence humide, pareilles à deux coups de tonnerre par une nuit de soufre de fin d'été. Le bras se replia précipitamment avec au bout le revolver fumant. Le docteur tomba à plat ventre, bras en croix, la tête fit un bruit flasque en s'écrasant, les lèvres s'écartelèrent, la mâchoire se brisa avec une sonorité d'écorce fendue. Une mousse rosâtre perlait autour de la blessure. Sous le col amidonné, deux sillons de sang s'infiltrèrent, imbibant la chemise. Bruno se retourna, il n'avait plus d'expression ou plutôt une seule, un tic qui lui soulevait la bouche, de la bave inondait son menton, de ses yeux fondus de terreur émanait une lueur grotesque de gargouille. Le corps du docteur sursauta deux fois, des bonds qui partaient du ventre et retentissaient dans les jambes. Un flot de bile envahit la gorge d'Edoardo, il se détourna contre le mur pour le cracher mais n'en eut pas le temps, le liquide fusa en geyser. Des larmes piquantes investirent ses yeux. Bruno se saisit de la bicyclette, Edoardo recula d'un pas pour laisser la place. Les premières gouttes de pluie vinrent s'écraser sur la veste du docteur. Bruno rata les pédales, Edoardo le poussa dans le dos, la machine hésita entre la chute et l'équilibre. Bruno rattrapa au dernier moment le guidon et donna le premier coup de pédale. Le sol glissait sous une fine pellicule de pluie. S'arracher à la contemplation... Edoardo distinguait, précisément, le trou. Il ressemblait à un bouton noir avec des revers roses autour. Il enfourcha sa machine, dérapa sur les pédales mouillées, appuya tout de même, le vélo s'arracha. Il dut éviter le corps en faisant un écart. Derrière lui, des pas précipités. Il appuya plus fort. Le cadavre baignait dans une mare de sang et d'eau mêlés. Il pédalait, les yeux braqués sur le phare au-dessus du garde-boue, le phare et sa minuscule lumière jaunâtre et dansante. Il croisa quelques attardés qui se hâtaient sous la pluie. Il s'enfonçait dans les ténèbres, roulait sous des arbres nus aux branches menaçantes comme des bras de soldats armés. On souleva le corps, une femme, une infirmière, poussa un long cri de bête blessée qui se répercuta dans les couloirs déserts de l'hôpital. Des malades dressèrent la tête dans la salle commune où une veilleuse, une seule, pendait stérile au-dessus des quarante lits rangés dos au mur. Il pédalait, la route grimpait mais il ne sentait plus ses efforts, son corps lui-même n'existait plus. Ses muscles, ses membres obéissaient à une force violente, une force inconnue et supérieure, une force jaillie des abîmes qui le terrorisait et le poussait comme un gigantesque levier aux dents de flamme dont il sentait la morsure vrillante autour de ses reins. Les diables de son enfance resurgissaient, le poursuivaient, s'agrippaient à la canadienne. Ils étaient là, les mêmes que lorsqu'il rentrait trop tard à la nuit tombante le long des rues d'un noir de naphte de Ferrare. Ces diables qui un soir le rattraperaient et l'emporteraient, ces diables qui faisaient pleurer sa mère d'angoisse. Seigneur, qu'il était méchant, ingrat, inconscient. Il pleurait avec elle, lui jurant que demain il serait meilleur puis il oubliait sa promesse, regrettait, se détestait et ainsi de suite au fil des ans. Mais il ne leur échapperait plus. Pas après ce qu'il a osé faire, le petit homme insignifiant tué par ses mains, oui, qu'importe qui avait appuyé sur la gâchette. Ils étaient un! Cette nuit aucune prière ne saurait le sauver.

Bientôt il n'y eut plus de réverbères, plus de lumières, une nuit totale, oppressante que n'arrivait pas à percer le faisceau chancelant et criblé de pluie du phare. Il jeta sa machine sur le bas-côté, avança au milieu de la route, le bruissement de ses chaussures sur l'eau le réconforta. Il quitta le bitume pour la terre. Il s'enfonça immédiatement, ce n'était pas de la boue mais de l'herbe, une herbe détrempée qui caressait ses chevilles. Il allait prier. Il avait besoin de prier, de s'humilier, de s'anéantir, de se mettre à genoux et de demander pardon. Pardon tout simplement sans rien espérer. Ce besoin plus fort qu'un désir, il était incapable de le raisonner, seulement s'y plier avec la douce délectation d'obéir à quelque chose d'éternel et d'absolu, plus qu'une loi, un sentiment ou une idée, quelque chose de supérieur et d'inconcevable. Il coula dans l'herbe, son corps frissonna, il leva les yeux au ciel mais ne surprit que d'énormes nuages à gros ventre poussés par le vent, prêts à crever comme des outres usagées. Il ne croyait pas en Dieu. Aussi pouvait-il prier et prier jusqu'à la béatitude et l'imbécillité salvatrice des saints et des prophètes. Il retrouva les mots en latin, il ne les avait d'ailleurs jamais oubliés. La foi de sa mère, combattue, vilipendée, foulée, l'habitait, elle était lui et plus que lui. Trempé il se releva, secoua la terre sur ses jambes et son pantalon. Il avait été heureux de prononcer ces vieux mots de consolation et de mortification, baume de tendre pureté semblable à une berceuse enfantine. Il se sentait de nouveau humain, plein de l'intérieur, comme si quelqu'un l'avait bourré de mie de pain. Cette mie de pain, il la connaissait, elle était comme une vibration sans nom, la force décuplée du bien. Ce que sa mère s'entêtait à appeler le Seigneur.

Les vêtements gouttaient sur l'édredon. Elle se retourna, il lui saisit la main et la porta sur son visage :

– Mais tu es tout mouillé...

– Tais-toi!

Madeleine sursauta, un instant elle eut l'impression que sous la canadienne se cachait un étranger, elle se rapprocha du visage d'Edoardo, de la barre rouge qui traversait son front, des veines qui battaient contre ses tempes. Il portait des traînées de boue sur les joues, dans le cou, autour des épaules, le long de la poitrine :

– Déshabille-toi!

Mais il ne voulait pas bouger, pas même soulever la tête. Madeleine lui ôta ses chaussures en faisant bien attention de ne provoquer aucun mouvement brusque. Les chaussettes étaient en carton, les pieds de glace. Délicatement, avec des gestes imperceptibles, elle arriva à l'envelopper d'une couverture. Après, elle vint se blottir contre lui, pas plus encombrante qu'un chaton. Dormait-il? Était-il toujours plongé dans cette torpeur érigée comme une muraille? Des séismes terribles le projetaient en l'air, elle sentait ses muscles se durcir et exploser en une série de tremblements violents. Des gémissements succédaient aux bonds nerveux. Elle n'osait bouger, pourtant elle aurait voulu le sécher, lui arracher ses vêtements qui formaient en durcissant une carcasse froide et rêche. A l'aube, il laissa échapper quelques mots incompréhensibles. Jamais elle n'avait vécu une nuit aussi longue. A un moment elle se leva pour jeter le réveil dans la chambre d'à côté, en vain, le tic-tac traversait le mur. Du coup, elle l'arrêta complètement, alors le silence lui parut infernal. Il avait de la fièvre. Elle posa ses doigts sur son front, il était brûlant. Elle essuya la sueur, maintenant c'était sûr, il dormait. Elle le déshabilla lentement, d'abord l'énorme canadienne, puis le pantalon, les chaussettes, elle lui laissa le pull et la chemise. C'était la première fois qu'elle le voyait ainsi, à moitié nu, le caleçon était trempé, elle l'enleva rapidement en faisant bien attention de ne pas voir, mais elle vit tout de même et elle eut envie de rire, pas pour se moquer mais tout simplement parce qu'elle retrouvait les mêmes gestes qu'avec les enfants. Ce corps frileux, parcouru par la chair de poule, n'appartenait plus au désir ni à la virilité, comme tous les corps d'homme malade, il retournait à l'enfance, aux mains de la mère, au sein de la mère, à l'abandon humide et chaud de la mère. Elle descendit dans la cuisine faire du thé, le jour refusait de se lever. Qu'a-t-il fait? Qu'a-t-il fait? s'inquiéta-t-elle en tournant interminablement dans la tasse un morceau de faux sucre à la couleur d'écorce malade. Se poser la question était une façon pour elle d'éloigner les certitudes. Elle ne voulait pas savoir, rien savoir, et surtout pas où se trouvait Bruno, ni ce qui lui était arrivé. Le jour apparut enfin avec un minuscule voile gris de soleil. Elle était heureuse. Toute la journée, la longue journée, elle le soignerait, il serait là, dans son lit, tout plein de faiblesse et de peur. Elle veillerait sur lui, le nourrirait, le bercerait, il serait à elle, à sa merci pour ainsi dire. C'était elle qu'il était venu retrouver, au tréfonds de son mal il avait pensé à elle. Et si ça avait été Bruno? S'ils étaient venus tous les deux! Elle ne voulut pas y penser. Elle sortit faire des courses. Au marché de la place Gambetta tout le monde parlait de l'attentat, Arnoux le chef des PPF... On s'attendait à des représailles, le couvre-feu pour quinze heures. Elle rentra précipitamment, ferma la porte, tira les volets... Ils seraient tranquilles. Elle lui fit boire du bouillon, il sortit à peine de son inconscience. A l'aide d'une cuillère elle le força à entrouvrir la bouche, un peu de jus s'échappa et se répandit sur le menton. D'un baiser aérien, elle essuya le liquide.

Deux jours, toute ouverture sur l'extérieur close, deux jours de gestes répétés, des gestes précis d'infirmière, deux jours de silence absolu ponctué par le vieux réveil. Madeleine glissait sur les parquets, elle ralentissait chaque mouvement de crainte qu'un fracas ne vienne troubler ce bonheur entre parenthèses. Le soir, elle s'allongeait à côté de lui, avec une prudence redoublée. Il ouvrait les yeux, des yeux sans expression, lavés de toute couleur et les refermait aussitôt. Elle dormait peu à l'écoute des sursauts du corps contre le sien. Elle était à l'affût de la moindre vibration, de la plus éphémère contraction. Si l'esprit refusait encore de sortir de l'hébétude, les muscles, les membres et les organes, eux, se révoltaient, elle les sentait trembler, rugir, s'agiter avec une violence inouïe. La vie continuait. Et cette vie primaire convenait à Madeleine. Elle y trouvait un repos étrange, une ère de paix inattendue. A l'instant où il retrouvait sa lucidité s'achèverait l'entracte miraculeux.

Le troisième jour, le rêve végétal cessa.

– Si tu savais ce que j'ai fait! Ce furent ses premières paroles, il était descendu dans la cuisine, chancelant et livide.

– Je ne veux pas savoir, répondit-elle, surtout pas, dis-toi que c'est bien de toute façon.

Il la regarda avec une perplexité douloureuse.

– J'en ai fini avec tout ça...

Il aurait aimé se rendormir et continuer à oublier des jours et des jours encore. Il ne demanda aucune nouvelle de Bruno. Madeleine lui conseilla de remonter se mettre dans le lit, il faisait si froid.

– Tu as dormi à côté de moi?
– Oui.
– Merci.

Ce n'était peut-être pas l'expression idéale. Il montait les marches si péniblement en titubant qu'elle préféra se taire.

Le soir, ils ouvrirent une bouteille de champagne que Madeleine avait achetée au marché noir. Les bulles la firent tousser. Il y avait tellement longtemps qu'elle n'avait bu de champagne.

– Avec les Ullman on en prenait souvent, ils aimaient la fête, le moindre événement était l'occasion d'un bon repas. M. Ullman avait une belle cave. Des bordeaux du début du siècle d'une grande valeur paraît-il. Moi, je n'y connais rien, je me demande ce qu'elles sont devenues ces bouteilles.

Le champagne, l'émotion, Madeleine n'eut pas le courage de retenir ses larmes. Au contraire, les gouttes chaudes descendant le long de ses joues lui apportaient une sorte de joie sauvage. Edoardo repoussa la petite table dressée au pied du lit. Immédiatement, elle se laissa couler contre lui. Il referma les bras. Elle le serrait à lui faire mal. C'était la première fois qu'il l'embrassait depuis le soir de Glenn Miller, il retrouva la même salive brûlante, parfumée de vanille. Les mains de Madeleine remontèrent le long de sa nuque, s'accrochèrent à ses cheveux, sa langue se noua à la sienne avec voracité comme si elle voulait l'avaler entière. Elle l'étouffait, il tenta de décoller sa bouche, elle enfonça encore plus la sienne. Ce baiser ne devait jamais finir, durer l'éternité de l'éternité. Si elle s'arrachait à lui, il allait expliquer, interroger, souffrir, faire souffrir. Et elle ne voulait pas souffrir, du moins cette nuit, sa nuit. S'ils ne se parlaient pas, ils voleraient la joie, ils voleraient le plaisir.

Sans dénouer les lèvres, Madeleine commença à se déshabiller. Elle arrachait ses vêtements et ceux d'Edoardo. En quelques instants, il fut nu et elle aussi. Il découvrit ce corps rond et lisse parcouru d'une lumière souterraine aux reflets de fruits mûrs et odorants. Il recula. Elle le regardait droit dans les yeux, sa poitrine se soulevait précipitamment. Elle ne voulait rien lui cacher, qu'il la contemple, se repaisse d'elle, la dévore des yeux, des mains, de la bouche. Jamais elle n'avait osé autant d'impudeur. Jamais non plus elle n'avait agi sous la menace d'une telle urgence.

Comment avait-il fait jusque-là pour ne pas remarquer ses seins? Il émanait d'eux une telle douce tiédeur de serre, une si profonde sensualité de calice offert! Il en saisit dans sa bouche les pointes fermes à la consistance de velours froissé. Au contact vaporeux et humide de sa langue, elles frémirent, s'épanouirent, s'épaissirent, s'ouvrirent comme des pistils de fleurs de savane. Il les enroba longtemps d'une caresse lancinante avant de les croquer sous ses dents. Il l'entendit gémir, des gémissements de jeune chiot tandis que sous sa main le ventre se tendait, louvoyait, danseur ivre et furieux, prêt à éclater. Tous deux roulèrent sur le grand lit encore imbibé de maladie et de fièvre. Elle le suppliait de venir en elle. Elle jeta sa tête dans le vide. Ses cheveux défaits frissonnaient. Edoardo imagina une forêt d'herbe blond de soleil, il plongea les doigts, les mains et les bras dans la soie mouvante. Mille serpents s'enroulèrent à ses membres. Il s'arc-bouta au-dessus d'elle comme un pont lancé sur un torrent. Il était le seigneur, le maître incontesté sous lequel plient la nature et les animaux. Il pénétra dans une jungle spongieuse qui se referma sur lui avec la volonté de ne plus jamais le libérer. Il s'enfonçait lentement et brutalement à la fois, sa poitrine battait follement. Il se redressa, résista à l'enlisement mais la pulsion absorbante fut plus forte. Plusieurs vagues lourdes et déferlantes le submergèrent. Il ouvrit la bouche et laissa échapper un aboiement de joie et de délivrance. Madeleine le rejoignit, lia une plainte douloureuse et tendre à son hurlement de bête victorieuse. Ils tremblaient du double plaisir immense de la jouissance et du combat gagné sur la part marécageuse de l'ombre en eux. Edoardo se laissa tomber sur ce corps à qui il venait de faire l'amour. Enfin, il était celui qui donne le plaisir, le Dieu d'un instant englouti dans la félicité de l'autre. Ni victime, ni bourreau, ni humilié, juste une concordance d'amour et de fusion. Il l'écrasait de tout son long corps noueux. Madeleine, si elle l'avait pu, l'aurait enlisé au plus profond d'elle, liane efflorescente, fière de ce flot de sève et de suc qui dégoulinait d'elle. Fière des odeurs fauves qui s'évadaient des fentes de son ventre. Fière de payer la jubilation de son être au prix de la trahison. Le remords ne l'avait pas arrêtée. Mieux, elle l'avait tué. Elle était innocente, sans passé, sans attache. Elle repoussa Edoardo, bondit au milieu de la pièce, nue, crue, vivante. Elle ouvrit la fenêtre en grand, se propulsa poitrine en avant, pénétrée encore, pénétrée à nouveau par le brouillard givrant de novembre. Des perles de froidure ruisselèrent sur ses seins, elle les ramassa et se massa sensuellement avec. Elle n'aurait plus jamais froid! Elle aimait. Elle l'aimait lui. Désormais c'était sûr, plus sûr que tout, plus sûr que la mort elle-même.

Ils se réveillèrent avec un soleil de printemps planté dans un ciel de drap bleu. Aujourd'hui allait être un jour intense couleur du temps. Madeleine changea d'un coup tous ses tickets pour du pain frais qu'elle fit griller sur le réchaud à gaz. L'après-midi, ils retournèrent dans le parc, retrouvèrent le même banc à l'abri de l'histoire. Madeleine traça l'avenir, leur avenir.

– Un convoi de réfugiés juifs doit passer la frontière italienne bientôt par la montagne. Laura Ullman en fait partie, je devais la laisser aller seule, je me disais tout haut pour rester avec Bruno et tout bas pour rester avec toi. Mais maintenant c'est différent. Nous pouvons partir tous les trois. L'Italie, ton pays! Rien ne me retient ici... Et toi?

– Rien, absolument rien.

L'Italie pourquoi pas! Là-bas un cinéma nouveau, différent était en train de naître. Là-bas il y avait de vraies causes pour lesquelles se battre. Qu'avait-il fait à Nice jusqu'ici sinon se perdre? Oui, c'était une bonne idée. En rentrant, ils trouvèrent dans la boîte à lettres un mot griffonné sans signature. L'inconnu prévenait Madeleine que Bruno avait été arrêté la veille.

La femme sur l'estrade à côté de Lumeni. Les yeux s'arrêtent sur elle, sur sa pâleur de statue, ses lèvres cerise et son sourire de brume légère. On ne remarquait qu'elle depuis des jours, aux défilés, aux réunions, dans les bureaux de l'hôtel de la milice, aux réceptions allemandes : présente comme un mystère. On admirait sa façon de descendre de voiture dévoilant juste une ombre au-dessus du genou, sa démarche tranquille, conquérante, cette langueur voluptueuse répandue dans tous les mouvements de son corps, ce doux roulis qui la faisait avancer dans une danse perpétuelle. On la voyait au soleil se protéger d'une voilette sur ses cheveux cendrés. Un simple voilage que le vent soulevait. Elle paraissait si superbe et inaccessible à ces instants-là que même ceux qui l'avaient connue devant son piano hésitaient à reconnaître Gloria. La chanteuse était devenue déesse. On surprenait les regards d'adoration de Lumeni, ce regard fou et tendre qu'il posait sur elle quand il croyait qu'elle ne s'en apercevait pas. Les hommes s'habituaient à la présence de cette odalisque qui les ignorait avec une indifférence lunaire. Comment s'empêcher ce matin au milieu des centaines de drapeaux, parmi tous les dignitaires de la Collaboration, d'être fasciné par son étrange éclat, moitié flamme, moitié glace? Sur la tribune ils sont une trentaine en civil et en uniforme, boutonnés, figés, empaillés. Dans la salle, ils sont deux mille, certains venus de loin, assis, serrés sur des chaises en fer. Ils se sont mis debout lorsque Lumeni a fait l'appel des miliciens tués. Trente-trois noms soulignés d'une sonnerie au clairon. Les trente-trois tombés sous les balles terroristes. Gloria est debout comme les autres dans son tailleur mauve, cintré à la taille, si cintré qu'on devine la poitrine telle une colline arrondie, entr'aperçue par la vitre d'un train.

Il est fier Lumeni, Darnand, Henriot à ses côtés et elle, elle dont il parvient à capter les effluves à travers la poussière, ce parfum incomparable de la peau dans l'amour, poivré et suave. L'arôme envahit ses narines tandis qu'il énonce les camarades morts. Les noms défilent, les prénoms, les lieux, les heures, les minutes. Il ne sait plus, il lit dans un rêve. Une fois de plus, il fait l'amour avec elle, s'agrippe à elle, meurt en elle. Il entend sa propre voix blanche, lointaine comme dans un vertige. Il dévale une spirale suspendue dans un vide glauque où le clairon défaille, asphyxié par la pression du sang à ses tempes.

Les cœurs battent dans la poitrine des hommes soulevée, la belle voix de bronze du chef, l'évocation enivrante de la mort... Là, à cette seconde, combien voudraient s'offrir en holocauste, s'anéantir pour l'Europe nouvelle? Sans réfléchir, d'élan, d'inspiration au seul son du clairon poignant et de la belle voix grave. Lui la regarde, il tourne légèrement la tête, ses yeux se posent sur son cou. Et c'est comme si ses lèvres le couvraient de cent mille baisers. L'aimait-il? Il voulait s'en garder, mille dieux! Son corps... Rien que ses hanches, ses longues jambes, son ventre dur, ses fesses qu'il mord de ses doigts dans l'amour. La prendre là, sous la tribune, dessus, qu'importe... A vrai dire, il s'en moque de ces morts au champ d'honneur. La mort, il connaît, ça ne l'impressionne pas la mort, rien de plus facile que de mourir, à la portée du premier imbécile venu. Mais la posséder toutes les heures de la nuit sans compter celles du jour, la posséder jusqu'à se fondre en elle! S'il la laissait une minute, une malheureuse minute, elle le tromperait, le trompe déjà en ce moment même! il termine l'appel... En nage, il s'assied dans un recueillement de cathédrale. Ses jambes touchent les siennes, il ferme les yeux, une ombre de plaisir brûlant l'envahit. Les autres entonnent l'hymne de la milice. Il faut se remettre debout. Chiche qu'il prenne la main aux ongles peints de frais du matin même? Il avait contemplé le cheminement du pinceau sur la surface dorée par le soleil, l'à-plat grenat de la base jusqu'à la pointe. Pourquoi aimait-il à ce point chaque détail d'elle? Les discours! Il va pouvoir l'adorer à satiété, en toute impunité, s'en repaître, s'en mettre jusque-là comme on dit vulgairement, et justement il a envie d'être vulgaire, ignoble s'il le faut, si c'est le prix de sa possession. Il revoit la scène de leur rencontre. Attention, il faut applaudir, le chef des chefs Darnand prend la parole. Elle était accompagnée de ce jeune fasciste italien, on jouait *Quadrille* de Guitry au Casino de la Jetée. Il y avait du vent, la mer cognait férocement, on la voyait depuis les grandes baies, déchaînée. Pendant l'entracte il buvait un verre de mauvais champagne au foyer. Elle l'avait regardé la première, pas regardé, mangé. Elle fumait une cigarette à bout doré. Tout en noir. Un fourreau. Superbe. La rotonde était déserte, les spectateurs regagnaient la salle. Elle continuait de le fixer la garce! Il s'était avancé. Que croyait-elle? Qu'il allait baisser les yeux, renoncer. Il lui offrit du feu. Il n'avait trouvé rien d'autre.

– J'en ai déjà.

– Ça ne fait rien, c'est un prétexte.

Entre vautours, les périphrases étaient inutiles. Finalement, il fallait bien qu'ils se rencontrent tous les deux. Elle, la fatale, et lui, le cocu désespéré. Elle avait flairé la proie. Ou plutôt dès ce moment-là savait-elle qu'ils feraient jeu égal? Devinait-elle le crocodile sous son épiderme policé? Après tout, on ne devient pas chef de la milice par hasard. C'était sa force qu'elle visait. La sonnerie appelait les retardataires. Elle ne bougeait pas. Il avait posé sa coupe de mauvais champagne.

– On va en boire du vrai ailleurs?

Elle avait souri, de son sourire sublime de garce des garces. La partie était bien engagée. Elle l'avait suivi. Le Macaroni avait couru derrière eux. Elle ne lui avait pas même jeté un regard. Et lui dans un souci de pure simplification :

– Je peux le faire envoyer sur le front de l'Est, ce petit con, si vous voulez?

Ils descendaient les escaliers qui menaient sur la jetée, des courants d'air fous faisaient ployer les plantes vertes décaties.

– Non, avait-elle répondu, ce ne sera pas utile.

Un remous... Une salve d'acclamations... « Nous sommes décidés à faire payer leurs forfaits à nos agresseurs et à leurs complices. » Debout, l'assistance en transes du Palais des Fêtes approuve. Absolument, œil pour œil.

De cette minute, ils ne s'étaient plus quittés. Il avait envoyé un de ses hommes chercher les affaires de Gloria dans cette baraque où elle vivait avec le zèbre blême. Que lui trouvait-elle? Elle avait cherché avant de répondre.

– Sa peau est douce comme celle d'une femme.

– Et moi alors.

– Toi, tu es un homme.

Il n'allait pas être jaloux du passé. Il ne serait plus jamais jaloux. Il la tuerait avant. Il avait avec l'autre souffert pour dix vies d'amant terrible. Désormais, il n'y avait la place que pour sa passion à lui, sa loi à lui. Elle le savait. Et il savait qu'elle plaçait haut la barre du jeu. Aussi haut que lui? Prenait-elle la mort en compte? Là était l'inconnu. Il avait tant besoin de la protéger, de l'adorer. Si seulement il pouvait l'aimer sans haine... Ce doit être la fin, il le sent à l'émotion qui étreint les travées. Il se secoue, il doit être vigilant, il est homme de devoir. Il ne l'oublie pas. Darnand, le chef des chefs, lève les bras, un peu de salive court sur son menton. Oui c'est la fin.

Il en admire le style. « Nous serons pendus ensemble si nous ne savons pas vaincre ensemble. »

Bravo! Une clameur immense. Il applaudit à tout rompre, se lève comme les autres. Le chef des chefs y croit-il toujours? Certainement non. Désormais il n'y a plus que les discours, une gigantesque muraille de Chine verbale, cimentée de mensonges, de mots désincarnés mis bout à bout. Mais eux, qui hurlent leur joie, leur foi, eux y croient encore. Invincibles! Invincible le chef des chefs, invicible l'armée allemande. Ils ont besoin d'y croire de toute leur énergie. Sinon... De près, on lit la fatigue sur les traits de Darnand. Il pourrait l'étudier à loisir. Il préfère retourner à elle. Pourquoi appréciait-elle tellement les Italiens? Cet autre, là, l'intellectuel, l'homme du cinéma, on lui avait signalé qu'il la cherchait partout à travers la ville. Pauvre idiot. Celui-là il pouvait le faire boucler sur l'heure. A quoi bon, il était inoffensif. Pour lui aussi il avait posé la question. C'était un soir, il avait fait dresser une table de fête dans la villa de Cimiez. Ses hommes avaient effectué une razzia sur ce qu'il y avait de mieux. Ils avaient même trouvé des huîtres. Des huîtres, du caviar, des cailles fondantes. Son visage s'était allumé au souvenir du cinéaste.

– Il m'amuse, c'est un chien, doux et gentil.

– Je me méfie des chiens, ils peuvent mordre.

– Pas lui, il voit le mal nulle part. J'ai dû beaucoup le faire souffrir.

– Pourquoi?

– Oh c'est compliqué!

– Trop compliqué pour moi?

Il se souvenait très bien de l'air attendri sur son visage. Il avait repoussé son assiette. Soudain il n'avait plus faim. Elle avalait une huître, puis une autre, sa langue tranchait le cordon du mollusque, s'enroulait autour du fruit et le lappait d'une succion onctueuse. Elle ne perdait pas une goutte de l'eau de mer stagnant au fond de l'écaille.

– Trop compliqué pour moi, c'est ça!

Il insistait.

– Mais non, ça n'a pas d'intérêt voilà tout.

– Tu l'aimais?

– Par moments.

– Plus que Boda?

– Ce n'était pas la même chose.

– Boda c'était physique?

– Si on veut.

– Et l'autre?

– J'aimais bien qu'il m'aime.

– C'est fini maintenant toutes ces conneries, n'est-ce pas?

– Bien sûr, tout est fini.

La foule de nouveau dressée. Henriot le prophète attaque sur tous les fronts, les bolcheviques, les renégats de Londres, ceux d'Alger, les salopards de l'intérieur, les terroristes, la lâcheté des Italiens, les intrigues de Churchill et Roosevelt. La voracité de certains Français qui attendent tout du Bon Dieu anglo-américain :

– Manger! Manger! La voilà la soi-disant libération des Alliés.

Il avait repoussé les plats et l'avait prise sur la table. Seigneur qu'elle lui plaisait, robe relevée sur la poitrine, maquillage fondu, des cernes noirs aux paupières, le visage défait. Il la tenait par les hanches, il était sûr de sa force, de sa possession, il lui donnait l'élan qu'il voulait, la faisait basculer, tournoyer, ondoyer. Elle obéissait, son ventre s'ouvrait, s'écartelait, se fendait comme le cœur d'un torrent sous la pulsion d'une pluie de lave. Elle criait, elle hurlait. Jamais son nom. Mais des rugissements de femelle affamée. Elle jouissait. Et tout ce raz de marée organique, il en était le maître. Le maître absolu. A cet instant, elle ne pouvait pas tromper, mentir, jouer. Adieu Boda, adieu Edoardo. Lui la possédait. Possédait la bête en elle.

Comme elle était calme et patiente, un lac sans rides ni courant. Ecoutait-elle? Il ne pouvait l'imaginer accaparée par la diatribe du prophète. Pensait-elle à lui comme il pensait à elle? Dans ses yeux on ne pouvait rien deviner. Ils n'étaient ni ici ni ailleurs mais à l'intérieur d'elle-même. Leur indolence trouble appartenait à la partie non immergée, affleurement muet d'un continent inconnu. Le danger serait qu'elle lui redonne le goût de vivre pour de bon. Vient-elle conclure son destin ou le transformer? Ce frisson dans sa poitrine depuis quelque temps : le désir de la vie, d'échapper à la mort promise. Un après-midi, ils étaient allés au bord de la mer, ils avaient marché longtemps, le soleil pulvérisait l'horizon d'un scintillement gris d'une douceur infinie. Il se souvenait du calme, de ce silence de début du monde, de l'effondrement de la tension en lui, accompagnés par la naissance de quelque chose d'inattendu, de totalement surprenant, quelque chose qu'il avait oublié depuis l'enfance et peut-être jamais connu : le bonheur. Les chants ont repris, les drapeaux claquent dans les travées, le meeting est terminé. Les miliciens en armes viennent prendre place au pied de l'estrade. La foule s'écoule lentement à regret. Le dimanche va retrouver sa lenteur triste et désespérante. Etre avec elle dans le grand lit de la villa. Sur le phonographe il mettrait des lieder de Schubert et de Richard Strauss qu'on lui a rapportés d'Allemagne...

Il faut qu'il se reprenne, qu'on ne l'accuse pas une nouvelle fois d'être un homme à femmes dont les femmes font ce qu'elles veulent.

Belle réunion, le chef des chefs et le prophète sont contents. Ils ont tâté le pouls des militants. Le courant passe. Lumeni a fait préparer le repas à l'hôtel de la milice plutôt que dans un palace. Pour être entre nous. La version officielle. En vérité par prudence. L'hôtel est cerné par plusieurs centaines de miliciens mitraillette au poing.

Darnand préside au centre de la table, à ses côtés Henriot et Gloria. Le chef des chefs, passant outre le protocole, en a fait la demande. Lumeni s'est empressé en faisant semblant de ne pas remarquer le sourire moqueur de Gloria. Le repas n'est pas fameux. Trente personnes! On a tenu à ce que ce soit régional, Darnand est enfant du pays! En hors-d'œuvre, les pâtes traditionnelles, pour la suite Lumeni voulait du chamois, impossible à trouver, pas plus que du sanglier. Les montagnes n'étaient pas sûres pour la chasse. Il s'était rabattu sur du lapin. Du lapin sauté, un lapin où manquaient l'huile d'olive, le petit salé et l'oignon. Des miliciens avaient été envoyés dans l'arrière-pays avec mission de ramener du basilic, du thym et même du persil. Le chef des chefs se régale tout de même. Un sacré coup de fourchette. Entre deux bouchées, il s'inquiète du climat général des esprits dans la région. Un coin sauvegardé du terrorisme jusqu'à cet attentat contre le chef du PPF.

– Certainement pas des Niçois qui ont fait le coup. Le Dr Arnoux, tout le monde l'aimait ici, s'insurge l'un des responsables.

– Qu'en pensez-vous? demande le chef des chefs à Lumeni, assis en face.

– Oui, certainement des gens d'ailleurs. Mais il ne faut pas se cacher que le climat se dégrade depuis le départ des Italiens. L'arrivée des troupes allemandes n'a pas été favorable pour nous. Ici on croyait à la collaboration, tout au moins à Vichy. Mais l'occupation allemande a fait mauvais effet. La chasse aux juifs aussi. Tout cela s'est fait trop vite et sans douceur, il aurait fallu un peu ménager les apparences.

– Bien sûr, grogne le chef des chefs le nez dans son assiette. Mais on n'avait pas le temps mon vieux, les Italiens foutus, les Allemands pouvaient pas se permettre de laisser le terrain à l'abandon.

Et se tournant vers Gloria qui n'a pas touché à son assiette :

– Vous n'avez pas faim?

– Je n'aime pas le lapin.

– Dommage, c'est bon.

– Si je peux me permettre?

Gloria pousse son assiette devant le chef des chefs.

– C'est pas de refus, j'ai une de ces faims moi aujourd'hui.

Lumeni ferme les yeux.

– Elle est charmante votre amie, dites donc Lumeni, mes compliments. Et vous mademoiselle, que pensez-vous de la situation?

La catastrophe! Il n'aurait jamais dû la faire venir. Il sera donc toujours le jouet de ses passions? Ou plutôt comme disent ses amis, de ses histoires de cul.

– Moi, répond Gloria, je pense que les Russes et les Japonais vont gagner la guerre. Après ils se retourneront contre tout le monde, les Anglais, les Américains, les Allemands. Alors nous serons forcés de nous entendre. Il vaudrait peut-être mieux faire la paix tout de suite. Il paraît d'ailleurs que Churchill a envoyé des émissaires à Hitler. L'Europe c'est trop petit pour se battre.

– Intéressant, constate le chef des chefs sa fourchette suspendue à mi-parcours.

– Excusez-la, chef, fait Lumeni, Gloria a une façon tout à fait personnelle de juger les choses du monde.

– Vous savez que ce n'est pas si bête ce qu'elle dit. De toute façon le péril est à l'est. Nous sommes bien d'accord.

– Pas du tout, intervient Henriot qui a terminé son assiette depuis longtemps, ce sont les Ruses et les Américains qui veulent se partager le monde. Les Japonais seront battus. Notre seule chance est notre victoire finale, je veux dire celle de l'Allemagne et de ceux qui se battent à ses côtés. Démocratie et socialisme sont jumeaux, le premier s'est simplement déguisé pour faire risette mais derrière il y a la même bande de cloportes. Je préfère encore la hyène communiste au mal blanc capitaliste.

– On peut servir le gâteau? susurre à l'oreille de Lumeni le milicien qui fait fonction de maître d'hôtel.

– Pour le dessert, messieurs, il faudra se contenter d'une misère, nous avons fait ce que nous avons pu avec pas grand-chose.

– Pourquoi donc, sourit de sa bouche édentée Henriot, le marché noir ne fonctionne pas chez vous?

– Même au marché noir, on ne trouve pas ce que l'on veut.

– C'est quoi ce dessert? s'inquiète Darnand.

– Du clafoutis aux poires. Vous pouvez prendre ma part, j'ai horreur des poires, chuchote Gloria avec un sourire d'enfant gâtée.

– Ah oui! les poires aussi! Curieux, j'aime bien les poires moi, pas vous Henriot? fait le chef des chefs en se penchant sur son voisin de droite.

– J'ai horreur des sucreries, ça ne devrait pas vous étonner, je ne me régale qu'avec le sang, renseignez-vous à Radio Londres, ils vous le diront.

La table entière sauf Gloria est secouée d'un éclat de rire vibrant.

– Ça ne vous fait pas rire vous? demande le prophète à la jeune femme.

– Non, je n'écoute pas Radio Londres.

– C'est parfait...

– On la capte très difficilement ici.

– Sinon vous l'écouteriez?

– S'il y a de la musique, pourquoi pas.

– Ils ne sont pas tellement réputés pour leurs programmes musicaux.

– Alors, ça ne m'intéresse pas.

Le café succède rapidement au fade clafoutis. Le repas est terminé, les invités quittent la salle. Les responsables ont à parler. Lumeni la regarde prendre au vestiaire son manteau. Il la retrouvera tout à l'heure à la villa. Il en sourit d'avance. Allons, la vie est belle.

Il a du mal à tout saisir. A l'autre bout du fil, on lui répète plusieurs fois la même phrase.

– Qu'avez-vous Lumeni ? interroge Darnand.

– On vient de lancer une bombe sur des nôtres qui sortaient d'un restaurant près de la gare, il y a des morts et des blessés.

Dehors il fait déjà noir.

Il entend le frou-frou du peignoir avant de la voir, elle traverse la pièce, le déplacement de l'air fait battre le satin entre ses jambes. Il aperçoit un peu de sa chair, juste une parcelle colorée par le feu dans la cheminée. Il est Fantômas, Arsène Lupin caché derrière une tenture. La pièce est si vaste, si sombre, chargée de tant de luxe envolé auquel n'ont survécu que les courants d'air et cette étrange saveur d'orange moisie. Comme elle a changé! Grande dame sous les plis de son peignoir trop large. On dirait qu'elle a emprunté les affaires d'une autre, le temps d'un déguisement pour se faire rire dans la glace. Mais c'est bien elle, la peau n'a pas changé, il la reconnaîtrait entre cent mille! Comment a-t-il pu croire qu'il avait oublié cette suavité chaude, douce et tranquille comme l'eau d'un lac. Oh non, il n'a rien oublié. Ses mains tremblent, sa chair frémit sous l'effet de mille morsures. Le passé est une vue de l'esprit. Dès que Gloria apparaît c'est l'éternel présent, l'éternelle vrillante douleur. Il regrette sa grosse canadienne, son pantalon fripé, elle va le trouver ridicule dans sa tenue de petit Français aux abois. Depuis des jours, il la cherche. Au Perroquet, Robert lui a dit ce que tout le monde savait : Gloria était devenue la maîtresse du chef de la milice. Et Boda alors? Disparu Boda. Robert avait haussé les épaules, cette goualeuse de rien qu'il avait engagée par pitié était morte. Gloria la fatale n'intéressait plus Robert.

Elle s'assoit sur un canapé tout près des flammes, ramène les jambes sous elle. Elle tient un journal du bout des doigts, la feuille se renverse, impossible qu'elle lise, non, elle se contente de la tenir en fixant les flammes. Il n'a pas eu de mal pour trouver l'adresse de Lumeni. Il s'attendait à des dizaines de gardes, mais non, rien sinon un petit pavillon où deux miliciens jouaient aux cartes. Toute une partie de la villa semblait abandonnée depuis le début du siècle. Cet abandon devait ravir Gloria, elle retrouvait l'atmosphère de la grande maison avec des arbres et un jardin en plus. Il s'avance, elle va l'entendre. Pourtant elle ne bouge pas. Il s'immobilise, cherche comment la prévenir et ne trouve rien d'autre finalement que de tousser. Il se sent ridicule au milieu de cette pièce immense. Comme il doit paraître insignifiant. Elle se retourne enfin :

– Edoardo! Il vous manque le béret, ce serait parfait.

– Tu me vouvoies?

– Il y a si longtemps...

Il tremble, elle se lève, s'approche, sourit, l'effleure d'un baiser sur le front.

– Tu t'introduis toujours comme un voleur.

Il sera ferme ainsi qu'il se l'est promis. Il ne vient pas en amant, mais en solliciteur. Voilà exactement le terme, solliciteur. Rien de plus.

Elle le conduit jusqu'au canapé, lui prend la main. Il ne veut pas la regarder, pas même croiser trop longtemps son regard mais il n'a pas besoin de voir ses yeux pour les sentir posés sur lui. Il connaît trop bien l'expression qui est la leur en ce moment : sensualité et candeur plus autre chose d'indéfinissable, de si tendrement mystérieux que chaque fois il en a traduit l'éclat secret par un signal d'amour.

– Bruno, on l'a arrêté. La police française. On m'a dit qu'il était toujours à Nice. Je suis venu te demander d'intervenir...

Elle allume une cigarette et resserre les plis du peignoir qui n'en ont pas besoin. La fumée lui fait fermer à demi les paupières.

– Tu ne m'aimes plus alors?

Il avait tout imaginé, supposé, le refus poli, l'indifférence, l'intérêt, la mauvaise humeur, la colère, la haine, tout, sauf cette interrogation incroyable modulée d'une voix caressante et lointaine.

– Comme si tu ne le savais pas.

Une étoile de fumée bleue sur la joue, Gloria sourit.

– Viens m'embrasser...

Elle lui désigne sa joue, là où la fumée se consume lentement en laissant derrière elle un parfum fade d'herbe séchée.

– Allonge-toi!

Le canapé étroit, trop étroit. Ne pas bouger. Elle lui caresse les cheveux, un mouvement régulier un peu mécanique.

– Pourquoi pleures-tu? murmure-t-elle.

– Je ne pleure pas!

Mais il en a envie. Et elle le sait.

– C'est parce que tu m'aimes?

– Oui. Ça me fait mal, ça me fait peur... Je ne comprends plus, plus rien!

– Tu n'as jamais compris. Lève-toi, Lumeni ne va pas tarder à rentrer.

– Lumeni, tu ne l'aimes pas, pas lui...

– Mais si, terriblement.

– Boda aussi tu l'aimais...

– J'aimais Boda comme tu aimes Madeleine...

– Ce n'est pas la même chose!

Que veut-elle? Lui faire avouer que Madeleine ne compte pas, qu'il peut la sacrifier pour moins que rien, un bécot de sœurette, une caresse négligente dans les cheveux? Elle allume une cigarette. Magnifique, elle est magnifique. Elle se lève. Il la sent impatiente. De quoi? Du retour de Lumeni. Son homme. Est-ce qu'il la cravache, la fouette, la bat? Est-ce ce qui la séduit, la rend si nerveuse en cet instant même? Peut-être connaît-elle la souffrance à son tour? Il voudrait la haïr, juste pour se donner la force de parler, de vider le trop-plein, ce trop-plein qui l'étouffe bien plus sûrement que le feu de la cheminée et ses belles bûches de bois sec. Du bois d'avant la guerre réservé aux chefs, du bois de marché noir. Le peignoir s'est légèrement écarté laissant entrevoir le galbe de la jambe et dans l'ombre, plus haut, la naissance de la cuisse comme la chaleur d'un corps dans la nuit dont on capte le rayonnement avant d'en deviner la forme. Il ne la haïra jamais. Pas ce soir en tout cas. Et c'est tant mieux, il n'est pas venu pour elle. Il est là pour Bruno. Depuis des jours, il tente d'imaginer le froid, la cellule, la torture. Il croit même entendre des cris, des cris de douleur et de souffrance, des cris arrachés à un être battu, déchiré, humilié. Pourquoi alors cette distance, ce mur incontournable élevé entre sa raison et sa sensibilité? Savoir et ne rien percevoir. Comment font-ils les autres? Est-il lui l'exception, muré d'égoïsme et d'insensibilité? Un monstre! Il se déteste, non d'avoir trahi Bruno avec Madeleine mais de ne pas l'aimer suffisamment pour en concevoir une peine véritable. Lui est en liberté et Bruno en prison, lui se pose des problèmes de cœur et Bruno lutte pour sa vie, lui souffre avec son âme et Bruno dans sa chair. La liste est longue, des innombrables différences, toutes à son détriment. C'est pour cela qu'il est venu ce soir. Pour Bruno, uniquement pour lui.

Elle regarde du côté du jardin. Le côté par où il arrivera. Edoardo se lève, trébuche, se cogne au canapé, le voilà à genoux. Il ne l'a pas fait exprès, non. Il emprisonne les chevilles de Gloria.

– Partons d'ici tous les deux...

Il enfonce son visage dans le creux tiède et laqué des mollets. Il est bien là... si bien. Il se tait. Elle ne dit rien. Il ne veut pas d'espoir. Il fait la nuit en lui. Une nuit traversée d'étoiles énormes pareilles à des hortensias.

– Personne ne t'aime comme moi, chuchote-t-il d'une voix qui s'insinue en elle, souffle précipité, brûlant... Les autres t'aiment comme des hommes, ce sont des hommes, moi je t'invente, je t'imagine, je te crée, tu comprends? Sans moi, tu es un corps, de la chair, sans toi je ne suis qu'un fantôme, le fantôme d'un désir, le fantôme de ce qui aurait pu être, le récipient d'un rêve avorté, sans toi je ne suis que moi, Gloria. J'ai compris cela à t'attendre et à souffrir, j'ai compris que je ne valais pas suffisamment pour me protéger, qu'au contraire je ne valais que dans cette douleur, ce mensonge, ce doute atroce dans lequel tu me plonges. Vivre loin de toi, ce n'est pas vivre. C'est se souvenir de toi.

Il parle et ses lèvres remontent le long des cuisses et là-haut il aperçoit le dôme d'albâtre, il parle et ses lèvres se lovent dans la soie. Gloria bouge à peine, seules ses mains font rouler le tissu doucement, doucement. Au contact de la peau, le froissement ténu évoque un embrasement d'eau vive et de sable fin. La bouche d'Edoardo s'enfonce dans la floraison, se noue et se dénoue aux lianes qui roulent sous sa langue. Peu à peu se découvre la lagune brune et mauve comme un ciel d'orage. Il s'arrête un instant, gorge palpitante dans l'attente d'une goutte de pluie couleur perle. Alors ses mains à elle le saisissent par les cheveux et le précipitent à la source. Il ne reste à sa bouche, à ses lèvres qu'à accomplir le ténébreux et onctueux voyage. Les genoux plient, le torse bascule légèrement en arrière, les falaises des cuisses s'écartent, la corolle s'ouvre, s'épanouit et s'offre à la façon d'une fleur tourbillonnant autour du soleil. Il est à la fois à la source et le long du fleuve, explorateur aveugle ivre d'odeurs balsamiques. Jamais plus il ne reverra le jour, il va s'engloutir, se diluer, absorber sans laisser plus de trace qu'un nuage envolé. Et comme si elle devinait, pressentait son envie, ses cuisses, étau humide et ferme, se resserrent, se resserrent... A peine le temps de percevoir un cri de jouissance, un seul et c'est l'éblouissement, l'éclair blanc du néant. Les poumons brûlants en quête d'un souffle d'air, la tête dans un tournis, vertige délicieux, la mort comme on meurt dans les rêves. Puis l'étreinte se relâche, il glisse sur le tapis, les dents, les lèvres humectées d'une rosée qui s'évapore immédiatement ne lui laissant sur la langue qu'un furtif effluve de fruit acidulé.

– Dépêche-toi...

Elle remet de l'ordre, son peignoir, ses cheveux, la sueur sur le front, la bouche brillante. En quelques secondes, elle se réinvente, s'estompe, disparaît. Elle est déjà loin. Et revoilà la belle étrangère. Et le revoici redevenu l'invité de passage. Des pas, un bruit de bottes, Joachim Lumeni ouvre la porte. Il tient avec encore plus de lassitude que d'habitude sa tête de chien désabusé. Elle se précipite, le couvre de baisers. Elle virevolte, légère, le peignoir s'arrondit et se déplie en un bouquet plein de grâce. Gloria n'existe plus. Aucune Gloria, ni celle-ci ni les autres. Rien qu'une apparence et seulement une apparence en peignoir de velours.

Lumeni se laisse tomber sur le canapé.

– Des terroristes m'ont bousillé deux gars...

« Il va pleurer », se dit Edoardo avec dégoût. Mais Lumeni se contente de fermer les yeux.

– Il y en a plein d'autres encore à l'hôpital, ils les ont fait sauter sur une grenade. Un vrai carnage, j'ai trouvé un bras arraché dans le ruisseau. On ne sait pas à qui il appartient.

Edoardo se tient sans bouger, il regrette de plus en plus sa canadienne, son allure armée de l'ombre. Evidemment Lumeni veut prendre son temps avec lui, une chose à la fois. Il est une pièce rapportée, après tout. Des fourmis grimpent le long de ses jambes. Gloria sort une bouteille de Saint-Raphaël d'un placard. Elle tient trois verres.

– C'est meilleur avec de la glace mais il n'y a pas de glace.

Lumeni s'enfile l'apéro d'une lampée et immédiatement tend son verre, Gloria vestale parfaite le ressert aussitôt.

– Asseyez-vous, merde, ne restez pas debout!

Enfin, le chef constate officiellement sa présence.

– Vous êtes venu me la reprendre?...

Il parle sans colère, plutôt avec fatigue.

– Il est venu pour l'un de ses amis.

– Je crois que je tombe mal en fait...

Lumeni les regarde tous les deux, de ce regard désillusionné qui irradie une lueur blessée et féroce.

Il doit lui plaire pour cette allure de spadassin, mi-prince, mi-voyou, pense Edoardo. Des trognes semblables, les musées en sont pleins du côté de Ferrare. Etrangeté et voracité, goût de la perdition et du malheur. Beau. De la beauté de la mort.

– Bruno, tu sais le chanteur du Ruhl. Il a été arrêté... Edoardo voulait en savoir plus. C'est certainement une erreur.

La voix de Gloria comme lorsqu'elle chante, effleurant juste les mots, les caressant de la pointe de la langue. Lumeni avale d'un trait son second verre de Saint-Raphaël.

– Ça suffit! Vous croyez que je vais passer mon temps à m'occuper des salauds qui font éclater mes gars tripes et boyaux? Il est arrêté, eh bien c'est qu'il a fait une connerie. Tant pis pour sa gueule. Et s'il est innocent c'est la même chose. On n'a plus le temps de faire la différence. Désormais c'est la guerre, la vraie, entre Français, dent pour dent, couille pour couille. Bruno, Tartempion, je m'en fous, qu'il crève lui et ses copains, les tueurs de l'ombre... Bordel! Des assassins oui qui frappent dans le dos, tout juste bons à jeter des bombes et à détaler à fond de train. Ah, bon Dieu! j'aimerais les tenir, tiens, ici, ce soir même...

– Tu t'énerves bêtement, je trouve!

Gloria éclate de rire et fait effectuer un tour de piste à la bouteille. Lumeni vide son verre, Edoardo n'a pas encore touché à la première tournée. Ses mains tremblent. L'idée de la ressemblance lui est venue pendant la diatribe du chef. Peut-être à cause de la colère, des joues empourprées. Une certitude à tel point qu'il se demande comment la ressemblance ne lui avait pas sauté aux yeux plus tôt, ce visage tourmenté, ses lèvres minces, ce nez trop lourd, cette gueule de fin du monde : son père. Le cavalier en chemise noire, toujours pétaradant, fier Artaban et mélancolique comme un dimanche de Toussaint. Présent et absent. Insaisissable toujours.

– Il veut juste savoir pourquoi on l'a enfermé, c'est tout.

Gloria allume deux cigarettes et en tend une à Lumeni. Elle n'a jamais fait ça pour lui. Un geste naturel, tendre. Gloria allumant une cigarette à bout doré à son père! La malédiction c'est que lui ressemble à sa mère, à sa peur de vivre, son angoisse de chaque instant, sa crainte de faire le moindre mal, la moindre peine, sa capacité à endurer, endurer encore et encore. Elle lui répugne brusquement. Etre un salaud une bonne fois. La bénédiction des bénédictions.

La bouteille est terminée, Lumeni en a bu les trois quarts.

– Je suis pas la police ni le bureau des pleurs.

– Tu peux te renseigner quand même...

– Je vous en prie, merci Gloria, je crois vraiment que dans la circonstance... Je regrette beaucoup pour le dérangement.

– Pourquoi vous ne la tutoyez pas? Vous avez couché avec elle, comme tout le monde.

– Ne dites pas ça!

– Je vais me gêner, Gloria est une salope, elle en est fière. C'est ce que j'aime en elle. Les femmes et les hommes bien m'ennuient, mon cher, vous ne pouvez pas savoir. Mets un disque ma douce. Un disque allemand, ce sont les meilleurs. Et j'emmerde ceux qui me diront le contraire. Vous aimez la musique, jeune homme?

– Beaucoup.

– Beaucoup, ça veut rien dire, beaucoup qui : Schubert, Mahler, Strauss, l'accordéon, Tino Rossi?

Lumeni éclate de rire. Gloria aussi. En traversant le salon, ses cheveux volent autour de son visage. Le gramophone est de l'autre côté, si loin que la musique paraît venir d'une autre pièce. Une pièce perdue dans l'immense maison.

– Mahler! Lumeni fait rouler les lettres dans sa bouche. *Le Chant pour les enfants morts*... Vous connaissez?

Non. Décidément il ne sait rien, ni Mahler, ni rire et pleurer quand il le faut. Lumeni se dirige vers le placard d'alcool et en revient avec une bouteille de vin.

– Fini l'apéro, passons aux choses sérieuses, un bon petit blanc de la région : bellet... J'en buvais déjà tout petit, ma mère le servait avec des « ganees ». Pauvre maman, elle est morte quand ma femme est partie avec son aviateur. Vous croyez que c'est juste, maman au cimetière et l'autre zouave dans les nuages, vivant et bien vivant, vivant à crever... Tenez, buvez!

Le vin accroche le palais, sauvage, grave, un peu secret.

– Voilà qui est bien. Vous l'aimez?

– Oui, il est parfait.

Parfait, parfait, tout vraiment, le vin, la musique et Gloria qui sort de l'ombre, resurgit dans la lumière. La voix ample, rugueuse de la chanteuse semble jaillir de son ventre, de sa bouche, par ses yeux, au travers de ses cheveux, majestueuse comme une fée de torrents. Lumeni la regarde un vague sourire aux lèvres. Il l'aime. Lui aussi... Pourquoi ne l'aimerait-il pas? Qui ne l'aimerait pas? Elle n'existe que pour cela, être aimée. Edoardo se précipite sur le liquide doré. Quelle vanité, quelle prétention, se croire seul à pouvoir l'aimer. Déjà elle repart de l'autre côté, prend un disque sur la pile, l'essuie d'un revers de main, le pose sous le saphir, toujours Mahler et cette voix clamant l'innocence foudroyée des enfants noyés, cette abjection insupportable. Quel rachat possible imaginer pour un tel crime? Il faudrait que Dieu se surpasse. Et là, dans cette pièce, si loin de la forêt allemande, de ses sinistres sortilèges, cette musique accablante, parfaite, aussi irrémédiable que le malheur et la mort qui l'ont engendrée.

– Nous l'aimons tous les deux, n'est-ce pas? Vous en poète, moi en soudard. Peut-être a-t-elle besoin de nous deux? Peut-être pas? Disons plutôt que ça nous fait plaisir de penser que Gloria a besoin de quelqu'un ou de quelque chose. Nous l'inventons à notre image, mon cher, bien obligé. C'est ce que font les catholiques avec Dieu, n'est-ce pas? Vous qui êtes italien vous savez ça!

Il devrait partir et les maudire tous les deux, briser les charmes du maléfice, rejoindre Madeleine. Mais il y a le vin, mais il y a la musique, mais il y a les confidences de Lumeni. Non, mensonge, il n'y a qu'elle! Et il restera parce qu'il n'existe nul autre endroit au monde aussi juste que la place où elle se trouve. Tant pis si c'est l'enfer. Il restera, verre à la main, à la contempler aller et venir, mettre de la musique, boire une lampée de vin, repartir, replacer un autre disque et de temps en temps lui jeter un regard lumineux, bon sang, si limpide, si transparent qu'à seulement le sentir passer sur lui il renierait la terre entière et lui-même en premier. Il restera à écouter l'autre, le chef qui la couve des yeux lui aussi, ébloui d'être encore capable de ça, tout bêtement, d'être encore assez vivant dans ses vieilles tripes d'homme mort pour aimer et oser le dire. Il restera et il ira où elle ira tant qu'elle le permettra. Il est un homme mort! Il en frissonne d'angoisse et de jubilation. Il a trop bu.

Le chef s'adresse à lui :

– Demain, je pars en expédition dans la montagne chasser vos copains les zoulous. Je vous invite jeune homme, Gloria sera là en grande prêtresse, nous serons ses fervents adorateurs, qu'en dites-vous?

– Vous m'emmerdez Lumeni! Je l'aime, moi.

– Justement, comme ça, elle ne vous échappera pas.

– J'ai un ami en prison...

– Je le ferai libérer.

– Vous ne savez plus ce que vous dites.

– Vous vous trompez jeune homme, Lumeni tient toujours les promesses qu'il fait lorsqu'il a bu, c'est un principe de boy-scout et je suis un vieux boy-scout, décrépit certes mais rigoureux.

– Si je vous accompagne, promettez-moi de le faire libérer !

Lumeni se redresse, tend le bras, main droite légèrement soulevée, doigts serrés :

– Sur ma vie, je le promets.

– D'accord, je vous accompagne.

Lumeni esquisse un pas de danse et lance à Gloria...

– Douce, notre ami ici présent nous accompagne, qu'en penses-tu ?

Et Gloria de répondre d'une voix lointaine et enjouée :

– Je savais bien que tout finirait par s'arranger.

Ils partirent dans le tonnerre et la tempête, la nuit ne voulait pas céder au jour, des éclairs irradiaient la mer de zébrures blêmes. Les arbres coulaient, lave verte bruissante et mouvante. Quand le ciel s'éclaircit enfin, il ressemblait à une pèlerine usée d'écolier pauvre. Les collines dans lesquelles ils ne tardèrent pas à s'enfoncer disparaissaient sous un brouillard livide. Dans la Citroën, pas un mot ne fut prononcé, l'odeur de l'eau de Cologne luttait désespérément contre celle du tabac froid. Le chauffeur emmitouflé n'avait ni cou ni nuque, à ses côtés Lumeni en uniforme semblait ne plus avoir dormi depuis des années. Une coupure faite en se rasant malgré le papier à cigarette collé dessus laissait échapper des bulles sanguinolentes. Le mouchoir qu'il tenait chiffonné dans sa main droite était maculé de grosses taches brunes. Derrière, Gloria tenait la tête appuyée contre la vitre, ses lèvres trop rouges dans la pénombre comme une blessure. Le cerne noir sous les paupières accentuait la pâleur de plâtre du reste du visage. De l'autre côté de la banquette, Edoardo transpirait et brûlait sous la fièvre, gorge sèche, des escarbilles flamboyantes sous les pupilles. La route minuscule louvoyait, accrochée à la pente, d'un virage à l'autre, il n'y avait pas même le temps d'un soupir. Lorsque la voiture se déportait un peu trop, Lumeni lâchait, lèvres serrées dans un souffle en direction du chauffeur :

– Fais attention, bordel!

Mais bientôt il n'y eut plus de route, seulement un pluie opaque qui noyait l'horizon, anéantissant les pers pectives. Le convoi avançait au pas. Le camion de têt s'embourbait sur les bas-côtés, il fallait attendre qu'il s'er sorte à force de manœuvres. La boue giclait contre l pare-brise, d'énormes traînées marron qui renvoyaient à la nuit l'intérieur de la voiture. Parfois un éclair éblouis sait les ténèbres suivi d'un vrombissement qui faisai passer un frisson sous la peau. Edoardo maîtrisait ave peine le claquement de ses dents, cette furie incontrôlabl qui s'emparait de ses mâchoires. Il tenait son poing serr devant sa bouche. Était-ce la dernière route cette troué de boue, de trous et de cahots liquéfiés dans l'eau du ciel? Il avait l'impression de respirer dans un aquarium Traître. Ce mot qu'il avait lu souvent comme on lit ur message réservé aux autres, presque par effraction Traître, la consistance même des lettres possédait un tour ignoble, il en est ainsi de certaines expressions, leur agencement calligraphique témoigne à lui seul la perversion et l'obscénité. Traître... Il tenait la main de Madeleine, juste avant son départ pour la villa de Lumeni, elle le regardait comme s'il n'allait jamais revenir et lui la rassurait avec une certitude absolue. Etait-ce dans le jardin ou dans la cuisine? Il avait déjà enfilé sa canadienne. En fait, il était sur le pas de la porte, elle dedans et lui dehors. Il grelottait, il disait de froid. Lui avait-elle une seconde fait confiance durant le temps où elle s'était sacrifiée, le temps où elle l'avait aimé? Ce regard, il le comprenait maintenant c'était celui d'un amour sans illusion, là où l'utopie de lui-même le faisait mentir avec une bonne foi totale, Madeleine scrutait au-delà la réalité inéluctable. Il s'était retourné, un ultime signe, un baiser envolé, porté sur le bout des doigts, de ses lèvres aux siennes. Puis il avait enfourché le vélo, l'image de Madeleine flottait devant ses yeux, une image douce avec les cheveux éclairés par la pauvre ampoule suspendue au plafond de l'entrée. Il ne doutait pas. Il ferait sortir Bruno des mains de la Gestapo. Une fois Bruno hors de danger, ils s'arrangeraient tous les trois. Cela ne faisait aucun doute. L'important était de sortir Bruno de là, vite! Certainement il y avait erreur, impossible que la police soupçonne la vérité. Impossible à condition que personne n'ait parlé, que personne n'ait trahi... De nouveau le mot immonde.

– J'ai envie de vomir...

– On ne peut pas s'arrêter, dégueule par la portière...

Lumeni sifflait plus qu'il ne parlait, un grognement rauque de chien malade.

– Je ne peux pas faire ça...

– Faut apprendre.

– Pas devant Gloria.

– Pauvre imbécile.

Lumeni se tourna et appuya sur la poignée, une bourrasque fit vaciller la voiture.

– Vas-y, vas-y!

Trempé en quelques secondes par une pluie rageuse le fouettant à revers, Edoardo se pencha mais un vertige le rabattit sur le siège, il fut obligé de fermer les yeux pour effacer le tournis blanc qui voltigeait dans sa tête.

– Le con, cale dans les pommes...

La voix de Lumeni, comme le son d'un carillon fêlé, perçue au loin à travers les murs d'une dizaine de pièces.

– Non, ça va, ça va.

Il fut étonné d'entendre sa propre voix. Il ouvrit les yeux, Gloria allumait la première cigarette de la journée. Il lui sourit pour s'excuser. Elle regardait ailleurs à travers lui, à travers la pluie, à travers les arbres, à travers la brume.

Durant toute la matinée et une partie de l'après-midi, ils traversèrent des déserts de pierres brunes que venaient grignoter des coulées de buissons d'un vert immobile uniformément sévère et triste. Dans les villages des ruelles sombres et dégoulinantes allaient se perdre contre la paroi grise de la montagne. Pas une âme. Jamais. Les maisons, empilées les unes sur les autres, toutes aveugles, semblaient tourner le dos à la route comme si elles ne voulaient rien voir, ni savoir. Même les chiens oubliaient d'aboyer. Un univers enseveli depuis des siècles sous une pluie lancinante, morne partition d'une musique étale sans commencement ni fin. Peu après midi, le convoi stoppa sur une place aux murs lépreux, l'unique café était fermé. Une vieille femme cabossée, une brassée de bois sous le bras, les regarda en riant. Elle n'avait qu'une seule dent. Lumeni envoya une patrouille repérer l'endroit. Sur l'un des murs qui se mêlaient à la coulée rocheuse encerclant la place, on lisait, écrit en énormes lettres blanches luisant sous l'averse : PARTI COMMUNISTE FRANÇAIS. L'inscription envahissait l'espace. Pour l'ignorer il fallait lui tourner le dos. Lumeni tenta de la faire gratter, en vain, il chercha de la peinture et n'en trouva pas. Finalement il fit tendre par-dessus deux draps noués l'un à l'autre.

– Le temps que l'on mange au moins.

Les hommes sortirent leurs gamelles et les firent chauffer sur des braseros. Pour se protéger de la pluie, ils n'avaient que leur capote relevée au-dessus des têtes. Dans la Citroën, personne n'avait faim, Lumeni déboucha une bouteille de vin sans en offrir. Gloria se servit du café chaud à une Thermos. Edoardo se contenta d'eau glacée bue à même le robinet d'un lavoir. Il se trouvait bien là, il posa ses joues contre la pierre lisse et douce, le ruissellement régulier du filet d'eau se déversant dans le réservoir faillit l'endormir.

– On s'en va!

L'ordre claqua dans le silence humide. Lumeni n'avait pas envie de s'attarder. L'ennemi était plus loin, plus haut. Son haleine puait le vin rouge quand il revint prendre sa place à côté du chauffeur. La pluie se calma, il y eut des écharpes de brume effrangée, on aperçut même les sommets de certaines montagnes empennées de nuages gris poursuivis par le vent. Gloria allumait cigarette sur cigarette.

– Ce que c'est ennuyeux, finit-elle par lancer.

Lumeni écarta de la main la fumée qui l'empêchait de voir la jeune femme.

– Attends un peu, ce soir nous dînerons dans une auberge, il y aura du gibier, du champagne et puis demain... Ah demain! Il se tut.

– Ce sera la guerre, demanda Gloria, je pourrai voir?

– Bien sûr, ma douce.

La nuit les enveloppa avant que le vent ait fini de chasser les nuages. Ce fut à nouveau le noir épais. Une menace imprécise les pénétra, Lumeni pressa le chauffeur, Gloria arrêta de fumer, Edoardo fixait le ruban lumineux des phares, un minuscule ruban jaune éclairant à peine le contour de la route qui grimpait toujours avec, de chaque côté, une mer de sapins impénétrable secouée par la tempête revenue en force. La voiture bringuebalante avait du mal à conserver son équilibre, le chauffeur sans cou ni nuque s'arc-boutait au volant. Le froid remplaçait l'humidité, Gloria plaça une couverture sur ses genoux. Edoardo sentit la fièvre l'investir plus forte que le matin, il avait le front et les mains brûlants, les pieds gelés, ses yeux clignaient.

– Nous y sommes, soupira Lumeni soulagé en désignant de minuscules lumières au flanc de la montagne.

La place ressemblait à celle du matin, les maisons à toutes celles qu'ils avaient entrevues le long de la journée. Deux hommes les attendaient, ils portaient l'insigne de la milice. On rangea les camions, on boucla les bâches, on distribua les tours de garde. L'un des miliciens du cru conduisit les hommes à l'école du village où un repas les attendait et de quoi dormir à l'abri. Lumeni, Gloria et Edoardo suivirent l'autre milicien qui brandissait une lampe à pétrole à bout de bras, ils remontèrent les pavés disjoints d'une rue sans trottoir surveillée par une église qui les attendait tout en haut, ils en devinaient le clocher, le reste disparaissait dans l'obscurité. Edoardo grelottait, Gloria manqua tomber sur ses talons effilés, Lumeni la rattrapa de justesse.

– Il fallait mettre des bottes, ma douce.

– Tu n'as pas dit qu'on allait faire de l'escalade.

– Regarde notre ami, il file comme un lièvre.

Edoardo se retourna, le couple formait une masse indistincte dans la nuit. Son souffle se mêla au leur. Le milicien les attendait un peu plus loin.

L'auberge promise était un simple restaurant avec chambres à l'étage. La salle était obscure et vide, il n'y avait ni poêle ni feu, sur une seule table, le couvert pour quatre avec, dans une corbeille, un quignon de pain. Tout autour les autres tables disparaissaient sous les chaises relevées.

– Le patron est un ami, précisa le milicien.

Une grosse femme qui traînait des jambes énormes tissées de varices bleues apparut.

– Merde, rugit Lumeni, c'est sinistre!

Et, se tournant en direction du milicien :

– On ne peut pas faire mieux vraiment?

– C'est difficile, chef.

– Bon qu'on aille me chercher les hommes, ils nous tiendront compagnie, qu'ils montent leur repas. Vous, tâchez que ce soit bon...

La vieille avait déjà tourné le dos. Ils s'installèrent autour de la table recouverte d'une nappe à carreaux rouges. Edoardo tremblant avait du mal à tenir les yeux ouverts.

– Je voudrais aller me coucher, balbutia-t-il.

– Pas question, contre la fièvre, il faut boire et encore boire, décréta Lumeni la bouche fendue d'un rictus.

On leur servit un morceau de pâté aussi sec que les pierres de la route. Les miliciens arrivèrent dans un bruit de bottes, ôtèrent les chaises de dessus les tables et posèrent leur gamelle de soupe à même le bois luisant et gras.

– Allez-y les gars, gueula Lumeni, parlez, rigolez, chantez, bon sang... Vive la vie!

Une clameur de gros rires lui répondit. Le chef commanda du vin pour tous. Un milicien sortit un harmonica, un autre alla chercher un accordéon. Après le pâté, il y eut quelques miettes de lapin baignant dans une sauce claire.

– Ils le font exprès, fulmina Lumeni.

– Des résistants sans doute, ironisa Gloria.

Les hommes ne tardèrent pas à chanter accompagnés de l'accordéon et de l'harmonica. Les cuillères et les fourchettes assuraient le reste de l'orchestre. Ce fut d'abord des chants de marche puis des chants de vengeance et enfin le chant des cohortes. Les yeux brillaient, les poitrines se gonflaient...

A genoux, nous fîmes le serment,
Miliciens, de mourir en chantant
S'il le faut pour la nouvelle France.
Amoureux de gloire et de grandeur,
Tous unis par la même ferveur,
Nous jurons de refaire la France :
A genoux, nous fîmes ce serment.

Lumeni reprenait au refrain. Il se dressait, les hommes se levaient. Et tous se lançaient au chœur final. Dès qu'ils se taisaient le vin coulait à flots. Du mauvais vin râpeux, qui collait la langue et engluait les méninges. Edoardo surprit une lueur fugace de répulsion dans le regard de Gloria et au même instant la moue qu'elle lui adressa comme un sourire de connivence et de pitié. Oh, ce fut très bref! Immédiatement ses yeux redevinrent vides, de ce vide total proche de la beauté absolue. Pitié pour qui? Pour lui qui l'avait suivie dans cette virée sordide par amour pour elle? Pitié pour l'autre, le chef qui méritait mieux que sa grossièreté et sa grande gueule de parade? Pitié pour elle, pour ce destin qui l'avait menée jusqu'ici, si près du fond? Pitié pour eux tous y compris ces pauvres types frappant du poing et réclamant la mort du juif et du communiste? Il l'admira un instant. Elle seule était forte. Plus forte que lui, plus forte que Lumeni, bien plus forte que tout ce délire de matamores.

Après le vin, Lumeni fit servir la goutte, une infâme *grappa* au goût de pétrole. Les hommes chancelaient. Les deux miliciens du cru dormaient sur leur chaise, les bras croisés, les traits relâchés. Deux idiots qu'un simple insigne avait transformé en despotes de village.

Le chef renvoya tout le monde, les pieds raclèrent, des tables furent renversées... Salut chef... Salut les amis!

Ils restèrent tous les trois plus le chauffeur qui monta immédiatement se coucher.

– La soirée n'a pas été à la hauteur de mes espérances, ma douce, je sais, s'excusa Lumeni.

Toute lumière éteinte, la table n'était plus éclairée que par une bougie fumeuse. Le vent faisait craquer la baraque. Edoardo avait sommeil, tellement sommeil, rien d'autre n'avait plus d'importance. Gloria alluma la dernière cigarette d'un paquet qu'elle chiffonna entre ses doigts.

La grosse femme bâillait en faisant bien attention que ça s'entende, ainsi que le baiser ignoble de ses savates avachies avec le sol.

– J'ai froid, j'ai sommeil, conduisez-moi à la chambre, demanda Gloria.

– A tout à l'heure, ma douce, lança Lumeni en se soulevant à moitié sur sa chaise.

Le monstre précéda Gloria une bougie à la main. Leurs pas firent grincer l'escalier, le pouf gluant de la vieille, le frôlement de chat de la jeune femme. Une porte s'ouvrit, deux secondes de silence, puis à nouveau le pouf gélatineux de la grosse dans l'escalier. Plus haut la porte se referma. Lumeni écrasa quelques miettes échappées au quignon de pain, des miettes aussi dures que des copeaux de bois.

– Elle nous laisse seuls, enfin elle me laisse... Moi qui ai horreur de me coucher tôt.

Le chef fixait avec anxiété l'obscurité autour de lui, Edoardo se leva à son tour. Lumeni éclata de rire.

– Foutez le camp, c'est ça... Je suis capable de veiller seul pourvu qu'il y ait de la *grappa,* c'est ça le problème, la *grappa!* Allez-y, allez-y, je vous préviens, elle ne vous ouvrira pas!

– N'ayez crainte, je ne lui donnerai pas cette joie.

De nouveau l'escalier, la vieille, son pouf horrible... Le couloir sentait le moisi et la vieille friture, une porte ouverte donnait sur une chambre sinistre au lavabo caché par un rideau de cretonne délavée. Le lit poussa un rugissement de ferraille lorsque Edoardo se laissa tomber à demi inconscient sur une mince couverture dévorée de poussière. Il dormit des heures ou peut-être seulement quelques minutes avant de percevoir des coups puis des cris. Il lutta pour rester endormi mais le vacarme l'obligea à ouvrir les yeux. Les coups étaient assenés sur des meubles contre le mur même de la chambre, un broc fut renversé. Il reconnut la voix de Gloria, la voix froide et acérée qui était la sienne dans la colère puis celle de Lumeni. Il referma les yeux, se boucha les oreilles à l'aide du traversin, il entendait malgré tout.

– Je dors seule un point c'est tout.

– Salope, tu n'es qu'une salope!

– Je sais.

– J'aurais dû te laisser dans ton trou avec les rats et ton copain l'intellectuel, là. C'est à cause de lui... Tu as peur qu'il entende comme tu gueules quand je te baise.

– Non, c'est pas à cause de lui. C'est à cause de moi. Ce soir je veux dormir.

Un remue-ménage, une chaise culbutée, le poids d'un corps venant s'écraser sur le lit... Les montants en fer cognent contre la cloison. Une courte lutte, la voix essoufflée de Gloria.

– Et maintenant?... Vas-y... Vas-y... Tiens regarde, regarde!

– Laisse, laisse, je te dis de laisser.

La voix de Lumeni est sourde, étouffée. Le gémissement du sommier sous la pression d'une masse qui se redresse.

– Pourquoi fais-tu ça, Gloria? Pour me faire souffrir?

– Toi, souffrir, jamais de la vie.

– Tu as raison, je ne vais pas souffrir pour une femme, c'est fini.

Un voile de sommeil, Edoardo perdit quelques mots. Le rire de Gloria immédiatement suivi du grognement de Lumeni le réveilla.

– Va-t'en!

– Certainement!

– Et démerde-toi pour rentrer par tes propres moyens.

– J'en ai vu d'autres, si je veux je suis de retour à Nice plus vite qu'avec tes soldats de plomb, suffit que je me serve de ça.

Un bruit de chair que l'on claque...

– Même pas, seulement que je fasse semblant de promettre.

– C'est ce qui différencie les putes des salopes.

– J'ai pas de préjugés, tu sais, je peux être les deux.

Un silence. Le lit chaviré, un chuchotis, des protestations. Puis de nouveau, distinctement :

– Je te demande pardon. Ça ira mieux demain, je vais aller dormir avec les hommes.

– Y a d'autres chambres.

– Je ne peux pas dormir seul.

– Tu as peur du noir?

– C'est ça, si tu veux, humilie-moi...

– Je ne t'humilie pas, je m'informe.

Des pas sur le plancher, hésitants.

– A demain Gloria, on a dû le réveiller l'autre là?...

– L'autre là, il s'appelle Edoardo, c'est un ami, les amis ça peut tout entendre.

La porte s'ouvrit, claqua et se referma.

Lumeni racontait les tranchées, les attaques de nuit. Il racontait la boue, l'odeur de charogne, la putréfaction, il racontait l'horreur! Il en avait encore des frissons. Cette guerre, oui celle-là même où ils se trouvaient, elle n'aurait pas dû avoir lieu. N'avait-il pas gagné l'autre, la vraie, la grande? Il ne comprenait pas. De toute façon, c'était trop tard, désormais il ne lui restait qu'une guerre à gagner : la sienne.

La route blanche serpentait entre deux parois de vert sombre, un vert touffu qui repoussait les rayons du soleil. Un soleil d'hiver, pâlichon et timide, qui les suivait depuis le début de la matinée. Pour le fêter, Gloria avait revêtu un ensemble bleu pâle qui mettait en relief l'or brun de sa peau. Edoardo n'avait emporté aucune affaire de rechange, il se sentait sale, fripé mais heureux, tellement heureux! Il surprenait son regard à chaque instant, à tel point qu'il n'osait plus tourner la tête dans sa direction, un regard caressant, tendre, parfois fragile. Si fragile, comme si elle lui demandait de faire quelque chose ou de dire quelque chose. Et il ne savait quoi. Mais peut-être n'était-ce qu'une impression, peut-être tout simplement lui faisait-elle cadeau de la fragilité qui était en elle, brimée, persécutée, emprisonnée, interdite et qu'elle lui permettait d'entrevoir tel le contenu d'un coffret mystérieux entrouvert l'espace de quelques secondes. Ami. Elle l'avait dit à Lumeni sur le pas de la porte. Ami. Il avait parfaitement entendu, ami. Elle avait prononcé le mot de sa voix de source, enfantine et transparente. Depuis le temps ne comptait plus, ni la route, ni la proximité du danger, ni le souvenir de Bruno, ni même celui de Madeleine. Il se disait et se redisait le mot : ami. Et l'extase s'alanguissait sur lui et rien ni personne ne pouvait lui ôter la délectation de ce mot fulgurant comme cœur, définitif comme âme, limpide comme être. Et qu'importait si Gloria ne ratait pas une occasion de passer la main dans les cheveux de Lumeni, de l'embrasser à la dérobade, de lui saisir le bras ou le poignet ! Il ne s'en offusquait pas, s'accordant la respiration d'un intermède, voile de douce rémission sur des plaies à vif. Ami il était, ami.

Ils s'arrêtèrent devant trois grosses fermes aux bâtiments délabrés. Les alentours étaient constitués de planches, ceux qui avaient vécu là avaient défriché, récolté dans cette fin du monde où chaque sac de semence devait être porté à dos d'âne et, quand l'âne n'en pouvait plus, à dos d'homme. Au bout d'un chemin surmontant les bâtisses, la croix d'une chapelle lançait une ombre démesurée et menaçante. Ils n'eurent pas à forcer la porte, elle n'avait jamais été fermée. A l'intérieur la lumière rouge du soir les accueillit distillée par deux vitraux au-dessus de l'autel, une descente de croix et une adoration. Du dessin ne restait plus que quelques à-plats de couleurs fondues. Dans le chœur trônait une charrette disjointe, rien d'autre, ni chaise ni banc, la chapelle avait servi de remise un sacré bout de temps avant d'être définitivement oubliée. L'endroit séduisit Lumeni, ce serait son quartier général. On enleva la charrette, des ustensiles rouillés, des peaux de serpent, des mulots crevés. Une couche épaisse de poussière mêla ses granulés à la lumière mourante. On installa des lits de camp, une grande table dénichée dans la salle à manger de la ferme, au bois doux comme un ventre de femme, on trouva même des assiettes et des verres à peine éraflés. A la nuit tombée, les miliciens allumèrent des bougies et des lampes à pétrole. Lumeni marchait de long en large, heureux de prendre possession de son chez-lui. Le chauffeur ouvrit une malle avec les vêtements du chef soigneusement rangés, costumes, chemises, bottes et même une grande nappe brodée qu'il déplia sur la vieille table. Les trois lits de camp étaient rangés le long du mur, séparés les uns des autres par une couverture suspendue. L'alcôve de fortune, la nappe, les lits, le fantôme du Christ, n'était-ce pas le bonheur? Lumeni pour se faire pardonner la soirée de la veille avait décidé lui-même de la nourriture. Miracle des miracles, le chauffeur métamorphosé en maître d'hôtel servit aux trois convives de la salade fraîche et un jambon de pays épais au délicieux goût de cendres. Pour terminer en apothéose il y eut du chèvre et de la tomme. Sans compter le vin à volonté, un vin râpeux qui montait vite à la tête après avoir brûlé l'estomac. Lumeni parla guerre, Edoardo cinéma, Gloria écouta. On évita avec une vigilance extrême toute expression, toute idée, toute allusion qui aurait pu avoir une quelconque relation avec leur situation. Ils furent impersonnels au point d'éviter de soupirer trop fort ou de se regarder autrement que pour demander le pain. Dans les bâtiments, les hommes chantaient des rengaines au son d'un accordéon; Gloria les connaissait toutes, elle en fredonnait le refrain à chaque air nouveau.

– Gloria tu devrais chanter pour nous, jeta Lumeni joyeux.

– Sans piano?

Le chef fit appeler l'accordéoniste, un jeune bellâtre à gueule en forme de poire sorti direct des prisons de l'État pour se mettre au service de l'ordre. Il avait l'accent, la dégaine et le répertoire parigots. Un drôle de chemin qu'il avait dû parcourir pour se retrouver en expédition punitive contre des maquisards à quelques enjambées de la frontière italienne! Il jetait trois mots et Gloria attrapait la suite, immédiatement c'étaient les quais du vieux Paris, l'amour bohème, le trajet simple et doux des premiers rendez-vous, l'amour qui se promène en cherchant un nid... Une bouffée d'images, de senteurs, de souvenirs. Edoardo qui n'avait fait que traverser Paris ressentait une nostalgie d'autant plus forte qu'il l'inventait. Avec *le Doux Caboulot* ce fut tout de suite dimanche, une guinguette pour amoureux, une valse ni gaie ni triste, plutôt une ronde où les adieux sont toujours proches des toujours, une complainte un peu grise et légèrement morne comme la Marne un après-midi d'août. En écoutant Gloria, il se sentait triste et grave comme si toutes ces bêtises au lieu d'être rendues dérisoires par la guerre étaient sublimées par elle, écho d'un monde englouti surgissant rond et plein, telle une miche de pain au soleil. C'était hier et c'était fini, à jamais fini. Au refrain de *A Paris dans chaque faubourg* même l'accordéoniste avait la gorge serrée et les larmes au coin des paupières, si loin, perdu dans cette chapelle lugubre en compagnie d'un Italien trop sentimental, d'un chef de la milice mélomane et de cette fille étrange, à la voix bien trop prenante et belle pour perdre son temps avec les deux autres. Deux bougies encadraient le visage de la jeune femme, ses cheveux en liberté glissaient sur ses épaules découvertes, Edoardo ne pouvait éviter de penser qu'elle aurait pu poser pour une madone. Il savait le ridicule d'une telle association d'idées, elle s'imposait malgré tout et il s'en délectait avec une gourmandise insatiable. Lumeni avait fermé les yeux, de sa bouche ouverte s'échappait un léger ronflement. Il dormait ou voulait que les autres le croient. Gloria demanda à l'accordéoniste *Le chaland qui passe...* Leur chanson! Il y avait des siècles. Elle la chanta, alanguie, sur le ton d'une berceuse fredonnée, dans sa voix il y avait une sensualité douce, un abandon de ses membres, de sa chair, comme une invite pressante, impérieuse, plus précise que si elle l'avait formulée expressément. Il prit la main qu'elle lui offrait, puis le bras, puis l'épaule, il posa ses lèvres à l'orée du cou, remonta lentement, hésita, il y avait la voix qui palpitait à travers la membrane de la gorge, il devait continuer, il le devait, il glissa la bouche sur sa bouche à elle et capta avec la langue un peu du souffle tiède de la chanson. Gloria le repoussa doucement, sourit à l'accordéoniste, passa les mains dans ses cheveux, l'aubade était terminée. Lumeni n'avait pas bougé.

– Il dort comme un bébé, chuchota Gloria.

Edoardo la regarda, ébahi :

– Il fait semblant, j'en suis sûr...

– Ne sois pas stupide, est-ce que je t'aurais embrassé si je n'étais pas certaine?

L'accordéoniste grogna, replia son instrument et disparut dans la pénombre.

Tous deux silencieux. Tellement proches qu'ils entendaient leur cœur battre, une dernière bougie brûlait avec l'alacrité de l'agonie. Il voulut frôler ses cuisses, son ventre, elle se refusa précautionneusement. La voix de Lumeni pleine de sommeil retentit.

– Il faut se coucher, demain est un grand jour...

Il s'enfonça dans la montagne bien avant le lever du soleil, suivi par une cinquantaine d'hommes. L'ennemi était dans ces montagnes et lui, Lumeni, le débusquerait. Il leur dit d'être prudents avant de disparaître. Ce fut tout. Il les laissait seuls dans la chapelle. Un petit groupe de miliciens montait la garde devant les camions. Edoardo avait passé la nuit à écouter le sommeil des deux autres au travers des minces couvertures. Gloria avait délibérément pris le lit du milieu. Chacun des deux hommes pouvait ainsi imaginer l'avoir pour soi. Les soutiens de ferraille des plumards faisaient un boucan terrible dès que l'un des trois bougeait. Mais personne ne bougea. Edoardo yeux grands ouverts, bras plaqués au corps, d'une immobilité de gisant, veillait. Et à force de se maintenir en alerte, il jeta mentalement Lumeni hors du paysage pour ne plus avoir que Gloria endormie à ses côtés.

Toute la matinée, il la contempla, aller et venir dans le

soleil, un soleil dur et pétillant qui donnait envie de courir et de crier à pleins poumons. Il n'avait jamais vu Gloria atteinte d'une telle bougeotte, elle nettoya à fond leur « chez-eux » comme elle dit, fit la vaisselle du repas de la veille et découvrit un point d'eau en contrebas de la chapelle. Ainsi, ils étaient complètement indépendants de la ferme. Cette découverte la ravissait et le soleil et la préparation du café! Une enfant jouant à la ménagère. Elle avait noué ses cheveux avec un élastique et enfilé un pantalon dix fois trop grand pour elle qu'elle faisait tenir avec une grosse ficelle : « Un souvenir de Boda », fit-elle en éclatant de rire. Edoardo en fit autant! Il courait derrière elle, la cafetière à la main pour le café, un torchon troué pour la vaisselle, une brosse pour laver sous la table. Il ne servait à rien mais avec un tel ravissement qu'il avait l'impression d'être indispensable. Elle lui disait « passe-moi la tasse... » ou « essuie-la... » et il fonçait comme un taureau ébloui. Là où elle était, il était, derrière, à côté, présent et transparent. Heureux. Il ne la quitta que lorsqu'elle alla au point d'eau se laver nue sous les rayons pelucheux du soleil glacial. Elle revint, tremblante et rouge, il n'avait jamais remarqué comme tout son corps avait conservé l'élan et la souplesse de l'adolescence. Dans le pantalon de Boda, elle flottait, ses cuisses et ses fesses indistinctes sous les plis flous du tissu. Transparaissait seule l'énergie, la fermeté, et de cette énergie, de cette fermeté, une sensualité dont l'émanation irradiait avec d'autant plus d'épanouissement qu'elle était secrète. Edoardo se rendit au point d'eau et comme elle, nu, s'aspergea; auprès du camion, les miliciens regardaient en rigolant, lui souriait, « je suis dans un rêve », murmura-t-il. Il faillit mourir sous la morsure de l'eau descendue droit des neiges, il résista en sifflotant. Il se retourna, elle était là avec une grande serviette appartenant à Lumeni. Il ramena précipitamment les mains devant son sexe, il lui semblait que c'était la première fois qu'elle le voyait nu. Entre la nudité de son corps et ses yeux à elle, il y avait toujours eu la pénombre, des draps défaits, des défiances pudiques, des fuites ombreuses. Cette fois c'était le grand soleil, sa nudité offerte sans possibilité de repli ou de dissimulation, pleine de lumière. Il eut peur, il eut honte. Elle l'enveloppa, le frictionna très fort, très vite, des épaules aux cuisses. D'en bas, les hommes n'en perdaient pas une miette. Bientôt il eut chaud, très chaud, ce n'était plus du sang dans ses veines mais un bouillonnement aux cent mille fourmis agiles et dévorantes.

Le chauffeur cérémonieusement vint leur faire ses propositions pour le déjeuner.

– J'ai des pâtes, messieurs dames, juste des pâtes mais avec des herbes et un peu d'huile d'olive.

– Eh bien, ce sera magnifique, dit Gloria.

Ils mangèrent une assiette chacun, puis deux, gloutonnement, la matinée avait été si pleine, si dense, ils avaient faim pour dix. Les nouilles possédaient la saveur, l'onctuosité, la délicatesse des mets les plus fins, les plus rares. Ils en firent une orgie. Le chauffeur s'éloigna fier de lui. Puis ce fut la qualité particulière du silence des débuts d'après-midi. Ils s'allongèrent dans la prairie d'herbes sauvages qui s'étendait devant la chapelle. Des croassements retentirent au loin dans la forêt qui couvrait les pentes de la montagne, là où devait grimper Lumeni. Ils virent les bêtes voler lourdement au-dessus d'eux, elles se laissaient tomber durant des secondes qui n'en finissaient plus avant d'ouvrir leurs ailes et de reprendre de la hauteur en lançant un ricanement étrangement grave. Ils ne dormaient pas, terriblement conscients l'un de l'autre. Il aurait pu lui prendre la main, la prendre toute. Il ne voulait pas. Cette conscience aiguë de l'autre dans sa douleur même revêtait une dimension tellement plus intense, à la limite d'autre chose de totalement inconnu, qu'il préférait l'absence des gestes et celle des mots. Il savait, et Gloria peut-être aussi, que cette conscience passait par un fil si ténu que le moindre écart de leur part l'aurait irrémédiablement brisé.

Il y eut ce troupeau de chèvres crottées qui les fit sortir

du sortilège, des chèvres couleur de boue avec à leur tête un gnome barbu et bancal qui poussait des cris si ressemblants qu'on avait du mal à les distinguer de ceux de ses bêtes. Le gnome fixa le couple jambes écartées, ses yeux brillaient, ses lèvres bavaient, il resta un long moment immobile, fasciné. Quand l'homme et la femme firent mine de se lever, il détala sur ses courtes jambes suivi par son troupeau dans un tonnerre de grelots et de chuintements.

– Le pauvre, s'exclama Gloria, peut-être qu'on aurait dû le laisser se masturber tranquille!

Elle s'envola dans une course jusqu'au point d'eau. Ils arrivèrent essoufflés au-dessus du murmure soyeux et mélancolique. Gloria plongea son visage à même la source, là où l'eau jaillissait de la terre. Quand elle refit surface l'air lui manquait, ses cheveux trempés dégoulinaient le long de ses joues, sur son cou et jusque sur la blouse militaire qu'elle avait subtilisée dans la malle de Lumeni. Elle ne tenta pas de s'essuyer, se contentant de tourner la tête vers le soleil.

– Tu ressembles à une fée.

– C'est vrai?

– Oui, c'est vrai.

Maintenant ce n'était plus la même chose, il avait envie qu'elle blottisse sa tête mouillée contre sa poitrine. Il ne bougea pas. Ce fut elle qui parla :

– Raconte-moi une histoire.

– Une histoire... Quelle histoire?

– Je ne sais pas. Une belle.

Il ne connaissait pas d'histoire sinon son histoire. Il s'aperçut qu'il ne lui avait jamais parlé de son enfance. Elle ne savait rien de sa vie. Comment aurait pu l'intéresser son existence de jeune bourgeois provincial italien? Avec elle, ils avaient toujours parlé d'elle. Elle était le personnage, le mystère, la légende. Dans son existence à lui, les seuls faits dignes d'intérêt appartenaient au rêve. Mais dans cet après-midi d'hiver brillant comme une aube d'été tous les miracles pouvaient survenir. Il raconta ses voyages en compagnie de sa mère. D'abord il raconta sa mère, plus superstitieuse que pieuse, plus angoissée que vraiment protectrice, plus sensible que cultivée et surtout faible, plus que toute autre chose, déterminée à aimer un homme, son père, à pleurer pour lui, à souffrir pour lui, par devoir. Toute sa vie. Sa vie sans amour. De l'amour, elle n'en avait que pour ce fils issu d'un des rares accouplements des débuts du mariage. Presque par hasard. Cette femme, dès son plus jeune âge, Edoardo l'avait vue se draper de détresse et de tristesse à cause d'un être dont elle n'avait jamais été amoureuse et pour lequel il n'était même pas sûr qu'elle ressentît de l'estime. Toutes les nuits, oui toutes, il l'avait entendue gémir et pleurer ou plutôt tenter d'étouffer ses gémissements et ses pleurs, seule dans l'immense lit matrimonial. Elle s'était mise à voyager pour cacher au monde l'absence de l'époux. Partie, on l'imaginait avec lui. Pendant un temps en compagnie d'Edoardo, elle défaisait et refaisait ses valises dans les hôtels de Florence, Rome, Venise, Lugano, Trieste, San Remo. Toujours des hôtels à la limite de la décence. On ne roulait pas sur l'or, loin de là! L'argent du mari, il ne fallait pas y compter, il n'en avait jamais assez eu pour lui-même. Alors de pension en villa meublée, elle dépensait l'héritage du père, ce père notaire, si fin, si racé, qui avait constitué et constituerait à jamais l'unique songe d'amour. Les chambres se ressemblaient toutes, un lavabo derrière un paravent, un lit haut perché au couvre-lit jaune, des grandes armoires grinçantes, des sols au parquet fendu et aux fenêtres de vieux volets qu'il était impossible d'ouvrir ou de refermer une fois que par miracle on était arrivé à les pousser. Il coucha dans le même lit qu'elle au moins jusqu'à dix ans, peut-être plus. De lit en lit, il n'y avait aucune différence, partout son odeur, partout sa chaleur, partout ses soubresauts, partout son malheur, partout ses chapelets de pleurs dans la nuit profonde. Des années et des années, il lui parut qu'elle ne dormait jamais. Pas une seconde. Quelle que fût l'heure où il se réveillait, il la trouvait yeux grands ouverts cherchant à cacher derrière la paume de sa main le sillon éternellement recommencé des larmes. Des grosses larmes à la source profuse et généreuse. Lui pouvait se rendormir, rasséréné, maman veillait. Elle le serrait très fort contre elle sans un mot, il se laissait faire avec bonheur.

Il adorait perdre conscience dans la tendre mollesse de sa poitrine, le visage calfeutré entre ses seins au goût de vanille. Un parfum particulier qui resta sur sa langue et dans ses narines toute son enfance, et qu'il pouvait encore sans effort retrouver intact à volonté, fade, doucereux, immuable à travers le temps, si constant qu'il avait fini par l'identifier à celui de la mort. Oui, l'éternité de l'éternité devait avoir cet arôme plat et sans saveur de flan au lait. Plus tard il eut son propre lit mais toujours le partage de la même chambre. Les voyages n'eurent plus lieu que l'été, ses études le retenant à Ferrare tout l'hiver. Ils se déplaçaient dans la grande chaleur au cœur de l'air brûlant de juillet et août. Les trains bondés puaient la transpiration et le vin. Des militaires en permission la regardaient sous sa voilette, imperturbable et digne. Lui cachait ses genoux que les culottes courtes qu'elle s'obstinait à vouloir lui faire porter révélaient à tous, blancs et indécents parmi ces voyageurs en costume malgré la chaleur. Dans les villes, les odeurs d'essence qui n'arrivaient pas à s'évaporer flottaient au-dessus de l'asphalte fondant, ils partaient à la recherche d'un hôtel, valises à la main, sacs en bandoulière sans jamais prendre de taxi ou de fiacre. Là où il y avait des chambres c'était trop luxueux, là où ils auraient pu aller c'était complet. Ils arpentaient les trottoirs encombrés, elle avançait douloureuse dans son ensemble noir, les passants s'écartaient devant elle, s'écartaient devant son deuil, sûrs qu'elle et son gosse venaient de loin pour l'enterrement d'un parent. Ils avaient pitié de lui avec cette grosse valise qui lui pendait au bout des bras. On s'écartait mais personne ne leur parlait ni ne leur proposait de l'aide par respect de l'affliction. De toute façon, elle aurait refusé. Ils n'avaient besoin ni de pitié ni de commisération. Elle ne s'adressait qu'aux portiers, aux garçons de restaurant et aux concierges de nuit. Des inférieurs. Sinon une dame devait conserver son rang quelles que fussent les circonstances et même durant la canicule. Il se souvint de cette chambre à Venise à l'heure de la sieste, un silence comateux pesait sur l'eau flétrie des canaux. Par la fenêtre ouverte devant laquelle elle avait tiré le grand rideau blanc, aucun bruit, pas même le gargouillis de l'eau. Puis soudain, l'appel d'un gondolier étouffé par l'air immobile comme vitrifié sous le ciel de plomb fondu. Elle s'était redressée, la main sur le cœur, le visage couvert de sueur, elle avait repoussé les draps, pour la première fois il la vit nue, entièrement nue. Un autre appel répondit au premier, elle reprit son souffle, de quel affreux cauchemar sortait-elle? Affolée, elle ramena sur son corps les draps en désordre. Tourna les yeux dans sa direction : il dormait profondément. Elle essuya son front en nage, rassurée elle pouvait s'allonger et se rendormir.

Derrière ses yeux clos, il conserva la vision fugace, l'image d'une femme. Belle. Très belle.

Brusquement ils eurent froid, le soleil avait disparu derrière les montagnes, à peine le temps de rentrer il faisait déjà nuit. Ils s'enveloppèrent de couvertures. Le chauffeur prévoyant avait allumé le poêle de campagne. Le bois craquait voluptueusement. Gloria blottie contre le métal rougeoyant alluma une cigarette. La première de la journée.

– Tu devrais partir, Edoardo, elle parlait à voix basse, sans le regarder... Sauve-toi avant que les choses vraiment moches commencent.

– Et toi?

– Moi, j'en ai assez de toujours recommencer.

– Partons ensemble Gloria, l'Italie est juste là derrière, une nuit de marche et nous y sommes.

– Je ne peux pas. Pars... Ne pose pas de questions.

Elle écrasa sa cigarette à même la plaque du poêle. Puis elle leva ses yeux, ils étaient vides et absents comme au Perroquet quand elle chantait pour les autres. Edoardo se tut, il ne pouvait pas effacer la journée en une seconde. Il préféra la recommencer depuis le début, lentement, en s'attardant sur chaque détail.

Ils avaient fait un prisonnier, un homme trouvé errant dans les montagnes. A toutes leurs questions, il s'était contenté de répondre par un air hagard.

– On le fera parler plus tard, dit Lumeni avant de s'écrouler.

Il les observait tous les deux, leur souriant de son mauvais sourire.

– Pas trop ennuyée ma douce?

– Pas une seconde, j'ai fait le ménage, j'ai lu, j'ai dormi.

Gloria mettait les couverts et les assiettes; elle tournoyait tranquille autour de la table.

– Et lui?

Il s'adressait à elle, toujours.

– Lui, il s'est promené, il a aidé le chauffeur, n'est-ce pas Edoardo, une bonne journée?

– Vous avez parlé tout de même?

– Si peu...

– Vous savez, Lumeni, je suis capable de répondre à vos questions.

Edoardo s'approcha du poêle.

– A table! lança Gloria.

Le chauffeur avait préparé le dîner, des pâtes, cette fois-ci à la sauce tomate, des tomates préservées dans un bocal. Ils mangèrent sans un mot, aspirant les pâtes avec un affreux bruit de succion. La dernière bouchée avalée et une bouteille de descendue, le chef s'illumina. Voulait-il écouter Gloria chanter? Non, ce soir le spectacle serait ailleurs, là-bas dans la ferme où les hommes s'occupaient du terroriste.

– Vous avez déjà assisté à un interrogatoire?

– Non, répondit Edoardo.

Gloria se contenta d'allumer une cigarette.

– C'est l'occasion ou jamais, je sais ça peut paraître cruel mais nécessité fait loi. Après tout, il lâchera peut-être le morceau immédiatement.

Gloria remplit les verres de vin.

– Vous êtes sûrs que c'est un terroriste? fit-elle.

– Un terroriste, un terroriste qu'est-ce que c'est, n'importe qui finalement, ce gars sait, ça j'en suis sûr, ce qu'il est je m'en fiche.

Dehors, un cri strident retentit.

– Ce n'est rien, un oiseau, précisa Lumeni, ils ne commenceront pas sans nous.

Edoardo se leva précipitamment.

– Excusez-moi mais je préfère dormir.

Lumeni avala son verre d'un seul trait.

– Vous êtes mon invité cher ami, ça me désolerait vraiment beaucoup que vous n'assistiez pas à l'essentiel de ce qui constitue ma mission.

– Il n'a rien à faire dans tout ça, intervint Gloria.

La remarque de la jeune femme était si inattendue que Lumeni en resta muet quelques secondes.

– Il viendra, c'est terminé la rigolade, les finasseries. Ici on fait ce que je dis. Toi aussi Gloria. Vous me prenez pour un rustre tous les deux. Si, si, je le sais. Vous m'avez menti tout à l'heure mais ça n'a pas d'importance.

Il se pencha à travers la table jusqu'à atteindre Edoardo.

– Vous savez pourquoi ça n'a pas d'importance? Parce que votre mensonge n'est pas complice, elle m'a menti comme elle vous a menti des millions de fois par sauvegarde, pas par amour. Il n'y a rien entre vous, que des mots. Mais entre nous, il y a ça!

Il frappa de la main sur la braguette de son pantalon.

– Il y a ça...

Lumeni se laissa retomber sur sa chaise. Edoardo détourna le regard. Gloria ne répondit rien.

– Vous voyez bien, monsieur le cinéaste, j'ai raison, sers-nous à boire ma douce.

Docilement Gloria remplit le verre de Lumeni, Edoardo refusa d'un geste. Il voulait saisir une expression, un éclair dans les yeux de la jeune femme, une lueur qui démentirait les paroles de Lumeni, une lueur qui réinstaurerait la merveilleuse journée dans son miracle. Ce fut inutile. Il n'y eut rien.

Edoardo n'avait jamais vu autant d'étoiles, les plus perdues, minuscules, flambaient au fond du ciel, un amoncellement rutilant, si violent qu'il serrait la poitrine d'émerveillement et de crainte. Lumeni les devançait, lampe au poing mais la lumière du ciel rendait la flamme du pétrole ridicule. Ils pénétrèrent dans une étable à l'écart des autres bâtiments, une soupente étroite sans ouverture au plafond bas où la fumée stagnait en nuages épais. Une dizaine de miliciens attendaient le chef assis autour d'un feu de camp. On installa les visiteurs sur des chaises de cuisine au premier rang face au feu, face à l'homme. Il était roulé en boule, vêtements déchirés, pieds nus. A travers le brouillard qui piquait les yeux, impossible de déceler s'il était grand ou petit, maigre ou épais, jeune ou vieux. Une discussion s'instaura entre deux miliciens, des gradés, et Lumeni. Quelle méthode employer? Il leur manquait le matériel indispensable. Ils hésitaient, l'un d'eux osa même suggérer qu'après tout il aurait peut-être mieux valu laisser faire le boulot aux flics. Lumeni balaya d'un geste rageur l'argument, il avait besoin de renseignements, tout de suite, pas question que d'autres profitent de l'aubaine, leur boulot, c'était leur boulot. Un grand aux oreilles décollées, visage creusé, proposa une solution lumineuse de simplicité. Il l'avait pratiquée en Auvergne. Il suffisait de faire agenouiller le type sur une règle triangulaire mais un bout de bois ferait aussi bien l'affaire, de lui nouer les mains dans le dos puis de lui grimper sur les épaules, généralement ça marchait. Lumeni désigna deux hommes pour relever le type. Il avait la tête enfoncée sous ses bras repliés. Les hommes tentèrent de le redresser, l'autre semblait collé au sol. Ils lui flanquèrent des coups de botte dans les côtes, le type grogna, ce fut tout. Deux autres miliciens vinrent à la rescousse, à quatre ils le soulevèrent comme un sac. Le paquet en approchant des flammes prit forme. Un bonhomme chauve, sans âge, aux lèvres tombantes, le visage hébété de l'idiot. La peur le faisait baver, des gros filets qui coulaient sur son menton et sa camisole. Ses yeux affolés roulaient à toute vitesse, troublés par le flamboiement bleuâtre, on aurait pu croire au regard liquide d'un chien terrorisé. Lumeni plaça le morceau de bois, une belle bûche aux arêtes noueuses, face aux chaises des spectateurs. Le milicien aux oreilles décollées assena une manchette terrible sur la nuque de l'homme, la tête tomba en avant, molle et flasque. Ils le placèrent sur la bûche, il poussa un cri minuscule de dormeur en proie à un cauchemar. Une fois bien installé, les genoux collés à la surface rugueuse, ils lui laissèrent reprendre ses esprits. Il revint à lui avec une grimace atroce, les hommes faisaient cercle, Lumeni voulut choisir un gros parmi eux. Mais des gros, il n'y en avait pas. D'après Oreilles décollées, n'importe qui ferait l'affaire, c'était une manière de se proposer, Lumeni accepta. On pouvait y aller. L'homme regardait. Comprenait-il ou la peur, une peur sauvage effaçait-elle toute compréhension? Ils furent quatre pour le tenir tandis que Oreilles décollées se juchait sur ses épaules en faisant bien attention de ne donner aucun appui à ses jambes. Ils virent fléchir le torse de l'homme, son ventre se rétracter, ses cuisses prises d'un tremblement incoercible, ses mains, ses bras malgré les tenailles qui les maintenaient tentaient de se soulever telles deux ailes broyées dont seules les attaches bougent encore. On releva son pantalon sur ses jambes, les échardes s'enfoncèrent brutalement dans la chair, les genoux meurtris cognaient et butaient sur toute la surface acérée de la bûche. La douleur le faisait pleurer. Il ne grognait plus, il gémissait. Oreilles décollées insufflait à son bas-ventre une rotation continue comme s'il faisait l'amour, un mouvement très lent, insistant. Le supplice dura une longue minute, les hommes ne bronchèrent pas mais quelques-uns allumèrent des cigarettes, d'autres se grattèrent. Lumeni fit signe à Oreilles décollées de se redresser, l'autre laissa tomber sur le sol ses grosses godasses boueuses. Le chef s'approcha et cracha sa question au visage de l'homme.

– Où sont les autres, les communistes, les terroristes?

L'homme, lèvres tendues vers l'avant comme une carpe hors de l'eau, leva un regard d'enfant perdu sur Lumeni. Le chef répéta sa question, une fois, deux fois, l'homme continuait de le regarder de ses yeux morts et humides. Lumeni fit un signe, Oreilles décollées reprit sa station d'oiseau charognard. Un cri d'épouvante précéda l'odeur, l'homme faisait sous lui, une chiasse qui lui coulait le long des mollets.

– Salaud, fit Lumeni.

Les hommes se détournèrent, Gloria alluma une de ses cigarettes à bout doré. Depuis le début de la séance, son visage était resté impassible, figé, dans une expression lointaine et absente.

Les miasmes ramenèrent à la réalité Edoardo, était-ce la pièce si semblable à une caverne, le feu qui lançait au mur des ombres gigantesques, mais son esprit avait pris un curieux détour, il se retrouvait au cinéma de son enfance avec sur le vieil écran de faux Zoulous au pagne ridicule tentant de torturer de gentils explorateurs blancs. Cette séquence, à quelques détails près, il l'avait vue et revue dans des dizaines de films avec à chaque fois les réactions dans la salle, ceux qui criaient d'effroi et ceux qui sifflaient pour se moquer de la jeune femme blanche que d'affreux sauvages se préparaient à livrer au singe. Inlassablement dans son cerveau, l'écran lumineux du Caméo s'interposait avec ses faux nègres, sa blonde platinée, ses gentlemen explorateurs aux yeux exorbités avec la réalité de l'homme torturé. Peu à peu les images glissèrent et s'ordonnèrent dans un nouvel ordre guère différent du premier à part la disparition de la blonde vaporeuse et son remplacement par le malheureux aux pieds nus. Les tortionnaires, eux, n'avaient pas changé, c'étaient toujours des Zoulous. L'odeur fit place nette : Lumeni et ses hommes ne portaient pas de pagne. Edoardo fut secoué d'une nausée, il dut pour la maîtriser penser vite, très vite à quelque chose, à quelqu'un, une sueur glacée sillonnait sa colonne vertébrale, Madeleine s'imposa, tête renversée au-delà du lit, cheveux épars jusqu'au sol, souffle éperdu.

– Les cocos! lança Lumeni.

L'homme le regardait, hébété, un borborygme précédé d'une nuée de postillons.

– Ça y est, il va l'ouvrir sa gueule...

Pour accélérer le mouvement, Oreilles décollées s'offrit un petit tour de manège. L'homme aboya de douleur, Oreilles décollées pesait de toute sa volonté, il se voulait énorme, cent, mille kilos! L'homme s'écroula dans ses déjections, il bredouillait et geignait des sons inarticulés. Oreilles décollées se souleva, Lumeni se pencha en gueulant :

– Les communistes, tu comprends, communistes?

– Les co..., les co...

L'homme beuglait dans sa bave.

– Quel abruti!

Gloria se leva, secoua une poussière imaginaire sur sa cuisse et s'adressant à Lumeni :

– C'est intéressant comme expérience sauf que cet idiot n'a certainement rien à avouer du tout, c'est un pauvre type, un simple.

– Et alors! Il a des yeux pour voir comme tout le monde.

– Faudrait qu'il comprenne.

– On va le faire comprendre...
– Sans moi!
Gloria se tourna vers l'entrée de l'étable.
– Eclairez-moi, quelqu'un d'entre vous.
– Que personne ne bouge, hurla Lumeni, c'est un ordre.
– Je n'obéis pas aux ordres...
Gloria continua d'avancer, Lumeni la saisit par le cou et la tira en arrière.
– Lâche-moi!
Il la serra encore plus près, leurs deux visages découpés sur la muraille démesurément enlacés par la lueur des flammes. Edoardo s'approcha, Lumeni le repoussa violemment.
– Toi, va t'asseoir.
Gloria reprit le chemin du cercle après avoir remis en place d'un revers de main une mèche folle de ses cheveux. Ses traits ne laissaient paraître aucune émotion. Edoardo sentit la méfiance et la haine des hommes s'appesantir sur eux. Il y eut quelques instants où rien ne bougea, sauf les flammes au mur et l'homme qui se contorsionnait. Il gémissait doucement comme si lui aussi respectait le silence qui pétrifiait la pièce. Lumeni fit un mouvement. Bras ramenés en arrière, mains nouées dans le dos, on hissa l'homme sur une chaise, un milicien passa une corde sous ses aisselles, l'autre extrémité fut fixée à un crochet planté dans la muraille. Un crochet de boucher qui avait dû servir aux anciens habitants pour égorger le cochon. Oreilles décollées donna un grand coup de pied dans la chaise, la corde valdingua toupie égarée puis le mouvement ralentit et pour l'homme commença la suspension immobile. Il tenta de replier ses jambes pour soulager l'étirement, araignée accrochée à un fil, mais l'effort lui coupa le souffle, ses narines rétrécirent, ses yeux se révulsèrent, un bout de langue s'immisça entre ses lèvres décolorées. Il poussa un vagissement horrible d'animal étouffé, deux ou trois secousses le parcoururent puis ce fut tout.

– Il est dans les pommes, constata Oreilles décollées.
Lumeni ordonna qu'on le décroche, un des miliciens sortit chercher un seau d'eau. L'homme fut jeté sur le sol. Les miliciens en profitèrent pour se détendre en faisant quelques pas et en allumant des cigarettes. Lumeni détourna ses yeux du corps inerte et vint les poser sur Gloria et Edoardo, un long regard vide plus tourné à l'intérieur de lui-même qu'en direction de cet homme et de cette femme figés sur leur chaise. Le milicien revint chargé du seau d'eau glacée. Oreilles décollées se précipita, saisit le seau à deux mains, s'approcha de l'homme et le lui balança de toute sa force à travers la figure. L'homme gesticula, bouche ouverte, respiration coupée, ses bras et ses mains toujours liés dans son dos l'empêchaient de se soulever, sous l'effet de l'eau la corde se rétracta, s'enfonçant encore plus profondément dans la chair. Et alors pour la première fois, on entendit distinctement un mot tomber du trou noir de la bouche dans un soupir de souffrance épuisée.
– Mal...
L'homme ne répéta pas le mot, trois lettres pas plus, il sombra immédiatement.
– Vite, bon Dieu, vite, ne le laissez pas repartir!
Lumeni fulminait... Une claque, deux, trois, la tête du type valdinguait, ses yeux s'entrouvrirent puis se refermèrent aussitôt.
– On l'aura, lança Oreilles décollées...
– Pas sûr, pas sûr du tout.
Lumeni n'y croyait plus. Il sortit de la pièce. Gloria et Edoardo le suivirent au milieu des miliciens qui s'appliquèrent à ne pas faire attention à eux. Personne ne s'occupa de l'homme prostré, roulé en boule comme au début.
Ils étaient tous les deux dans la nuit, Lumeni avait pris de l'avance ou peut-être les surveillait-il, là, caché tout près. Ça n'avait plus d'importance. Cette fois, elle avait compris, n'est-ce pas? Elle allait repartir avec lui... Immédiatement... Il lui restait un peu d'argent. Ils trou-

veraient bien le moyen de subsister. En Italie aussi on aime les chanteuses. Elle ne pouvait plus hésiter. Il lui parlait dans la nuit, avec passion, la saisissait, la relâchait, la suppliait, elle écoutait sans écouter, elle s'arrêtait, repartait, secouait la tête quand il la pressait trop. Alors, il se révolta. Un tortionnaire! Qu'avait-elle de commun avec un tortionnaire, elle, la lumière, la pureté, parce que oui il la savait pure, intacte malgré tout, malgré les autres. Lui comprenait! Il la sauverait, se sacrifierait pour elle, se perdrait pour elle. Elle sourit timidement. Il était un enfant. Voilà tout. Elle lui effleura la joue d'une caresse légère, une caresse pour malade que l'on va abandonner parce que la vie est ailleurs et qu'il faut bien se décider à quitter le chevet de celui qui gît, là, paralysé. Il insista. Ce n'était pas l'amour, elle et Lumeni, mais le goût de la mort, la profanation de la vie. Il s'écria qu'elle n'avait pas le droit, demain la guerre allait être vaincue, plus de tortures, plus de Lumeni mais l'amour, la liberté, et elle, elle serait reine dans cette paix retrouvée. Elle devait survivre pour profiter de la victoire, sa propre victoire sur sa propre guerre. La route avec Lumeni c'était sa défaite, irrémédiable! Non, il ne la laisserait pas, il continuerait de lui parler, la nuit entière s'il le fallait et le jour qui suivrait et les autres. Il s'enivrait, des flammes à la place de la salive. Il gagnerait. Il la gagnerait. C'était la plus lumineuse, la plus éclatante, la plus belle des nuits, une nuit de Noël, une nuit de révélation et de résurrection. La nuit du Christ et il était le Christ. Et il en était fier. Il s'offrait aux croix, à toutes les croix pourvu que l'amour l'emporte. N'était-il pas dans le juste puisqu'il était dans l'amour?

Elle profita d'un instant de silence où il reprenait souffle pour lui dire d'une voix minuscule et lasse.

– Edoardo, je suis fatiguée, tellement fatiguée...

Puis, elle s'arracha à lui, au bras qui ne la serrait pas, aux mains qui ne la tenaient pas. Elle courut. Il l'appela. Elle courait toujours. Il tomba à genoux. Il marmonnait « mon Dieu... mon Dieu... ». Elle arrivait là-bas devant la chapelle. Il avait perdu. Et il était perdu. Mais il lui restait encore des forces... Il allait l'enlever! Il se remit debout et marcha. Dans la chapelle, ils l'attendaient tous les deux, assis, chacun à un bout de la table. Lumeni souriait, quand il vit Edoardo, il leva les bras, heureux vraiment de le revoir.

– Je viens la chercher, articula Edoardo.

Lumeni réfléchit quelques secondes avant de répondre d'une voix douce et calme.

– Elle a choisi, mon vieux.

Il était désolé. Désolé d'avoir gagné. Mais enfin le jeu est le jeu. Il débordait de cette mansuétude infecte du vainqueur pour le valeureux, malchanceux adversaire, qui était la sienne lors des matches de tennis au parc Impérial avant la guerre, du temps où le beau monde tournait rond et où lui, Joachim Lumeni, soignait ses patients entre deux sets gagnants. Edoardo se rapprocha de la table, le plus près possible. Une fois qu'il aura capté le regard de Gloria, il plongera le sien à l'intérieur avec toute sa force immense et alors elle se lèvera, le suivra, ils sortiront ensemble et Lumeni ne pourra rien faire ni rien dire. Mais il ne happa que l'ombre. Gloria détourna son visage, déroba ses yeux. Lumeni gentiment l'éloigna de la table en le prenant par les épaules. Cette fois, c'était fini. Il ramassa en titubant le peu d'affaires qui traînait. Il était saoul, saoul de paroles, saoul de meurtrissures, saoul de lui-même. Avant qu'il ne franchisse le portail, Lumeni l'appela...

– Restez avec nous. On est bien, là, tous les trois! Vous ne savez même pas où aller... Ridicule. Pas vrai, ma douce, que c'est stupide?

Edoardo ne se retourna pas. Pour rien au monde il n'aurait voulu qu'ils puissent croire que c'étaient des larmes sous ses paupières.

Il suivit des chemins qui n'en étaient pas, tomba dans des fossés, mais le mal le hantait si fort qu'il en oubliait les blessures du corps. Il était son plus terrible ennemi et la souffrance lui paraissait le prix à payer.

Il sut que désormais les hommes étaient loin lorsque après des jours et des nuits de marche il aperçut une forme aux couleurs d'alcool ambré. Il s'arrêta net, la bête fulgurante déboula sous ses yeux. Un froissement de feuillage et ce fut tout. Un chamois. Un jeune, un beau chamois comme ceux que son père et ses amis partaient tuer à l'automne, fusil sous le bras et *grappa* dans le gosier. Pour la première fois depuis sa fuite, il ressentit très violemment un sentiment de solitude. Un brouillard opaque et visqueux engluait la montagne, impossible d'évaluer les distances, les arbres noyés se profilaient minces et effilés telles des épées charbonneuses. Cette fois, il était bel et bien perdu dans un autre monde.

Il cherchait un village, il trouva une grosse maison trapue, agrippée au sol. Une maison vivante avec de la fumée qu'il avait aperçue bien avant de découvrir la bâtisse. Il frappa à la porte, des coups longs, des coups secs. Il se le jurait, il n'irait pas plus avant. Il frappait encore lorsque la porte s'ouvrit. Une masse toute noire. Il lui fallut quelques secondes pour reconnaître qu'il s'agissait d'une femme. Une géante à la trogne violette. Elle devait peser dans les cent kilos. Entre elle et les battants de la porte, il n'y avait l'espace que pour deux chatons curieux et minuscules. La femme observa Edoardo en baissant une tête énorme comme si elle contemplait un jouet cassé.

– Qu'est-ce qu'y a?

Elle avait une voix de barrique vide dans laquelle s'engouffrait la tempête.

– J'ai faim, j'ai froid, je veux rejoindre les hommes dans la montagne.

– Les hommes dans la montagne... Quels hommes?

– Je veux...

Elle s'effaça ou plutôt recula. Une cuisinière au centre de la pièce crachait des flammes, le reste était plongé dans une pénombre parfumée à l'ail et au pipi de chat. Sans demander l'avis du monstre, Edoardo plongea dans un fauteuil déchiqueté.

– Pas là, malheur!

Edoardo bondit et faillit buter sur la cuisinière chauffée à blanc.

– C'est la place de mon mari, ça... Mets-toi là...

Elle désigna une chaise de paille en lambeaux. Sans discuter, Edoardo s'installa.

– T'as faim alors?

Il fit oui de la tête, la géante jeta une poêle sur la cuisinière, dans la poêle de l'huile et dans l'huile des oignons et des œufs, beaucoup d'œufs. Il n'en croyait pas ses yeux. Une omelette. Enorme! Elle la lui servit avec un quignon de pain poussiéreux.

– Tiens, mange...

C'était bon, ça lui brûlait la langue, le palais, la gorge, ah, ça ne faisait rien! Il trempait le pain dans le jus jaune, s'engloutissait de grosses bouchées dégoulinantes, il mâchait, la bouche fendue de bonheur. L'omelette fondante et baveuse pissait entre ses doigts, tant pis, il la rattrapait à la régalade.

– Mon fumier, tu bouffes...

Il fit oui de la tête, en craquant de jouissance dans son pantalon.

– Tu veux du pinard?

Il fit encore oui, l'estomac plus lourd qu'un tombereau de cailloux. Le monstre lui tendit un verre de vin épais, rouge comme du sang frais, un vin pour travailleur de force qui plombe les jambes d'une seule lampée. Il en avala deux verres coup sur coup. Jamais au grand jamais, il n'avait eu pareillement conscience de son corps, de la plénitude dense, entière de tout son être. Dans sa générosité, il aurait sauté au cou de la géante, il se contenta de lui parler.

– Votre mari va bientôt rentrer?

– Mon mari, couillon! il est mort...

– Ah! Je croyais...

Elle se servit du vin pour elle aussi mais dans un verre plus grand, plus large, quelque chose proche de la chope.

– Mort à la chasse, je l'avais prévenu, je sais l'avenir moi, raide il est tombé, le cœur, plouf, ah! ah! ah! j'en rigole encore, le salaud, ils ont failli crever pour le ramener, c'est qu'il pesait son poids Tony. Bien fait pour eux.

Devait-il ponctuer ou rester bien sagement à attendre la montée du sommeil? De toute façon, elle avait l'air de se foutre complètement de son opinion et de ce qu'il pouvait dire ou ne pas dire. Elle ne le regardait même pas, moitié rigolant, moitié tonnant, elle se balançait d'une fesse sur l'autre, parfois le ricanement se transformait en hurlement de buffle, alors la baraque sursautait, les chats, il en sortait de l'ombre par dizaines, se sauvaient en miaulant, la cuisinière poussait un gémissement plaintif. Le monstre remplissait à ras bord sa chope, Edoardo tendait son godet, il avait soif.

La géante cala ses pieds de chasseur alpin sur le rebord du feu. Elle chantonnait maintenant. Puis brusquement :

– Ils sont venus, ils sont partis, ils reviendront. On s'en fout! Moi j'ai mes chats, ils me suffisent. Les autres peuvent rester où ils sont... Pas vrai? Ils me prennent tout merci et adieu... Ils croient peut-être que je les attends? Hein, sûr qu'ils croient ça. Que je vais les attendre! Peuvent crever oui. Ah, ça oui, crever! Ils reviendront, je serai là... Vivante! J'en ai vu d'autres, guerre ou pas. Ceux qui viennent, ceux qui partent. Toujours la même histoire. Je m'en fous. Moi je suis là.

Edoardo dans une demi-somnolence lui demanda qui venait, qui partait. Elle leva la tête vers lui, poussa un grognement, se hissa péniblement, vacilla un court instant. Debout, elle transformait l'immense pièce en crèche pour nains. Sa sortie provoqua un tremblement de vieux meubles ratatinés. Sur sa chaise défoncée, Edoardo sombra dans un profond sommeil, bercé de vin et d'œufs moelleux.

Il la retrouva sur le seuil dans la nuit. Elle était immobile, assise sur un tabouret, sauf ses mâchoires en perpétuelle mastication.

– Vous n'avez pas froid madame? Il faut rentrer.

Elle ne l'avait pas entendu ou fit comme si. Il ne savait que faire, la laisser là, lui tenir compagnie? Enfin, elle se redressa douloureusement en s'appuyant contre le mur. Tous deux rentrèrent dans la cuisine, le feu battait de l'aile. Depuis combien de temps attendait-elle dehors? Et qui attendait-elle raide et impassible? Elle remit du bois dans le fourneau et sans un mot se mit à préparer à dîner. D'abord pour les chats, une pâtée de mie de pain trempée dans un peu de lait avec quelques morceaux d'un jambon qui pendait accroché dans la pénombre.

– Je peux vous aider?

Non, il ne pouvait pas. Savait-elle seulement qu'il était là, debout, derrière elle, légèrement inquiet mais si confortable dans la chaleur de la cuisinière repartie à un train d'enfer? Puis ce fut le repas. Les parts étaient pour deux. Une poignée de patates et de lardons bien gras, le tout mijoté au coin du feu, à l'étouffée sous un couvercle. D'un sac crépi de vieillesse, elle sortit une chose informe, mi-chaussette, mi-édredon, puzzle délirant aux à-plats de couleurs ardentes et féroces. Il l'observait tricoter son étendard fou avec un sentiment étrange de répulsion et d'attirance. Comment pouvait-on posséder de tels yeux scintillants dans le lac d'un visage si blanc qu'on pouvait le prendre pour une pâte recouverte de farine avec de légers poils noirs sous le nez comme les débuts sans cesse recommencés d'une moustache impossible? Elle avait toujours de la peine à changer de position, à se dresser, se courber, mais l'effort initial accompli, ses gestes devenaient d'une mobilité étonnante. Du simple mouvement de tricoter, d'éplucher des pommes de terre, surgissait une grâce indéfinissable, une vélocité aérienne. La beauté chez elle naissait de la précision, de l'harmonie d'un bras fendant l'air, de la souplesse d'une main balayant la table, de la justesse de chacun de ses gestes avec l'imposante immobilité de l'ensemble.

Ils dévorèrent les patates au lard sous le regard lointain des chats. Le silence ne gênait pas Edoardo, il y trouvait au contraire refuge. Demain il partirait mais cette nuit il dormirait à l'abri, se ferait une place douillette au milieu des chats sous la protection de la dame. En l'évoquant c'était le mot qui lui venait naturellement : la dame. Bien sûr, il y avait la nourriture, la chaleur, le confort mais pas seulement, et c'était la raison pour laquelle le silence lui convenait. Depuis longtemps, il n'avait ressenti une telle curiosité et il se demandait bien pourquoi un tel appétit de vivre. Le dernier lardon mâché, la dame lâcha :

– Le café, ils me l'ont tout pris...

Désolée, elle fit un grand geste du bras et de la main en refermant les doigts, qu'il comprenne comment on lui avait raflé le précieux nectar.

– J'ai du chocolat. Je peux le faire fondre.

– Va pour le chocolat.

Elle fendit deux grosses barres dans une casserole, ajouta de l'eau et un peu de lait.

– Le lait, je le garde pour les minous, le lait c'est toute une histoire. Au village, ils refusent de m'en vendre. Les salopards... Voudraient me voir morte de faim. Mais tiens...

Elle refit un grand geste du bras avec cette fois l'autre main en travers.

– J'en trouve du lait... Les salopards... J'en trouve.

Le chocolat n'était pas fameux, ils durent le boire à la lueur du fourneau. La géante avait soufflé les bougies d'un jet de salive précis. Ils appuyèrent leurs godillots contre le poêle, lui et elle, côte à côte. Et il se demanda s'il avait fait autre chose toute sa vie que de s'installer dans la pénombre chaque soir à côté d'une géante et d'attendre que ses pieds rôtissent, que ses jambes soient parcourues de fourmis, que son estomac repu digère sous la quiète chaleur des flammes rouge et jaune d'une cuisinière ancestrale. Il allait s'endormir quand elle parla, peut-être était-ce le fait qu'il la distinguait à peine mais sa voix lui parut plus légère, féminine, mon Dieu oui, féminine!

– Dis-moi, tu me prends pour une paysanne! Si, si, une grosse paysanne...

– Pas du tout.

– Silence!

Edoardo se cala plus confortablement, il souriait caché par l'obscurité.

La géante reprit de sa voix nocturne :

– Tu sais, ils m'ont aimée les hommes. Le chef de partie, à la roulette, au casino de Monaco... Il était tout petit, ça fait rien, il savait m'aimer. Ah ça oui! Je te parle de lui, un exemple, il y en a eu tant, des grands, des gros, des maigres, des forts, des poitrinaires, des très vieux qui sont morts en sortant de mes beaux bras... Ils sont beaux, n'est-ce pas mes bras?

Elle les faisait danser et voltiger au-dessus de sa tête.

– Oui, ils sont très beaux, fit Edoardo.

– Les bras, le reste aussi. Je me suis fait payer, c'est vrai et alors? Tout ça c'était avant Tony bien sûr. Naturel qu'ils payent, j'étais si grande et si belle et eux, si petits, si moches, si riches... J'étais à Monte-Carlo, à Cannes, à Nice, à Saint-Raphaël, partout. Je me suis beaucoup agitée, c'est fini maintenant. Aujourd'hui, je ne bouge plus. Ce sont eux qui vont et viennent. Moi, je suis là, assise, peuvent entrer et sortir du moment qu'ils ne me touchent pas, ni mes chats. Ils m'ont dit : « Reste là... », hein, comme si j'allais partir. Pour aller où? Je ne regrette rien, d'ailleurs j'ai jamais regretté, c'est drôle ça hein? jamais, n'est-ce pas que c'est drôle?

– Non, c'est bien.

– Bien, tu crois?

– Je pense, oui.

– T'es un malin, toi.

Il l'entendit gémir, il croyait même percevoir le grincement de ses membres comme mus par une poulie rouillée. Debout, léchée par les flammes, elle se confondait avec son ombre gigantesque projetée au mur.

Edoardo s'allongea sur de vieilles couvertures derrière la monumentale cuisinière. Son lit à elle se trouvait dans les profondeurs ténébreuses. Le sommier grinça sous son poids. Elle poussa un dernier grognement et ce fut tout. Il s'endormit aussitôt malgré les chats qui venaient à tour de rôle renifler celui qui avait osé chiper leur repaire favori.

Le lendemain il resta et le jour suivant aussi. Il ne demanda pas la permission à la dame. Après la première nuit, dès l'aube, elle lui avait tendu un breuvage de chicorée et de grains grillés. Il avait sa place. Avant les chats. Un pacte muet d'autant plus précieux que ni l'un ni l'autre n'en connaissait la teneur. Les journées se dévidaient sereines, telles les notes d'une partition jouée des milliers de fois. Le matin, elle allait et venait entre deux chats, deux affaires à ranger, deux assiettes à laver. Elle chantonnait, grommelait et parfois même parlait mais de toute évidence ses paroles ne nécessitaient aucune réponse. En vérité avant l'heure de la mise en route du déjeuner, elle ne bougeait que pour cacher une inactivité quasi complète. Une fois les chats nourris, le reste, ménage, vaisselle, importait peu. Faire semblant de s'y atteler suffisait largement. La fébrilité de l'attente commençait dès la dernière bouchée du repas de midi engloutie. Alors, il pouvait pleuvoir, geler ou le ciel se pendre à la cime des arbres, la dame s'installait dans son fauteuil d'osier usé juste devant le pas de la porte. D'une immobilité de meule mais l'oreille et les yeux attentifs, les mâchoires broyant un éternel bonbon absent. L'attente durait jusqu'à la tombée de la nuit et souvent se poursuivait dans le noir qui finissait par l'absorber. Lorsqu'il ne lui était plus possible de la distinguer et seulement alors, Edoardo sortait la chercher et la ramenait à l'intérieur en la soutenant délicatement par les épaules.

Essoufflée, elle annonça en se laissant chavirer.

– La neige!

Les premiers flocons tombèrent en fin d'après-midi, d'abord si légers et espacés qu'on crut qu'ils ne dureraient pas. Avant la nuit, ils s'épaissirent, un rideau continu, ample fermait l'horizon. Les chats se regroupèrent autour du fourneau, le silence à l'intérieur des murs avait pris une telle intensité qu'on aurait pu croire que la neige tombait là aussi, ensevelissant sous la même ouate le dedans et le dehors. Tant qu'il fit assez de jour pour voir à travers les carreaux, les mouches blanches s'affalaient délicatement, ils restèrent debout à regarder comme deux enfants fascinés. Avec la neige, tout changeait. L'attente se fit si précise qu'elle prenait des allures d'entité, s'immisçant partout, du fauteuil interdit au fourneau, de la chaise en lambeaux au vide noir du fond de la pièce. Ils n'étaient plus seuls. Dans cette attente à couper au couteau, il y avait déjà les autres. Peut-être leur présence était-elle plus encombrante que s'ils avaient été là plantés au milieu? Ils mangèrent sur le pouce, Edoardo fit la remarque qu'il n'avait pas de train à prendre. Elle se colla à la fenêtre sitôt la dernière cuillerée de soupe avalée. Pour fêter l'arrivée de la neige, elle avait préparé une soupe de choux bien épaisse, un vrai plaisir. Elle y avait à peine goûté. Que pouvait-elle voir? Rien, il faisait bien trop sombre pour repérer les flocons. A peine si on distinguait une mousse grise s'épaississant sur le terre-plein. Edoardo resta avec les chats qui s'étaient habitués à lui. Ils l'escaladaient et ronronnaient sur ses genoux.

A force, ses jambes défaillirent, elle se détourna à regret de la fenêtre où son haleine laissa une buée fumante. Mais elle ne se coucha pas. Elle sortit son ouvrage et se mit rageusement à le triturer à coups d'aiguilles grosses comme le doigt. Son visage renfrogné où le nez trop long élevait une paroi abrupte la rendait opaque, heureusement il y avait les yeux, deux agates phosphorescentes parcourues d'impatience. Edoardo jugea qu'il valait mieux la laisser, une fois allongé dans son antre, il lui lança un bonsoir le plus naturel possible. Elle ne prit pas la peine de répondre, les aiguilles sans répit cognaient l'une sur l'autre. Elle tricota jusqu'à l'étouffement des dernières braises, ne se décidant à rejoindre son matelas qu'au noir le plus complet. Elle passa au-dessus de lui, son tablier déplaçait un air glacial. Elle traînait les pieds plus que de coutume.

– Rachel! Rachel!

Une cascade de coups violents assenés contre la porte, la fenêtre, les murs. Edoardo se réveilla en sursaut. Ils étaient là, givrés et barbus, blancs et noirs comme des rois mages avec des mitraillettes pendues sur la poitrine. Ils étaient jeunes, engoncés de bonnets, de pull-overs, de canadiennes, de grosses culottes de velours, le visage dissimulé par des écharpes laissant juste la place aux naseaux fumants. Pas rassurants avec leur barbe touffue de jungle charbonneuse, leurs pognes gantées de cuir et surtout leur regard vibrant d'une lumière froide sans reflet. Un regard en deçà de la pitié, pas même féroce, inhumain.

– Qui c'est celui-là? demanda d'une voix sans timbre celui qui était le plus avancé.

– Un ami, un ami, répondit Rachel.

Exubérante, elle voulut débarrasser les quatre hommes de leurs bardas. Ils la repoussèrent. Elle se figea, vexée à en pleurer. Ils continuaient de regarder Edoardo fixement. Il n'y avait pas de menace dans leurs yeux. Pour eux, il était déjà mort. D'une main Edoardo maintenait son pantalon, de l'autre il boutonnait le col de sa chemise. Avec toutes ces contorsions, il avait du mal à se maintenir droit sur ses jambes. L'homme qui avait déjà parlé, le plus vieux apparemment, s'avança, il tenait un énorme revolver à deux mains.

– Ne bouge pas!

Edoardo avait réussi à boucler sa ceinture, il s'immobilisa. L'autre avançait toujours. Ils vont pas m'abattre comme ça! Il fallait s'expliquer, parler. Il était paralysé. L'autre braqua la gueule noire du revolver droit sur son visage à quelques centimètres.

– Ouvre la bouche.

Il tenait l'arme bien droite, le doigt sur la gâchette. Il va tirer... Il va tirer... Insensiblement, il sentit ses mâchoires se décoller, ses dents craquer, il ouvrait la bouche comme on le lui demandait, comme on le lui ordonnait.

– Plus grand, jeta l'homme d'une voix où la jubilation commençait à pointer.

Le canon frôla ses lèvres, un goût d'huile et de métal envahit sa gorge et son nez, la même odeur que celle des soldats de plomb de son enfance quand sa mère lui défendait de les porter à la bouche.

– Vous êtes fous!

La géante se précipita, d'une poigne de lutteur elle balança sur le côté l'homme au revolver. Dressée, bras tendus dans la buée s'échappant d'elle comme d'une locomotive, personne non vraiment personne n'aurait pu se mettre en travers de son chemin. Elle éructait :

– Puisque je vous dis que c'est un ami. Je m'y connais en amis.

– Oui, mais nous on ne sait pas d'où il sort.

L'homme au revolver baissa son arme, les trois autres s'approchèrent. Edoardo vacilla, Rachel le retint d'un bras. Ils allumèrent des bougies et déboutonnèrent leur canadienne. Rachel fit réchauffer la soupe. Elle parlait. Ils se taisaient, dos tourné à Edoardo. Maintenant il n'existait plus. L'homme au revolver, le chef, se faisait appeler Jo. Débarrassé de son bonnet, l'écharpe rejetée, il faisait à peine plus de vingt ans, traits épais, cheveux crépus, semblables à ces garçons de café têtus et besogneux qui foncent tête baissée, des plateaux toujours trop chargés sur les bras. Les trois autres sortaient à peine de l'adolescence, sans leur barbe on les aurait pris pour des enfants efflanqués. Ils avalèrent deux assiettes de soupe chacun, entre deux goulées ils trempaient de gros morceaux de pain dans le liquide. Rachel se plaignait, ils étaient restés trop longtemps sans venir, c'était pas gentil. Jo fit remarquer que c'était la première fois qu'ils venaient. Pas possible!... Lui ou les autres, quelle importance! Ils savaient tous qu'ils pouvaient compter sur elle.

– Ça ne t'empêche pas de recevoir des inconnus, quelqu'un qui n'est pas du pays, fit remarquer Jo en engloutissant une bouchée de mie de pain.

– Quel inconnu?

– Lui, tiens.

– Mais je vous dis que c'est un ami.

– Tu le connais depuis quand?

– Je ne m'en souviens plus... C'est des détails ça.

Jo reposa sa cuillère et fixa de son œil sans lumière la géante.

– Tu sais ce qu'on dit là-haut?

Elle ne répondit pas.

– On dit que tu es folle.

Rachel partit d'un énorme éclat de rire.

– Mais qu'on est bien forcé de te faire confiance, continua Jo.

Il y avait du regret et du dédain dans la façon dont il laissait tomber les mots. Voulait-il manger autre chose?

Rachel les couvait tous les quatre d'un regard flamboyant comme si elle avait allumé une flopée de lampions au fond de ses yeux. Mais ils ne voulaient plus rien manger, non ils ne dormiraient pas là, oui ils partaient. Mais avant...

– On a quelque chose pour toi, Rachel, dit Jo en remettant sans doute pour faire plus chef son bonnet de laine, enfin quelqu'un, une femme blessée, nous on ne peut rien en faire, ni la garder, ni la descendre. Une passeuse de juifs, ils ont été surpris à la frontière par les Boches, la plupart ont filé mais elle avec sa balle dans la patte... Ça fait huit jours maintenant. On a pensé à toi.

– Où est-elle?

– Là, dehors.

– Dehors!

– T'en fais pas, elle est au chaud.

Rachel était déjà debout, les autres reboutonnaient leur canadienne.

– Pourquoi ne l'avoir pas amenée avec vous?

– Fallait voir, fit Jo en glissant son revolver dans son ceinturon.

– C'est vous qui êtes fous, oui!

Elle ouvrit la porte en grand, de la glace et de la nuit s'engouffrèrent dans la pièce. Le noir, rien que le noir. Un des hommes alluma une lampe de poche, un monticule plus qu'à moitié enseveli sous la neige se profila contre le mur. Rachel se précipita. Il fallut ôter la neige épaisse à pleines mains. Enfin apparut une couverture sillonnée d'une pellicule mousseuse. Les hommes soulevèrent la civière et vinrent la placer devant la cuisinière :

– Salut, on s'en va maintenant, dit Jo.

– D'accord, d'accord, allez-y. Dites, et si elle meurt...

– Débrouille-toi, c'est pas la place qui manque...

Constellée de perles liquides, livide, lèvres fanées, paupières fermées, minuscule figure de poupée jetée aux frimas, Madeleine dormait d'un sommeil polaire où n'avaient plus cours les rêves. Depuis son arrivée dans la baraque, Edoardo savait que l'indicible le rejoindrait d'une façon ou d'une autre. Il n'était pas surpris. Il s'approcha du visage de porcelaine, lisse, si atrocement lisse. Il embrassa les lèvres de carton glacé. Il ne lui restait que la possibilité d'être fort. Pour commencer, il la ressusciterait, il l'aimerait, ce n'était pas la peine de le jurer, c'était quelque chose de beaucoup plus définitif, c'était dans sa respiration et son souffle, dans son cœur et ses tripes.

Rachel eut des gestes simples, les gestes qui réchauffent, les gestes qui frottent, les gestes qui huilent, les gestes les plus doux de l'amour. Elle ôta des vêtements couverts de sang et de souillures, lava les membres recroquevillés à grande eau bouillante directement du fourneau de la cuisinière sur les cuisses, le ventre, le sexe d'un corps semblable à tous ceux que la guerre largue le long des routes, anonymes, recouverts de poussière, zébrés du vol des mouches, flasque abandon où l'âme s'est endormie. Madeleine vivante ressemblait à toutes les mortes jeunes ou vieilles livrées à la boue. Il voulut aider. Rachel refusa, c'était son travail de femme. Alors il se détourna pour ne pas gêner. Mais quand elle arriva à la blessure boursouflée, il se força à regarder sans frémir. Au bas de la cuisse, d'abord un trou où stagnait un liquide jaunâtre puis, de chaque côté, deux ravines de chair lapidée peuplées d'excroissances au lugubre reflet grenat. Des bouchers avaient extrait la balle sans aseptiser, qui sait, sans endormir, au vif de la douleur. Charcuter, pour ainsi dire violer, la douce...

– Tu la connais? fit Rachel en improvisant un pansement dans une vieille chemise de nuit du temps des splendeurs.

– Je la connais oui, je la connais...

Il refoula les sanglots. Il ne pleurerait désormais que de joie et d'émotion, jamais plus de ressentiment.

Effleurant d'un gant chaud la plaie, Rachel marmonna :

– On va essayer... peut-être bien.

Madeleine ouvrait les yeux et les refermait aussitôt,

l'espace d'une seconde surgissait la terreur. Une terreur entière venue des abysses, si loin de la conscience qu'elle épouvantait, déclic fulgurant suivi d'un retour à un sommeil de pierre. Ils passèrent la nuit autour de la civière, des heures aussi longues que des journées. Tantôt Rachel dormait sur une chaise, tantôt debout entre deux bouilloires d'eau chaude, éveil et sommeil se succédant dans un territoire où la conscience demeurait aux aguets. Edoardo s'aperçut qu'il ne pensait plus ou plutôt à n'importe quoi, des mots, des scènes défilaient dans sa tête, procession grotesque à la frontière du cauchemar. Le jour se leva avec une infinie lenteur. Des flocons attardés voletaient à la recherche les uns des autres. Rachel, dès la première pointe de ciel livide au-dessus des arbres, enfila sa cape et disparut dans la neige. Edoardo resta assis sur la chaise entouré des chats graves et immobiles. Madeleine pénétra dans une zone plus profonde d'inconscience où s'abolit le clignotement organique des regards éperdus.

La géante revint avec des herbes. Où les avait-elle trouvées? Une litanie où se confondaient les saints et les démons, toute une brassée de gargouilles et de sorcières qu'elle écrasa, pila, effeuilla, fit bouillir, mixture à l'odeur de bois mort et de champignons éventés. Des coulées vertes furent étendues sur l'horrible plaie, le sang des crapauds et celui d'autres bestioles soigneusement mêlés à des cataplasmes mystérieux. A un moment, la cuisse entière fut enduite de terre et de plantes séchées. Rachel triturait, malaxait, elle agissait vite, parlait peu, les mains sans cesse occupées. Tout le jour et une partie de la nuit suivante elle travailla le corps inerte, puis elle s'écroula, endormie, les mains poissées d'une mélasse aux relents de sauge. Pour la première fois depuis le matin, Edoardo porta les yeux au-delà de la fenêtre, il neigeait si fort que la nuit elle-même en paraissait blanche. Madeleine respirait plus facilement, ce n'était pas une illusion, la poitrine se soulevait calmement, posément, un rythme étale. La fièvre était tombée, le front était tiède, légèrement humide. Dans la nuit, elle soupira et émit quelques sons inarticulés. Elle revenait! La vie revenait. Timidement, peureusement, mais elle revenait. Il se permit un peu de sommeil. Se réveilla immédiatement. Il marcha de la fenêtre au fond de la pièce. Qu'elle guérisse! A chaque claquement des semelles sur la terre battue, qu'elle guérisse! Tant de morts, de Stalingrad à Monte Cassino, alors pourquoi elle, elle en rab, pour rien, par erreur... Jamais de rémission? Au malheur, le malheur toujours. Eh bien non, il se permettait la folie de l'espoir jusqu'à la pointe extrême de l'espérance, là où acculée elle cède ou se brise. A l'aube, au détour d'une allée et venue, il vit les yeux de Madeleine grands ouverts qui le suivaient. Il poussa un rugissement. Madeleine souriait. Oh, juste un plissement des lèvres. Il vint près d'elle, lui saisit les mains et les porta à son visage. Deux mains tièdes, que cela, une éternité. Il ne les embrassa pas, il les maintint contre son visage, ce fut tout.

Rachel, jambes écartées, profilait son ombre immense sur les deux, là, dans leur adoration.

– Alors ma puce, je t'ai guérie... On va s'occuper de toi, tu sais.

Madeleine fit un signe de tête et referma les yeux. Ce fut le long temps de l'après-midi où la fièvre revint moins forte cependant que la veille. Le gel succédait à la neige. La cuisinière malgré ses ronflements avait du mal à suivre. Le froid cognait de tous les côtés. Un moment, le crépuscule embrasa la pièce, un crépuscule de givre qui serrait le cœur.

– Rachel, elle guérira, n'est-ce pas?

La géante cessa un instant de pétrir la pâte aux herbes.

– Si nous le voulons et si elle le veut très fort...

Deux nuits, deux jours encore, Madeleine venait, souriait, levait la main, caressait les joues et les lèvres d'Edoardo et repartait sans prononcer une parole. La fièvre chutait la nuit et grimpait le jour. Rachel chercha d'autres herbes, malaxa d'autres compositions. Edoardo inventait l'avenir, il emmenait Madeleine à Ferrare, lui faisait visiter le *palazzo* d'Este, le palais des diamants, mille choses... Il l'invitait chez lui dans la grande maison où sa mère préparait la *salama da sugo,* cinq heures de cuisson... Madeleine découvrait le vin rouge du Pô au goût de fleurs. Ils faisaient du vélo sous les ombrages et les *sfatti,* tous les désoccupés du corso Giovecca en crevaient sous leur allure molle de mépris vulgaire. Au cinéma, ils allaient voir le beau Cary Grant et l'écoutaient parler avec l'accent de Rome. Ils restaient aux deux séances. A la sortie, ils s'offraient des glaces sous les arcades tandis qu'il lui expliquait pourquoi un travelling pouvait être aussi beau et en dire autant, sinon davantage, qu'un dialogue réussi. Elle buvait ses paroles, alors il l'embrassait pour cacher sa gêne. Le soir, et ce serait un soir d'été, ils boiraient un verre de vin blanc légèrement suave, et rentreraient par les rues désertes et tranquilles. Comme ils auraient trop envie de faire l'amour pour avoir faim, ils se coucheraient, la fenêtre grande ouverte sur le corso Ercole-Ier où les jardins fous de toute la chaleur du jour exhalaient un parfum de poivre et de pollen sauvage. Il n'y aurait aucun bruit, seule la rumeur de leur souffle exalté se confondrait aux chants paresseux des oiseaux de nuit. La guerre serait-elle finie? De toute façon, elle ne serait pas là. Le lendemain, ils iraient dans la campagne dévorer des fruits. Madeleine se tordrait les pieds sur les pavés rugueux des ruelles, il la consolerait. Ils vivraient l'amour et seulement l'amour, le passé se confondrait avec une existence vécue par d'autres qui leur ressembleraient et qui ne serait pas la leur. Et pour mieux exorciser les démons, il écrirait leur histoire. Il ne cacherait rien. Tout dire sur celle des ténèbres et des passions, celle qui l'avait envoûté et fait dégringoler les marches de l'enfer, celle de la guerre, celle du mal, celle aussi de la séduction et de la volupté. Oui, il ne cacherait rien. Madeleine allongée dans la demi-pénombre le regarderait écrire, défiant à l'aide de mots le ressac du malheur. De temps à autre, aux heures chaudes, elle viendrait à travers les volets suivre la délicieuse immobilité de ceux du café d'en face. A Ferrare, rien ne change ni ne bouge. Pour vieillir, aux pierres, il faut des siècles. Ils auraient le temps avec eux, le temps d'abolir la mémoire. Il se lèverait et viendrait l'embrasser, ses lèvres auraient un goût de prune. Oui, décidément, tout serait parfait.

Le lendemain, il gelait si fort que l'eau fut solidifiée dans les seaux. Le soleil réverbérait une clarté de glace. Sous la morsure du ciel, le bois craquait et geignait. Les chats avaient décidé de dormir pour se tenir chaud. Edoardo somnolait frileusement quand Madeleine parla pour la première fois. Elle l'appela si doucement qu'il crut rêver, ils étaient tous les deux dans la moiteur de Ferrare au bord de l'eau ou bien encore dans la chambre aux volets tirés. Elle prononça son nom plus fort. Il se redressa d'un bond et s'avança prudemment de peur que le choc de ses pas n'annihile cette réalité plus fragile que le plus miraculeux des rêves. Il vint se blottir dans un pli de son bras jeté hors des couvertures. A voix basse, il lui dit les mots d'amour, tous les mots d'amour, les plus bêtes, les plus doux. Il lui dit merci d'être là et de parler, merci de guérir, merci d'être un ange. Il y eut un long silence, il leva les yeux... Un ange certainement mais l'ange mélancolique des icônes dont on ne devine l'inaltérable tourment que par la détresse voilée de pitié du regard. Il le sut immédiatement, Madeleine était passée par le désespoir absolu. Et ses mots, ses pauvres mots n'y pouvaient à jamais rien. Il lui fallait se taire, vivre cet instant ressuscité d'entre les morts et jucher son amour hors des limites où la culpabilité enfonçait ses poignards. Il se souleva et sourit comme il l'aurait fait là-bas à Ferrare par un splendide matin de soleil rose. Il l'embrassa rapidement, un baiser de grand frère sur le front. Ce fut Rachel qu'il serra de toutes ses forces l'entraînant dans une danse d'ours qui terrorisa les chats. Elle l'avait sauvée! Elle était la plus grande, la plus belle, elle était reine. Il lui baisait les pieds. Rachel préféra ausculter la blessure, l'enflure était toujours présente avec des excroissances aux couleurs de fleurs malades. Elle remarqua aussi toute une série de zones d'ombre s'inscrivant dans la peau tendue loin de la plaie elle-même en remontant vers le haut de la cuisse. Elle ne dit rien et fit réchauffer un peu de bouillon de poulet préparé la veille. Madeleine but quelques gorgées du liquide bouillant puis elle retomba en arrière. Edoardo la souleva, remit en place les coussins à chats qui servaient d'oreillers, lui essuya le visage avec une serviette d'un mouvement très doux. Elle se laissait faire, yeux fermés, quand il eut fini, elle chuchota.

– Laura est passée, tu sais... Elle était dans le groupe de tête. Les Allemands sont arrivés... Ça s'est mis à tirer... Ce que je suis contente, elle était avec des gens bien, ils ont dû s'occuper d'elle de l'autre côté...

Elle voulut encore raconter mais c'était trop dur, ses lèvres se mouvaient dans le vide, épuisées, il la tint contre lui jusqu'au moment où elle s'endormit, alors avec une infinie précaution, il lissa ses cheveux beaucoup plus longs lui sembla-t-il. Plus tard, à la lueur d'une lampe à pétrole, il s'aperçut qu'ils avaient tout simplement blanchi.

Il n'y eut plus ni jour ni nuit mais une continuité de temps égrené par les réveils et les plongées de Madeleine dans la torpeur. Un sourire, un mot, une cuillerée de potage et à chaque fois ce lourd sommeil plombé par la fièvre. Les heures succédaient aux heures, la mine de Rachel se renfrognait. Edoardo s'était aménagé un recoin à hauteur du visage de la jeune femme. Aux instants où la fièvre battait le plus fort, il lui humectait les lèvres et les tempes avec un gant trempé dans de l'eau vinaigrée. Jamais un seul instant il ne la quittait des yeux, avec la certitude inébranlable que tant qu'il serait là à la regarder il ne pourrait rien arriver. Les retours à la conscience se firent de plus en plus confus, paroles incompréhensibles, œil égaré, mouvements désordonnés, le corps entier comme soudé à une carapace de terreur innommable. L'espoir fondait devant ce visage gris aux narines rétrécies, ces lèvres desséchées par la fièvre, cette sueur qui sourdait inlassablement malgré le gant et les serviettes parfumées à la fleur d'oranger. La part du sommeil se peuplait de ruades, de cris, de gémissements, de draps arrachés, de chemises de nuit déchirées et lorsque le calme revenait, c'était pour faire place à une léthargie spectrale. Un matin Rachel donna un grand coup de pied dans la cuisinière et lâcha.

– Je peux plus rien, j'ai essayé tout ce que je sais, maintenant faut voir les docteurs, les vrais...

Un docteur, il y en avait un pour toute la vallée!

– Il me déteste, avoua Rachel, il m'appelle la sorcière.

De toute façon, il ne s'aventurerait pas si loin même pour sauver une vie.

– J'irai, dit Edoardo. Je l'emmène.

– Folie!

– Je tirerai la civière, je la porterai sur mon dos, s'il le faut mais j'y arriverai.

Rachel commença à préparer des provisions qu'elle empila dans un sac : du chocolat, du sucre, des biscuits et une bouteille de breuvage.

– Tu lui en donneras toutes les heures, très important.

Edoardo pour la première fois depuis des jours franchit le seuil de la bâtisse. La neige gelée était laquée d'une lumière bleue scintillante. Le sommet et les pentes boisées se reflétaient démesurément plus limpides que l'eau d'un lac. Dix kilomètres à dévaler en pente raide sans l'aide de repères, après il trouverait la route ou plutôt sa trace sous l'uniformité blanche. Rachel rajouta dans le sac une Thermos de chicorée.

– Je ne peux t'aider davantage..., finit-elle par dire d'une toute petite voix qu'il ne lui avait encore jamais entendue. Il faut que je sois là, tu comprends?

– Je comprends, tu as fait plus que personne au monde, Rachel.

– On sait jamais quand ils viennent... Alors je les attends.

– Tu fais bien.

Ils enveloppèrent Madeleine de couvertures, Rachel lui enfila un vieux passe-montagne ayant appartenu à son époux, Edoardo attacha deux grosses cordes à la civière, à l'autre bout il confectionna un double nœud coulant pour passer ses bras. Il tira, la civière bougea à peine.

– Dehors, ça glissera mieux.

Il fit un ballot de ses quelques affaires qu'il glissa contre Madeleine. Il était prêt et son cœur frappait si fort qu'il en devenait sourd. Rachel ouvrit la porte et resta plantée au milieu de la pièce, dos tourné à la monumentale cuisinière, les chats avaient disparu, l'air glacé s'engouffrait en tourbillonnant. Ils saisirent chacun à un bout les brancards, Madeleine pesait une plume. Ils la déposèrent pas très loin de l'emplacement du premier soir où les hommes de la montagne l'avaient jetée. Rachel planta ses gros genoux dans la neige dure qui craqua sous son poids, et brusquement déposa un baiser timide sur les joues de cire de la jeune femme. En grimaçant, elle se releva, elle faisait encore plus noire, plus grande, plus superbe, plus imposante ainsi dressée sur toute l'étendue de la neige. Aux premières lueurs humides au coin des yeux de la dame, Edoardo la pressa et l'embrassa, elle sentait la laine mouillée. Il s'écarta, fit demi-tour et ne se retourna ni sur la maison, ni sur la cuisinière, ni sur le fauteuil du mari, ni sur rien de là où s'était passé ce qu'il croyait être le plus important de sa vie. Il s'empara des deux bouts de la corde, la civière glissa, il avança.

Rachel le suivit du regard jusqu'à ce qu'il ait disparu dans le dénivelé derrière les arbres, alors, les jambes molles, elle sortit le fauteuil de paille dévoré par les chats, l'installa devant le seuil, cala soigneusement sa carcasse, ferma les paupières face au soleil et commença de broyer un bonbon absent.

Dans les parties de neige molle, Edoardo tirait, centimètre par centimètre, sur les pentes glacées il devait s'arc-bouter pour retenir l'attelage. Bientôt la toile servant de fond fut détrempée, les attaches s'émiettaient comme du carton-pâte pourri. Il n'avait pas imaginé le silence où son souffle prenait les dimensions d'une chaudière, la lumière crue, d'acier phosphorescent, qui lui brûlait les yeux, la meurtrissure des cordages sur ses épaules, ses mains que la glace collait au bois des brancards, ses pieds d'abord secoués de mille pointes de feu puis malgré les deux paires de chaussettes étrangement absents. Pas imaginé que chaque effort équivaudrait à une morsure corrodante redoublée, enjambée après enjambée. Il tirait et retenait, il poussait et s'enlisait, il glissait et tombait. A chaque arrêt, il s'assurait que les bras et les jambes de Madeleine demeuraient emmitouflés. Il espérait seulement que dans son inconscience, elle ne souffrait pas trop des courses et des cahots. Il dévoila son visage sous le passe-montagne à la recherche des stigmates de la douleur ou de l'évolution de la maladie. Il ne trouva rien. Il regarda plus longuement, apparurent des crispations, des pincements, une multitude de signes. Il entendit même des soupirs, des gémissements, des appels. Il se frotta les yeux, se concentra, la jeune femme retrouva son masque de marbre. Après plusieurs tentatives, il ne sut plus faire la différence. Survint alors la peur de vérifier. Avance! Avance! Il voulait aller vite. La distance déjà parcourue était dérisoire. Il se jeta en avant, la corde lui mordait la chair à travers canadienne et tricot. Un pas... encore un... Il transpirait en dépit du froid. A ce train-là, Madeleine serait morte bien avant ce sacré village et son docteur prudent qui n'aimait ni les géantes, ni les sorcières, ni rien de vivant au monde, le salaud. Suivait-il au moins la bonne route? Devant lui se dressa une paroi, sans un arbre pour s'accrocher. Cette fois c'était trop, il arracha les nœuds coulants, suspendit le sac de provisions autour de son cou, s'empara de Madeleine, l'enveloppa de couvertures qu'il fixa à l'aide des deux cordes et lentement la hissa sur son dos. Il eut immédiatement la sensation de voler tellement il se sentait libre. Il escalada la paroi avec de la neige jusqu'au-dessus du genou. Il levait une jambe, l'autre, oui il y arriverait... Le corps inerte de Madeleine heurtant son dos et ses reins lui arrachait de la force, aiguillonnait toute son énergie. Et quand il n'en avait plus, il en trouvait encore, l'appelait du tréfonds de son ventre, de ses cuisses, de sa poitrine, l'inventait dans sa tête en feu. Il arriva en haut, il avait gagné! De l'autre côté, toutes les pentes et les arbres dégringolaient dans la vallée. Il tenait la bonne piste. Il voulut courir, ses jambes se dérobèrent, il s'affala, Madeleine poussa un gémissement. Cette fois-ci, il ne l'avait pas rêvé. Calme-toi! Il reprit la descente en freinant des deux pieds. Il voyait trouble de fatigue, la neige lui soulevait le cœur comme une envie de vomir. Enfin le soleil sombra derrière les pins, rouge tout rouge, pareil à une tomate trop mûre... « Va te coucher, fumier! » gueula Edoardo et il se mit à chanter à tue-tête, une chanson de son enfance, une comptine bête à faire pleurer. Brusquement, la température chuta, il en eut le souffle coupé. Depuis le départ, il pensait à un abri où il avait passé une de ses nuits d'errance. Il ne devait plus être très loin. Encore un petit kilomètre, une rigolade, là-bas à l'abri des murs il serrerait contre lui son amour, il le nourrirait, le ferait boire, le réchaufferait, lui raconterait de belles histoires, des histoires d'amour, *les Fiancés, le Rouge et le Noir, Anna Karenine...* « Une tasse de thé? – Servez-vous au samovar mon cher Vronski. Nous sommes tous voués à la souffrance, nous le savons et cherchons à nous le dissimuler d'une manière ou d'une autre. » Il vit poindre une étoile, puis une autre, il leva les yeux, le ciel en était cousu. Comment Madeleine pouvait-elle mourir sous un ciel pareil? Si Dieu existe... De telles étoiles... Et Gloria vivante, bien vivante avec son scélérat de Lumeni! Mais tant qu'il la portait, tant qu'il marchait, ne repoussait-il pas la mort? La mort est une question d'inattention, il serait vigilant pour Madeleine, il l'empêcherait de s'abandonner bêtement par lassitude et trop-plein d'iniquité. Il découvrit la lune rutilante, une lune persane pour carte postale. Beau, trop beau pour que ça finisse. Beau, trop beau pour que lui ne tente un jour d'approcher cette beauté insolente. Où serait le sens de tout ça, sinon dans l'émerveillement de la création? Et que savait-il de la beauté et de l'émotion avant Madeleine, avant Gloria? Que savait-il de la beauté avant l'amour, avant la douleur de l'amour? Rien, infiniment rien. Madeleine, pourquoi devrait-elle souffrir? Un ange. Les anges sont l'invention des hommes! Qu'elle était légère cependant, un être humain pouvait-il peser si peu? Il aperçut la bâtisse crevassée nimbée d'une lumière laiteuse. La paille des moutons conservait encore son empreinte. Il fit descendre lentement le long de lui Madeleine et l'allongea dans le sillon de son corps. Sèche, la paille craqua comme au plein soleil du mois d'août. Il lui donna à boire le breuvage de Rachel, desserra ses lèvres, ses dents, frictionna sa poitrine, son ventre, ses épaules, son dos. Les taches sombres s'étalaient au-dessus de la plaie, grimpaient jusqu'à l'aine. A la minuscule clarté d'une lampe de poche, la blessure se creusait en un gouffre béant entouré de monticules menaçants. Il refit le pansement, changea le linge de corps. Il lui parlait tout le temps, des mots tendres, de ceux qu'on murmure le soir aux enfants pour leur ôter la peur. Sans faim, il grignota un biscuit et but de la chicorée. L'odeur lui rappela la cuisinière et les chats, le lit de coussins, la géante tricotant son patchwork sans rime ni raison, la douce chaleur comme un défi au gel et à la neige qui frappaient à la porte. Il ne s'aperçut qu'en se réveillant qu'il avait dormi quelques minutes, son cœur battait follement. Madeleine geignait et bougeait sous les couvertures, il voulut la calmer, elle le repoussa. Il humecta son mouchoir pour le lui presser sur les lèvres, elle se déroba en poussant un cri que l'écho amplifia, sinistre. Il frissonna et se leva comme à l'approche d'un danger inconnu. Elle gémissait, cou tendu, s'efforçant d'échapper à quelque chose d'effrayant qui pesait sur elle, l'étouffait. Il l'appelait son amour, sa reine, lui murmurait de se calmer, de lui serrer la main, d'avoir de la patience, de croire en lui. Elle refusa de reprendre du breuvage, en cracha la moitié, lèvres retroussées dans une grimace de répulsion. Dans ses yeux exorbités se lisait l'épouvante. Elle arrachait les couvertures, il les replaçait, elle les arrachait de nouveau. Elle grelottait. Brusquement ce fut le choc des dents, un crépitement d'os mêlé à un sifflement entrecoupé de râles. Comment des dents, de simples dents, pouvaient-elles faire un tel vacarme? La nuit en semblait habitée, les montagnes, le ciel, les étoiles elles-mêmes claquaient leur mâchoire. Il lui disait d'arrêter. Il lui disait qu'il l'aimait! Mais bon Dieu, il n'avait pas un pauvre malheureux cachet pour faire tomber cette saloperie de fièvre. Il pouvait l'aimer, l'adorer jusqu'à la fin des temps, la fièvre ne tomberait pas d'un degré, elle s'en foutait la fièvre du sentiment. Il s'allongea tout près, saisit ses épaules, elle s'échappa, le corps entier maintenant grinçait et vibrait en proie à un déchaînement de violence. Un mot... Un autre, elle parlait... Un court instant de joie, il crut à une rémission. Mais les mots appartenaient à la fièvre, une cavalcade de syllabes sauvages lancées à la surface d'un inconscient déserté. Aux mots, il répondit par des mots, tentant l'impossible franchissement de la frontière qui le séparait du délire. A chaque balbutiement, il espérait rageusement voir éclater la bulle de démence qui la maintenait prisonnière. Soudain, elle se redressa et lança une phrase entière :

– Il fallait m'aimer Edoardo... Il fallait m'aimer...

Il se précipita et l'enveloppa de ses bras. Elle était trempée de sueur et de salive.

– Mais je t'aime... Oh oui, je t'aime.

– Il fallait m'aimer Edoardo... Il fallait m'aimer...

Il la pressa contre lui en hurlant :

– Je t'aime Madeleine, je t'aime.

Il la serrait à lui faire mal. Elle répéta, le regard fixé sur le mur d'en face :

– Il fallait m'aimer Edoardo... Il fallait m'aimer...

Il vint se placer entre ses yeux et le mur, dirigea le faisceau de la lampe en plein sur son visage.

– Ecoute-moi Madeleine, je t'en prie écoute-moi, je t'aime... Je voudrais être mort... Que tu puisses vivre... Vivre! Vivre!

Elle bascula, son regard devint blanc et vide. Si terriblement vide. Il resta un moment chancelant. Elle l'appelait depuis l'autre côté. Elle lui demandait de l'aimer, le suppliait... Elle avait tant attendu, tant attendu, qu'aujourd'hui, des strates les plus profondes, elle jetait ce râle d'amour, d'amour gâché, perdu, assassiné, sacrifié. Il y eut un long moment de silence. Au plus glacial de la nuit, le visage de Madeleine s'était défait, les pommettes formaient deux rocs pointus sous lesquels la chair semblait avoir complètement disparu, à la place de la bouche s'ouvrait un cratère déchiqueté par où s'échappait un souffle saccadé. Toute son attention rivée à ce fil, le dernier qui la reliait à lui, Edoardo écoutait. Un fil qu'elle trancha pour chuchoter.

– Il fallait m'aimer... M'aimer, Edoardo.

– Je suis là Madeleine.

Il se coucha près d'elle, arrima son corps au sien, cette fois elle ne résista pas. Il n'y avait plus de chaleur aucune, il chercha à ausculter les battements du sang à ses tempes, son cou, au poignet, il ne perçut que l'écho de son propre cœur. Il la berçait et la réchauffait de son haleine. Il raconta une histoire d'amour comme il l'avait promis seulement il mêla les personnages et les trames romanesques, toutes les choses qu'il disait, il les oubliait, il n'avait de mémoire que pour ce souffle aux soubresauts incertains dont il buvait la musique à la source des lèvres.

Au matin, Madeleine s'empara des mains d'Edoardo et les pressa tellement fort que ses ongles s'enfoncèrent dans la chair. Longtemps... Quelques secondes... Il l'appela, l'embrassa, colla sa tête à sa poitrine. Le cœur battait. Il devait battre. Il fallait qu'il batte. Il s'arc-bouta sur le corps, bouche à bouche. Il lui disait : « Vis! Vis! » Il transfusait son âme en elle de tout le souffle de ses poumons. Il lui disait : « Mon amour, je t'aime... Mon amour, je t'aime. » Que cela, rien d'autre. Il entendit Madeleine chuchoter des mots que ses lèvres muettes ne prononcèrent pas.

– Ne me laisse pas partir... Ne me laisse pas partir...

Et il lui répondit tout bas à l'oreille :

– Mon amour, je suis là...

Il la lava entièrement avec de la neige, de ses mains il creusa un trou dans la terre glacée. Parfois, il s'arrêtait et la regardait nue, toute lustrée de soleil. Elle avait la même expression que la première fois endormie sur le canapé, paupières fermées, un sourire timide aux lèvres. Il faisait noir à nouveau quand il l'enveloppa méticuleusement dans les couvertures. Il s'allongea à côté d'elle et par l'ouverture qu'il avait aménagée à hauteur du visage dans le linceul improvisé, il lui raconta une dernière histoire.

Trois mois d'interruption, trois petits mois tout reprenait, repartait, on recollait l'histoire là où on l'avait abandonnée. Au premier tour de manivelle, les jours intermédiaires furent abolis, le seul temps réel, celui du film, réinvestit l'espace. Rien, il ne s'était rien passé. Petit Marcel serra la main d'Edoardo négligemment. Bien, il était là... Normal après tout. Edoardo reprit le porte-voix, retrouva les figurants, retrouva les gestes familiers, retrouva la tête des machinos, retrouva Garance qui lui fit un large sourire, et lui aussi se demanda si effectivement, il s'était passé quelque chose dans sa vie. Parfois il arrivait à en douter. Ce n'était pas de l'oubli mais comme une fatigue de l'esprit à revivre les jours et les heures écoulés. Il préférait se fondre dans l'effervescence générale. On allait bientôt tourner la grande scène finale, des centaines de figurants, des marchands des quatre-saisons avec de vraies frites épaisses et chaudes, des calèches, des orchestres; le Boulevard noir de monde et là-dedans Baptiste cherchant Garance, l'appelant une dernière fois! Suprême détresse, suprême amour. On réunissait des confettis, des kilos de confettis. Les amants se sépareraient parmi la foule en liesse de carnaval. Pour ces déchirements, cette explosion de sentiments égrenés par un concert de vociférations et de joie barbare, rien ne devait manquer, pas un bouton aux habits des pierrots, pas un parement au licol des chevaux, pas un poil aux houppelandes des cochers, pas une fleur aux cheveux des donzelles, pas une touche de vernis aux ongles des gourgandines. Edoardo transmettait des ordres aux costumiers, aux couturières, revenait dix minutes plus tard avec d'autres indications. La journée durait le temps d'une course. Le soir, il s'endormait d'un bloc sans pensées d'aucune sorte. Ce n'était que dans la nuit, au passage des avions durant l'alerte, que les images s'imposaient, elles tourbillonnaient dans le bruit des moteurs, se confondaient avec eux. Il ne descendait jamais à la cave, se contentant de glisser sa tête sous le traversin pour tenter d'atténuer le bourdonnement sinistre. Il repoussait le passé de toute sa volonté tendue, saisi d'une répulsion qui lui faisait pousser des cris étouffés par l'oreiller. Mais le lendemain il se jetait hors du lit avec la rage d'avaler le monde.

Il fait doux et tranquille. La vie d'ici a effacé celle d'en bas. Etre un autre, un autre pour toujours, enfiler le Boulevard du Crime et se perdre, loin, aux colonies, en Amérique... Un aventurier, un comédien, un artiste, un assassin comme ce Lacenaire... Echapper à la grisaille de la guerre, des restrictions, du couvre-feu, des menaces, des déportations, des exécutions.

Le film est devenu l'événement le plus important d'Europe. Les armes se taisent, les soldats attendent. Les jours ne succèdent plus aux jours mais les scènes aux scènes. Les chevaux piaffent, les calèches d'un coup de vernis retrouvent leur allant, les cochers préparent des courses imaginaires à l'autre bout de la ville. Edoardo, costume de gandin, gilet cintré, chemise à jabot, pantalon tuyau de poêle, ne connaît de la guerre que la rumeur. Quand les projecteurs s'éteignent, que les figurants s'en vont, il arpente le monde figé des décors désertés, jusqu'à l'épuisement. En se couchant tout habillé, il lui arrive de penser que peut-être la folie l'a gagné, une sorte de folie douce dans laquelle la réalité se dissout. Un matin il s'apercevra que tout ça n'a été qu'un long rêve, que l'univers dans lequel il lui semble exister appartient au domaine du sommeil. Tout simplement.

Un vent gris s'époumonait dans les interstices, longeait les couloirs des loges faisant vaciller des pans entiers de toiles peintes. Edoardo alluma la rampe d'ampoules au-dessus du miroir. L'illusion dura quelques secondes. Il ferma les yeux, les rouvrit : Garance le regardait! Elle portait une longue robe rouge et des gants noirs jusqu'aux coudes, très maquillée, elle parlait comme on le fait quand on s'adresse à un public. Il lui fallut du temps pour s'apercevoir qu'en fait elle ne parlait pas mais chantait. Garance chantait! Ce fut tout pour ce soir-là. Il ne ressentit aucune inquiétude, au contraire il se laissait charmer comme au théâtre. Le cœur frémissant, il décida de renouveler l'expérience. Désormais, nuit après nuit, Garance se transformait sans jamais devenir totalement autre. La couleur d'une robe, la façon d'être, des détails multiples la déplaçaient sans la changer véritablement. Edoardo assistait avec de plus en plus de fascination au déroulement d'un drôle de film aux mutations incertaines et troubles. Il lui arrivait, lorsqu'il rencontrait le jour Garance, d'attendre avec une impatience violente la Garance de la nuit, la mystérieuse Garance, celle du miroir.

Ce soir pour la première fois, Garance n'est pas seule. Garance qui ressemble de moins en moins à Garance. Il y a ces yeux aux cernes intenses, cette bouche plus épaisse, plus large, plus fruitée, ces cheveux qui lentement se dénouent et se défont. Et cette voix, différente de celle si particulière de Garance, plus neutre, plus plate, familière pourtant :

« Jamais je ne vous ai oublié. Vous m'avez aidée à vivre... Vous m'avez empêchée de vieillir, de devenir bête, de m'abîmer. »

Et l'homme répond :

« Tous les jours je pensais à vous. »

Edoardo n'aperçoit que le dos de cet homme sur lequel se sont jointes les mains de la femme. Un vertige le saisit, il s'accoude au fauteuil. De nouveau, la voix qui le transperce et le glace :

« Je trouvais ma vie terriblement vide et je me sentais si seule! Mais je me disais : " Tu n'as pas le droit d'être triste, tu es tout de même heureuse puisque quelqu'un t'a aimée! " »

L'homme se déplace légèrement, plus aucun doute, ce visage pathétique c'est le sien!

« Je vous aime encore. Je n'ai jamais cessé. Et vous, m'aimez-vous? »

Et le voilà qui saisit la main de la femme!

« Non, ne me répondez pas. Je ne demande rien. Vous êtes là, c'est la seule chose qui compte. Oui..., vous êtes là, vivante dans mes bras, comme la première fois! »

Assez! C'est assez... La femme murmure :

« Embrasse-moi! »

La pièce est terriblement silencieuse, de ce silence proche de la mort qui est celui des objets la nuit. Rien, une hallucination due à la fatigue, un dérèglement passager des sens. Demain tout retournera à l'ordre normal de choses.

– Embrasse-moi!

Cette voix de satin froissé, cette voix-là ne l'a jamais quitté un seul instant... Cette voix, c'était Gloria, toute Gloria! Et bon Dieu oui, il l'aimait toujours, tant pis pour les morts et les vivants, Dieu et le diable. Elle, elle seule... « Je n'ai jamais cessé... » La vérité! Jamais cessé de l'aimer! Pas même dans la montagne... Pas même bouleversé par l'autre, pas même ensevelissant le corps de Madeleine de ses mains, pas même quand il jurait le contraire et qu'il le croyait...

Des bobines sont arrivées de Paris, un mélange de scènes tournées dans la capitale et à Nice. Petit Marcel décide de visionner immédiatement. La caméra dort sous ses voiles. On rafistole, on passe le temps. Une curieuse journée, entre parenthèses. Sans en parler, on pense à ceux qui découvrent là-bas dans l'étroite salle de projection les premières images. On pense à lui. A Petit Marcel, son émotion, ses craintes. On pense aux acteurs, on les a vus tout à l'heure arriver plus tendus que d'habitude. Garance oubliait de sourire, Frédérick dans un magnifique ensemble blanc paraissait ne pas avoir dormi de la nuit, Baptiste filait comme une flèche, droit devant lui. Ils étaient tous là maintenant, derrière cette porte surmontée d'un gros voyant rouge en interdisant l'accès. Durant des heures, personne ne sortit, personne n'entra. Le voyant pâlissait sous le soleil. Un air mou coulait dans les allées. En début d'après-midi, Frédérick franchit le seuil et s'engouffra dans la voiture de la production. Il revint une heure plus tard avec une caisse de champagne sur la banquette arrière. On poussa un ouf de soulagement. Les ateliers s'activèrent une heure ou deux puis la léthargie englua de nouveau les gestes et les paroles.

Il fallut attendre six heures du soir pour qu'enfin le producteur sorte de la salle. Il était pâle.

– Un sacré boulot, un sacré boulot...

Il donna l'ordre d'offrir l'apéritif à toute l'équipe.

– Un sacré boulot!

Il répétait la même phrase à tout le monde, hébété de fatigue et comme rempli d'un trop-plein de sensations.

Ils sortirent de la salle, silencieusement, ils avaient besoin de marcher un moment, de respirer l'air glacial, de regarder le ciel vibrer d'étoiles au-dessus de la ville plongée dans l'obscurité du couvre-feu.

– Ce que c'est beau! lança Garance, elle ne parlait pas du ciel. Elle riait et dansait sur place. Enfin Petit Marcel apparut, froissé, blême, Garance l'embrassa, les autres également. Alors pour briser l'émotion, il commença à donner des consignes que personne n'écoutait. Il y avait encore tant à faire... L'essentiel pourtant, il le tenait bien au chaud dans ces quelques dizaines de boîtes en fer blanc posées sur les étagères de la cabine de projection. Il les savait éternelles désormais. Eternelles! Un vertige le fit chavirer dans les bras de Frédérick qui titubait lui aussi sous l'effet du champagne servi trop chaud.

– Ce sera le plus beau film de la guerre, dit quelqu'un dans la foule.

– Non, de l'après-guerre, rugit Frédérick.

On demande à ceux qui ont vu. Et ceux qui ont vu racontent des merveilles... Garance et Frédérick, Garance et Baptiste... On parle de Balzac, d'Eugène Sue. On se répand dans les allées, verre en main, personne ne veut se quitter. A ses assistants, Petit Marcel annonce qu'il organise une autre séance en petit comité.

Edoardo entre le premier dans la minuscule salle encore imprégnée des odeurs de tabac de la journée. Le moment qu'il préfère, quand tout est encore possible, qu'au travers du magma des scènes et des plans se profile l'esquisse d'une harmonie définitive. Orgueil suprême de décider, choisir, rejeter. Magie suprême d'inventer des collisions de mouvements, de sentiments, de regards. Pouvoir suprême de décision sur des ombres et des lumières.

Le noir puis l'écran se nimbe comme une forêt au matin de taches, d'éclats, de zébrures. Une boucle noire, un chiffre et enfin la première image silencieuse, à peine troublée par le crépitement de l'appareil. Le rêve sans cesse recommencé d'un univers pâle et gris, aux paroles et aux rires muets, explosion de bulles étourdissantes, vies brisées, abolies, ressuscitées, semblables et pourtant différentes, cascades de visages tremblants sur la surface plane, douloureux, charmeurs, étranges, glauques, vibrants d'une énergie souterraine, mystérieuse. Edoardo retient son souffle, plongeur en eau profonde. A chaque fois que Garance apparaît, tout bascule et glisse emporté par une musique qu'il est le seul à entendre. Envoûté, il ne cherche même pas à reconnaître les plans, Garance est Garance, une continuité d'innocence et de séduction, voilée et mystérieuse. Mais Garance soudain sur ce balcon du Grand Théâtre tenant enlacé Baptiste, Garance lumineuse, Garance caressant la joue de Baptiste, cette Garance-là, dans cette scène-là, n'est plus Garance, c'est la femme au miroir! Tout est identique, la position des protagonistes, leur façon d'être et de se parler. Garance et Baptiste, Gloria et lui... Le texte que l'on ne peut entendre, il le lit sur les lèvres des acteurs. Les mots d'amour de Gloria et les siens... La scène est reprise plusieurs fois, Baptiste de face, Garance de trois quarts dos puis le contraire, un va-et-vient de visages se déclarant l'amour fou, effaçant les années passées, perdues, annihilant le reste du monde, tout ce qui n'est pas leur passion totale, éperdue, jusqu'à l'explosion finale de Garance ordonnant : « Embrasse-moi! »

Edoardo se lève chancelant, s'excuse et sort de la salle sous le regard irrité de Petit Marcel. Il court là-bas sur le grand plateau nimbé d'une clarté descendue des étoiles à travers l'immense verrière, des étoiles d'hiver neuves et scintillantes comme une mer de diamants. Les pages du script défilent... Vers la fin... Là... Balcon du Grand Théâtre... D'avance, il sait, les mots noir sur blanc exactement les mêmes. Les mots de son rêve, les mots de son amour.

GARANCE. – Jamais je ne vous ai oublié. Vous m'avez aidé à

vivre... Vous m'avez empêché de vieillir, de devenir bête, de m'abîmer.
FRÉDÉRICK. – Tous les jours j'ai pensé à vous.
GARANCE. – Je trouvais ma vie tellement vide et je me sentais si seule! Mais je me disais tu n'as pas le droit d'être triste, tu es tout de même heureuse puisque quelqu'un t'a aimée!
FRÉDÉRICK. – Je ne demande rien. Vous êtes là, c'est la seule chose qui compte. Oui... Vous êtes là vivante dans mes bras, comme la première fois!
GARANCE. – Embrasse-moi!

Le lendemain matin, on demanda Edoardo au téléphone. Il se précipita. Il aurait voulu se déplacer normalement qu'il n'aurait pas pu. La voix lui arriva inchangée.

– Salut! dit-elle.

– Salut, répondit-il.

– C'est Gloria.

– Je sais.

Elle lui donna rendez-vous à la grande maison.

– Comme avant?

– Voilà, comme avant.

Il dit oui. Une fois. Et dans sa tête cent mille fois. Où allait-il trouver des affaires convenables pour se vêtir? Ce fut sa principale préoccupation durant quelques minutes. Le reste de la journée, il le passa porté par la musique qui éclatait sous son crâne. On le trouva étrange, on lui en fit la remarque. Il se contenta de sourire mais si lumineusement que les interlocuteurs s'éloignaient de lui heureux sans savoir pourquoi. A l'atelier des costumes, il dénicha un pantalon et une veste d'un brun sombre.

– Quelle classe! Vous faites anglais, lui dit l'habilleuse avec une lueur dans le regard.

Anglais, on ne pouvait trouver mieux.

Frédérick qui conservait une élégance d'avant la guerre lui prêta une très jolie paire de mocassins marron clair. Des chaussures de vedette! Elles étaient un peu grandes mais si élégantes.

Le vent glacial venu de la mer s'engouffrait dans les rues désertes. L'obscurité rougeâtre faisait vibrer la colline du Château et les montagnes jusqu'en Italie. Il fallait arriver avant l'heure du couvre-feu, il croisa des patrouilles de soldats allemands avec leurs chiens, il ne leva pas les yeux. Aux Ponchettes, il dut faire demi-tour, tout le quartier avait été évacué et transformé en zone militaire, des barbelés barraient la route, les petites maisons rose et ocre gisaient aveugles, volets tirés, portes cadenassées. Il aperçut les tourelles d'un tank et sur les terrasses qui dominaient la plage des mitrailleuses en position. Derrière, on distinguait les manteaux des sentinelles. Il passa au large et descendit dans la vieille ville par la place Masséna. En voyant la grande maison, Edoardo frissonna. Tout allait-il recommencer ou tout allait-il finir? Il ralentit sa marche. Il allait revoir Gloria! Il pouvait encore fuir, ne pas franchir le seuil de cette maison de douleurs et de chagrins, de passions et d'illusions. Il poussa la porte. Un simple geste et les questions n'avaient plus de sens. Le couloir, son ancienne chambre et là-bas au fond, éclairée par la lampe jaune, Gloria. Décidément, rien n'avait changé, ni l'odeur d'humidité ni celle de son parfum. Rien n'avait changé, elle l'attendait devant sa table de maquillage, l'unique chaise disparaissait sous les vêtements. Il faisait tendre et doux loin du monde, toujours aussi loin. Il se sentit si heureux d'être revenu qu'il ne put s'empêcher de pousser une sorte de grognement. Gloria se retourna. Belle si belle. Elle se leva et vint vers lui. Belle plus belle qu'avant, il l'enlaça et la tint ainsi yeux fermés plusieurs minutes. Elle ne chercha pas à s'échapper, à rompre le délice, elle se faisait petite dans ses bras. Il retrouva son corps d'enfant, bouleversant de fragilité et chaud d'une sensualité souveraine, indomptable. Ils ne prononcèrent pas un mot, il la serrait, elle lui broyait les mains. Pour la première fois, la toute première fois, il perçut de la brume lorsque ses lèvres rencontrèrent la bouche de la jeune femme, une brume tiède qu'il conserva longtemps sous la langue. Ils s'embrassèrent délicatement, lèvres contre lèvres, comme dans le premier baiser de deux inconnus. Puis il la contempla, oui, belle plus belle qu'avant, une impression qu'il ne put dans un premier temps définir. Plus tard, ce fut dans le regard qu'il saisit la différence, le supplément de beauté venait de l'apparition d'une douceur à laquelle ne participait aucune mièvrerie mais le reflet d'une lassitude comme si les yeux s'étaient fatigués de trop se durcir et que brusquement le flot des horreurs ne pouvait plus les meurtrir mais au contraire éveiller en eux une sorte de compassion. Ils se détachèrent l'un de l'autre, Gloria fit de la place sur la chaise à côté du lit. Edoardo s'assit. Comme la première fois. Gloria s'installa, dos tourné au miroir.

– Vous êtes différente...

– C'est vrai?

– Oui, plus douce, plus humaine.

– Plus humaine, vraiment!

Elle coula dans sa direction, il se pencha et la saisit entre ses bras.

– C'est une sensation, un sentiment, je ne sais pas... Les anges dans les peintures en Italie ont parfois cette expression. Vous attendiez une autre explication?

– Oh non, c'est bien, les anges, c'est parfait!

Ils éclatèrent de rire. Un ange! Ils se serrèrent une nouvelle fois, très fort.

– Un ange, vraiment?

– Les anges sont souvent des démons repentis...

– J'aime que vous me racontiez des histoires. Vous m'avez toujours raconté de belles histoires, dès le début, je m'en souviens très bien. Des histoires de cinéma, c'était beau, ça faisait rêver...

– Tous les jours j'ai pensé à vous, Gloria.

– Moi, je ne vous ai jamais oublié Edoardo, vous m'avez aidée à vivre. Vos belles histoires m'ont empêchée de devenir bête...

– Je t'aime Gloria, je t'aime tant...
Elle leva d'immenses yeux graves.
– Embrasse-moi! murmura-t-elle.

Plus tard, il y eut des sirènes, puis des avions passèrent sur la ville, le bruit des moteurs pénétrait à peine les murailles de la vieille maison. Gloria prépara du thé.
– Il n'y a rien d'autre.
Elle se coucha et lui fit signe de la rejoindre. Il s'allongea et la caressa. Elle ferma les yeux et le laissa faire sans rien précipiter ni déterminer. Humide, elle s'ouvrait et s'étalait. Il avait le sentiment d'avoir l'éternité pour l'aimer, la goûter, la boire, et recommencer encore et encore. Elle était la mer, il était le nageur. Il l'entendait gémir et crier mais il ne se posa pas la question de sa jouissance. Il préféra lui dire des mots d'amour, un tourbillon de mots, usés et beaux... Elle était sa reine, sa douce, sa merveilleuse, son unique, sa fleur, sa sauvage, son rêve, sa déesse, sa divine. Elle lui demandait de continuer, de parler encore, de la serrer fort, fort, fort, de la protéger. Alors il l'enlaçait et la couvrait de baisers à l'étouffer. Il lui jurait qu'il serait toujours là près d'elle, qu'elle n'avait rien à craindre. Il serait là, oui, le jour et la nuit pour la tenir contre sa poitrine et repousser le mal. Elle insistait comme si elle n'avait rien entendu, comme s'il n'avait rien dit.
– Protège-moi...
Alors, il recommençait. Elle ne voulait pas qu'il se taise. A peine restait-il quelques secondes silencieux qu'elle lui demandait :
– Parle-moi, Edoardo, dis-moi des mots.
Il recommençait, épuisé, ivre, fou... Elle s'était blottie le long de lui, la tête légèrement basculée dans le vide. Il l'entendait sans voir l'expression de son visage. Il entendait cette voix légère, délicieusement impérative qui le transperçait jusqu'au fin fond de l'âme, vague ondulante,

fiévreuse, qui lui nouait l'épiderme de frissons. Il raconta le film, leur film. Il raconta Garance, son rire, sa fraîcheur, sa joie de vivre.

– Tu en es amoureux?

– Mais oui...

– Et si j'étais jalouse?

– Mais tu ne peux pas. Garance c'est toi, ton image sur un écran, ton reflet dans un miroir. C'est pour cela que je l'aime.

– Et si l'image était mieux que le modèle?

– C'est impossible.

– Oui, mais quand même...

La lampe jaune s'éteignit brusquement, Gloria se leva, alluma une bougie. Les flammes peuplaient d'ombres dansantes ses seins et son ventre.

– Tu fais des progrès, dit-elle, tu ne poses plus de questions.

– Ce n'est plus nécessaire.

– Oui, mais moi, j'ai envie de te dire comme j'ai trouvé ma vie vide, comme je me sentais seule! Mais je me disais tu n'as pas le droit d'être triste puisque quelqu'un t'a aimée.

– Je ne demande rien, Gloria... Tu es là, c'est la seule chose qui compte... Tu es là vivante, comme la première fois...

Elle vint l'embrasser, un baiser rapide.

– Ils ont tué Lumeni, tu sais... Un matin très tôt, ils ont pénétré dans la villa, les gardiens avaient disparu, ils sont montés jusqu'à la chambre, ils étaient masqués, ils l'ont fait sortir du lit en lui disant que c'était pas la peine qu'il s'habille, nu ils l'ont fait descendre jusqu'au jardin, ils l'ont criblé de balles, à la mitraillette, puis l'un d'entre eux l'a achevé d'un coup de pistolet dans la nuque, la cervelle a éclaté... Ils rigolaient : j'ai compris que c'était parce qu'il avait le sexe tout ratatiné.

– Et toi, où étais-tu?

Elle poursuivit d'une voix neutre :

– Nous venions de faire l'amour... J'étais dans la salle

de bains quand je les ai entendus dans l'escalier. J'ai tout de suite compris, j'ai attendu qu'ils l'emmènent dans le jardin pour filer aux étages supérieurs, je me suis cachée dans le grenier, j'ai tout vu à travers les persiennes. Après ils sont revenus, ils parlaient de moi, de la putain... Ils ont fouillé un peu mais ils ont pas insisté. J'ai vite pris mes affaires et je suis venue ici. Tu es la première personne que je vois...

Pourquoi lui avoir raconté tout ça? Il tira la couverture sur sa poitrine. Gloria vint se blottir contre lui, elle était glacée.

– Mets-toi sous les draps, tu es gelée.

Elle se glissa dans le lit.

– Il faut que tu m'aides, sa voix se fit plus précipitée, s'ils me trouvent, ils m'abattent. Ils me haïssent, pour eux je suis une hyène... Tu sais après ton départ dans la montagne, ç'a été horrible...

– Je ne veux pas savoir.

Gloria se redressa.

– Edoardo, je n'ai rien fait, je le jure, au contraire, j'ai retenu Lumeni.

– Mais tu étais avec lui!

– Oui. Ça leur suffit aux autres... A la fin je refusais de voir, je refusais d'entendre. Je n'y suis pour rien, pour rien... Tu me crois Edoardo, tu me crois, n'est-ce pas?

Il ne lui dit pas que ne pas voir, ne pas entendre c'était trop facile, il ne lui dit pas qu'elle n'aurait jamais dû être dans la montagne à partager l'existence du chef de la milice, il ne lui dit pas que les autres avaient sans doute raison de la considérer comme une salope... Il lui dit que demain, il l'emmènerait au studio et la mettrait sur la liste des figurants.

– Je serais déguisée?

– Oui.

– Chic alors!

Personne ne viendra la chercher là, personne n'aura l'idée qu'elle fait partie des *Enfants du paradis*. Après il ne savait pas. Mais Gloria, elle, avait plein d'idées, des idées pour tous les deux.

– Nous vivrons en Italie, Edoardo. Nous nous cacherons en attendant les Américains, puis la guerre finie, je jouerai dans tes films. Tu verras comme tu seras fier de moi. Je suis bonne comédienne, j'en suis sûre. Nous oublierons, nous oublierons tout ça.

Elle se jeta hors du lit et se mit à gambader dans la chambre. Allongé, il la regardait légère comme une bulle d'air irisée de lune. Il pensa à Lumeni, à sa cervelle éclatée, à son sexe rabougri. Il rejeta la tête contre l'oreiller mais rien n'y fit. Il les voyait tous les deux, lui fier de son membre de malabar, la pénétrant et la transperçant jusqu'à l'extase, explosant enfin dans ce corps frêle, juvénile, lâchant toute la bonde de son désir dans ce ventre d'enfant si menue, menue...

Il se redressa et se mit à hurler... Gloria le serra dans ses bras...

– Edoardo, mon bel Edoardo, calme-toi, je suis là, n'aie pas peur, tu verras comme nous allons être heureux.

Non, il ne pouvait pas, c'était au-dessus de ses forces, au-delà de sa compréhension. Les images le meurtrissaient, celles de l'autre, de tous les autres.

– Je ne peux pas, je ne peux pas, chuchota-t-il d'une voix étranglée.

– Mais si tu peux, je vais te faire l'amour, mon amour comme jamais je ne te l'ai fait, l'amour à mourir, tu vas voir, laisse-toi faire, abandonne-toi à moi. Regarde comme je suis mouillée... Tu peux toucher, ça vient de mon ventre, c'est l'enfer là-dedans, une chaleur inimaginable... Je brûle mon amour... Toute brûlante pour toi...

Elle le fit basculer et l'enveloppa de mille tentacules aromatiques jusqu'à le paralyser d'une torpeur spongieuse. Il voulut crier, elle lui capta la langue et la cloua à la sienne. Il était emporté, volatilisé, soulevé du matelas et projeté dans un gouffre incandescent. Elle n'avait pas menti, toutes les flammes de l'enfer l'agrippèrent, le pourléchèrent de leurs murmures crépitants. Il sentit son corps fondre sous la pression du brasier. Le gouffre s'écartela, il fut catapulté entre ses parois sirupeuses et mouvantes. Une fois de plus, une fois encore, Gloria l'emportait, pour le plus intense, le plus infernal, le plus envoûtant de tous ces voyages où elle l'avait chevauché rayonnante à travers les ténèbres.

Edoardo épuisé mais sans sommeil se surprit à penser à Petit Marcel, dormait-il, brûlait-il des cigarettes dans sa chambre du Négresco? Ce soir tout serait fini. Une seule journée de tournage, c'était le pari. Il se leva, enfila ses vêtements, longea le couloir, respira le silence comme pour s'en imprégner à jamais. Une lumière blanche tombait des meurtrières. C'était la dernière fois. La grande maison appartenait déjà au passé. Dans la cuisine, il crut voir Madeleine comme chaque matin lavant à l'évier la vaisselle de la veille, souriante et sereine. Il chercha du café, ne trouva qu'un reste de chicorée. La chambre pour Gloria, la cuisine pour Madeleine. La table où il lisait, où elle cousait, il s'accouda, chercha dans sa mémoire l'emplacement exact, l'atmosphère, les mots d'alors, il lui revint le bruit de la pluie fouettant les volets. Il but le liquide insipide à petites gorgées, il ne se sentait ni plus vieux ni plus triste, différent. Il hésita un moment à se sauver en douce, la laisser dormir, refermer la porte derrière lui. Evidemment, il n'agirait pas comme ça... Il n'eut pas à la réveiller, enveloppée d'un drap, ébouriffée, chiffonnée, Gloria s'étira avant de venir l'embrasser d'un baiser négligent sur les joues. Ses gestes lents et précis, le glissement de ses pieds nus, ses yeux englués de rêves lointains donnaient l'impression d'un petit animal se déplaçant, indifférent aux êtres et aux choses.

– Prépare tes valises...

– Je n'en ai qu'une, elle est prête.

Elle s'habilla rapidement. Il l'attendit dans la cuisine, il n'avait pas envie de retourner dans la chambre, de revoir la lampe jaune. Elle avait les cheveux mouillés quand elle le rejoignit. Il lui dit qu'elle allait prendre froid. Elle haussa les épaules.

– Je ne crains pas le froid.

Il se saisit de son bagage, une pauvre valise effilochée, il s'attendait à la trouver lourde, elle était légère. Il avait oublié qu'elle n'avait rien à elle.

– On y va?

Elle fit un signe de tête. Ils quittèrent la grande maison sans un regard. Une fois dehors, ils ne se retournèrent pas. Il faisait beau, très beau, Petit Marcel sera content, un soleil resplendissant et sans chaleur dans un ciel d'un bleu parfait. Ils croisèrent une patrouille allemande, des jeunes, aux manches de chemise relevées comme en plein été. Ils chantaient de bon cœur mis en joie, eux aussi, par le soleil et tout ce ciel bleu. Ils trouvèrent un fiacre. Le cheval était fatigué, le fiacre sentait la crotte. Devant les boulangeries, il y avait déjà de longues queues, aux boucheries, aux épiceries aussi, des queues résignées, gris et noir dans la clarté éblouissante. La journée commençait pour tous ces gens avec la course à la nourriture, elle finirait de même. Quelle chance ils avaient!... Eux allaient vivre une journée exceptionnelle. Une bouffée de joie envahit Edoardo, la vie était belle! Il se tourna vers Gloria, elle avait fermé les yeux. Il se laissa retomber sur le siège.

Ils finirent le chemin à pied, devant les portes du studio, ils durent fendre la foule. Il y avait là les figurants convoqués et ceux qui espéraient, des visages creusés par le jeûne, des dos voûtés, des femmes trop maquillées, des costumes luisants d'usure, des grandes gueules parlant fort et haut, des spécialistes qui s'empressaient de donner des tuyaux crevés aux autres avides de n'importe quel bobard, des rumeurs les plus folles, les plus extravagantes. Il y avait des culs-de-jatte dans leur voiture, des manchots, des bossus, à tous on avait dit que là-haut on avait besoin de tout le monde. Alors ils étaient venus! Les mères poussaient leurs progénitures endimanchées. Certaines reconnaissant Edoardo lui faisaient de grands signes, folles d'espoir, lui désignant le beau garçon, la jolie petite fille, Edoardo ne voyait rien, n'écoutait rien, il fonçait, la valise de Gloria brandie au-dessus de la tête. Le concierge dans sa guérite faillit ne pas le reconnaître. Affolé, il entrouvrit le portail, Edoardo poussa Gloria devant lui. De l'autre côté dans les allées désertes des oiseaux chantaient.

– C'est ça un studio? demanda Gloria.

D'un geste Edoardo désigna le décor où les machinos s'affairaient depuis l'aube. Au pied de la caméra, Petit Marcel fixait le Boulevard, son Boulevard. Il portait un pantalon trop grand et une chemise fripée. Il était seul et silencieux. Dans l'atelier des habilleuses, des milliers de costumes pendaient suspendus à des cintres avec chacun une étiquette. Edoardo présenta Gloria à la chef.

– Je la mets en quoi?

– Passante avec loup...

– D'accord, dépêchons-nous, dans dix minutes ça va être la ruée, vous avez une taille de rêve mademoiselle, ce sera facile à trouver.

Ils longèrent une travée bordée de chaque côté par des penderies énormes croulant sous les robes, les blouses, les caracos, les redingotes.

– On va lui trouver une robe à volants légers pour qu'elle crève pas de chaleur la petite. Suivez-moi, c'est par là.

La femme se dirigea sans hésiter vers le fond de la salle, se saisit d'un ensemble blanc à volants, d'un jupon, d'une paire de bottines et d'une écharpe blanche elle aussi.

– Le jupon, c'est indispensable? demanda Gloria.

– Évidemment mademoiselle, manquerait plus que ça qu'on aperçoive que vous n'avez rien dessous. Et le tomber qu'en faites-vous ? Tenez, mettez-vous derrière le paravent, regardez si ça vous va mais je crois que oui.

Gloria disparut quelques instants. Lorsqu'elle surgit, la taille cintrée, évanescente sous le tissu flottant de la robe, dressée sur ses bottines, elle ressemblait à une gravure de boîte de bonbons, adorable et irréelle.

– Le jupon me gratte, fit-elle en riant.

– Vous vous habituerez. Pour les cheveux et le loup c'est au maquillage, fit la costumière en s'éloignant.

– Je crois que je vais m'envoler. Je te plais?

Edoardo sourit.

– Tu me plais toujours.

– Je ressemble à quoi?

– A une invention.

– Ça veut dire quoi?

– Que tu ressembles à une image, une belle image, quelqu'un qui n'existe pas.

Au maquillage, une coiffeuse lui confectionna un chignon de jeune fille sage. On lui enduisit le visage de crème et de poudre rose, à la fin on peignit ses lèvres de rouge.

– Maintenant le loup!

On en essaya plusieurs avant d'en trouver un de satin noir parfaitement ajusté. Gloria quitta sa chaise en esquissant un pas de danse.

– Je suis prête pour aller au bal.

Puis s'adressant à Edoardo :

– Personne ne me reconnaîtra?

– Non, Gloria, personne ne te reconnaîtra.

Il la regarda se démener comme une gamine et rire avec la maquilleuse. Méconnaissable.

– Je m'en vais maintenant, fit-il, on se retrouvera ce soir...

– D'accord. On ira en Italie!

– Peut-être pas tout de suite. Mais on ira.

– Toi, dans la foule tu me reconnaîtras?

– Je ne crois pas...

Gorge nouée, il détourna vivement la tête. Un flot de colombines pénétra dans la salle en se disputant chaises et miroirs, Gloria voltigeait au milieu du groupe.

La caméra attend Garance qui va se perdre dans le bruit et la foule, Garance qui n'entend pas Baptiste hurler comme un fou son nom. L'immense clameur du carnaval, de l'ivresse, de la musique va l'emporter. Elle traverse le Boulevard sous une tornade de serpentins et de confettis. Rafales d'hommes et de femmes excités par cette liesse intense, plus forte, plus exaltante que toutes celles auxquelles ils ont participé de carnaval en carnaval depuis leur enfance. Un petit verre de vin a délié les jambes, ouvert les bras, élargi les sourires; les projecteurs se sont allumés, une lumière violente les a aveuglés, réduisant l'horizon au décor qui s'enfonce dans le ciel. Petit Marcel leur a ordonné de gueuler et de chanter, de danser, de se tenir par le bras, de s'enlacer, de s'embrasser. Alors, ils ont mordu dans la fête avec l'appétit barbare de ceux qui ont quatre années de faim, de gris, d'immobilité, de silence à abolir d'une unique et monstrueuse bouchée d'ogre.

Là-haut, agrippé au bras de la grue, l'œil fixé à la caméra, Petit Marcel tient sa victoire. Des taches grouillent devant ses yeux, des milliers de taches blanches qui chantent, rient, dansent. Baptiste devient peu à peu invisible, définitivement englouti par les vagues oscillantes de la marée humaine. Petit Marcel laisse tourner la caméra, il a assez de prises, il le sait. Il filme pour le plaisir, cette cohue prise de vertige qui s'enivre sous les zébrures violettes des projecteurs, s'époumone de joie dans l'espace inventé d'un studio de cinéma. Délectation suprême, un moment Petit Marcel ferme les yeux tellement l'émotion l'étreint. Il a peur maintenant, peur d'un bonheur trop violent, trop difficile à juguler.

– Stop! hurle-t-il.

– Stop, répercutent les assistants disséminés dans le décor et la masse des figurants.

Avec un chuintement d'insecte les projecteurs s'éteignent. Un long moment sous la lumière pâle du soleil, les pierrots s'agitent encore, des fenêtres continue de tomber une nuée de confettis. Quelques rires stridents éclatent. Fini? Oui, c'est fini. Les maquillages ont fondu, sous les masques des larmes de transpiration scintillent. Hébétés, bourgeois, filles, marlous vacillent interminablement, valse dont la musique se serait arrêtée brusquement. Le soleil décline, devient d'un blanc laiteux, un vent froid et livide traverse le Boulevard. Il fera nuit très vite. La foule se disperse lentement. Edoardo arpente une dernière fois le Boulevard, ce soir il partira. L'Italie. Il rassemblera ses quelques affaires. Il trouvera bien le moyen de passer la frontière. Il partira seul. Depuis le matin, il sait qu'il n'ira pas rejoindre Gloria. Il sait aussi qu'elle ne l'attendra pas. Dans la loge de maquillage, elles sont des centaines à ôter le rouge, la poudre, le rimmel, un brouhaha de salle de récréation, des rires retentissent, des rires rutilants de jeunes femmes. Et parmi eux, le sien! Edoardo passe devant les portes grandes ouvertes, bouscule des filles à moitié nues qui poussent des cris et s'en vont en courant. Sur le grand plateau, le producteur, Petit Marcel et quelques techniciens, Edoardo s'approche, hésite. Petit Marcel s'écarte des autres et lui tend la main.

– Alors, ça vous a plu!

– Oui, énormément.

– Que comptez-vous faire maintenant?

– La même chose.

– Quoi la même chose?

– Du cinéma, un film.

Petit Marcel cligne des yeux, le regarde en silence puis avec un sourire :

– Si vous le voulez vraiment, faites-le!

Gloria! Il la sent battre en lui à chacun de ses pas qui l'éloignent d'elle. Et cette douleur, coulée de sable à travers son être, n'est pas près de se tarir. Il lève la tête, pas d'étoile, seulement une moitié de lune que les nuages avalent et rejettent en ouvrant leurs gueules noires. Un jour il n'aura plus mal, le mal terrible de Gloria, le jour où il en fera un personnage de passion et de malheur, de folie et de sensualité.

Gloria sera au piano. Un homme s'avancera et lui demandera une chanson. Gloria le regardera. L'homme sera foudroyé. Il fredonnera l'air. Elle chantera pour lui.

Il tient la première image, les autres s'engouffreront derrière.

Cet ouvrage reproduit par procédé photomécanique
a été achevé d'imprimer sur presse CAMERON
dans les ateliers de la S.E.P.C.
à Saint-Amand (Cher), en décembre 1987
pour le compte des Éditions Grasset
61, rue des Saints-Pères, 75006 Paris

N° d'Édition : 7476. N° d'Impression : 2295.
Première édition : dépôt légal : avril 1987.
Nouveau tirage : dépôt légal : décembre 1987.
Imprimé en France

ISBN 2-246-35691-1